의사국가고시 | 레지던트시험 | 전공의 시험 | 준비를 위한

HANDBOOK

POWER Radiology

POWER MANUAL SERIES

영상의학 2판

동영상 QR코드

파워영상의학 게시판

유튜브 영상의학 채널

POWER 영상의학 핸드북 2nd edition

첫째판 발행 | 2011년 02월 25일
둘째판 발행 | 2021년 06월 17일

저　　자 권 양
발 행 인 장주연
출판기획 조형석
표지디자인 김재욱
편집디자인 주은미
일러스트 김명곤
발 행 처 군자출판사
등록 제4-139호(1991.6.24)
(10881) 파주출판단지 경기도 파주시 회동길 338(서패동 474-1)
Tel. (031)943-1888　Fax. (031)955-9545
홈페이지 | www.koonja.co.kr

* 파본은 교환하여 드립니다.
* 검인은 저자와의 합의하에 생략합니다.

ISBN 979-11-5955-720-0
정가 20,000원

머리말

지난번 책을 보고 아쉬움이 많고 부끄러운 점도 많았습니다.

이번 [파워 영상의학]은 파워에이드 영상의학의 개정판입니다.

- 파워내과 10판의 영상의학 부분을 이해하는 데 중점을 두었습니다.
- 그간 메디프리뷰에서 강의하며 얻은 노하우와 최신 트렌드를 반영하였습니다.
- 네이버 카페와 유튜브를 통해 독자와 소통하며 더 많은 지식을 전해드릴 수 있도록 노력하겠습니다.

네이버 카페 - 메디프리뷰 검색 [영상의학 공부방] - 파워 영상의학

: 질문받고, 오탈자 교정은 물론 새로운 영상 지식 등을 업데이트하겠습니다.

유튜브 - 메디프리뷰 - 영상의학

: 영상이미지 설명 및 업데이트를 올리겠습니다.

독자분과 소통하며 [파워 영상의학] 책을 통해 더 나은 지식을 얻어갈 수 있도록 도와드리겠습니다.

저자: **권 양(영상의학 전문의/메디프리뷰 원장)** 드림

Contents

Part Ⅱ 간, 담, 췌 질환

03 호흡기 내과

Contents

04 신장 내과

05 내분비 내과

06 혈액종양 내과

07 감염 내과

Contents

류마티스 내과

파워 내과 10판에서 미처 설명하지 못한 영상의학 부분을 해설하고 있습니다. 따라서 이 책에서는 파워 내과에서 사용된 번호 체계와 동일한 번호 체계를 사용하고 있습니다.

01 서론

영상 이미지를 잘 보는 법

1. 정상이미지를 옆에 두고 사진을 본다.

구글링 등을 통해 정상이미지를 모으고 스마트폰에 저장, 해당 정상이미지를 놓고 사진을 보며 [틀린 그림 찾기] 한다.

2. image를 얻는 방법을 공부한다(예: UGI, IVP 등이 만들어지는 과정).

1) youtube를 활용한다.
2) 영상의학과 실습 시간에 영상판독보다 영상자체가 만들어지는 과정을 더 보려고 노력한다.

3. 특별한 finding, sign에 과도하게 의존하지 않는다.

쉽게 질환명을 맞출 수 있는 특별한 ffinding, sign이 해당 질환의 영상 사진에서 늘

보이는 것은 아니다. 특별한 finding, sign을 보이는 경우는 드물다. 비정상적으로 드문 현상을 정상적으로 흔히 있는 상황으로 생각하면 안 된다.
특별한 finding, sign에만 의존하면 영상 이미지를 제대로 볼 수 없다.
(pneumothorax 사진을 볼 때 pneumothorax line이 안 보이는 사진이 pneumothorax line이 보이는 사진보다 훨씬 더 많다.)

4. 검사 방법의 한계를 먼저 공부해야 한다.

Abdomen x−ray 1,000장을 촬영해도 stomach mucosa는 볼 수 없다.
→ 위암 말기 환자의 abdomen x−ray에서 stomach mucosa는 언제나 보이지 않는다. skull x−ray로는 머리속의 출혈은 볼 수 없다.

5. 검사가 보여줄 수 있는 병변의 성상을 생각해야 한다.

(MRI로 air는 볼 수는 없다: pneumothorax, pneumoperitoneum은 안 보인다.)

실제 적용

각 검사의 한계를 아는 것이 중요하다. 이 검사는 무엇을 보기 위한 검사인가?
— 예를 들면 abdomen plain x−ray는 gas pattern을 보기 위한 검사이다. Plain x−ray를 놓고 liver가 어쩌고 하는 것은 잘못된 이야기다.
— 또 chronic bronchitis는 HRCT를 하여도 특이 소견이 없다. 하물며 chest PA주고 chronic bronchitis를 언급하는 것은 한 마디로 말이 안된다.
— MRI가 마치 가장 좋은 검사인 듯 알려져 있지만 아직은 trunk (chest abdomen, pelvis 영역)에서는 CT를 따라가기 힘들다.
— musculoskeletal 영역에서는 plain x−ray가 bone tumor 진단에서는 MRI보다 우월하다.

영상의학 사진 문제의 접근

교과서나 시험문제에 나온 모든 사진을 찬찬히 공부할 필요는 없다.

사진을 통해 어느 단계까지 진단가능한지 생각하며 사진의 영상의학적 소견을 익혀야 한다.

사진의 분류

시험에 나오는 사진의 용도를 편의상 A, B, C로 분류한다.

A: 진단적 가치 전혀 없음. 문제를 아름답게 꾸미기 위해 나오는 사진으로 보아도 무방하다.

예 asthma의 chest PA, pulmonary thromboembolism 환자의 chest PA

B: 질환이 어떤 category에 속하는지를 알려 주는 사진.

예 1) pneumonia에서 consolidation: nonspecific 하지만 감별질환의 폭을 좁혀 줌 최소한 viral infection은 아닌 bacteria, 드물게 fungal infection임을 알려준다.

2) large bowel의 colon study polyposis 사진: 정확히는 알 수 없으나 Peutz-jehr syndrome, familial polyposis syndome, Crohnkeit-canada 질환군에 속해 있음을 암시한다.

C: 매우 전형적이므로 사진 자체만으로도 진단이 가능한 사진.

예 만성췌장염(chronic pancreatitis)

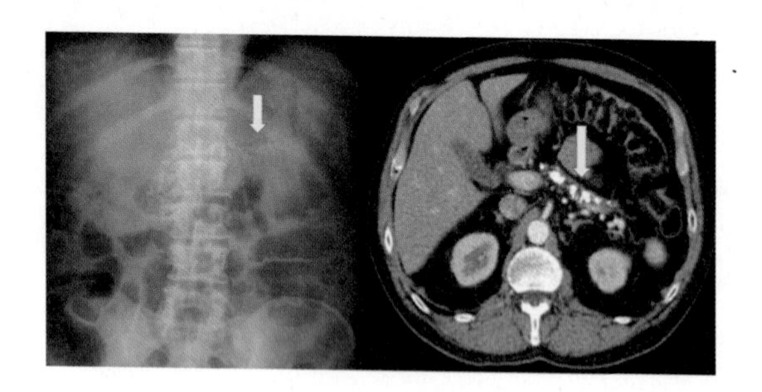

03 영상의학 검사의 종류

5가지 범주에 모든 검사방법이 포함된다.

X-ray / US / CT / MRI / RI

많은 검사 방법이 있으나 이 5가지 안에 모두 포함된다.

X-ray

density라는 표현을 쓴다(CT와 동일하다. 물리학적으로 형제관계이다).

까맣게 보이면 low density, 하얗게 보이면 high density

용도: 고체, 액체, 기체 중 고체, 기체를 보는 데 좋다. 액체 볼 때는 안 쓴다.

- 특히 기체를 볼때는 최고라 할 수 있다.
  (해상도가 뛰어나고 coronal view를 볼 수 있는 것이 장점)
- 고체에서 bone, calcification을 볼 때 좋다.
  하지만 soft tissue를 볼때는 위치와 희미한 형태 이외엔 안 보인다.
  이것을 더 잘 보기위해 조영제(contrast agent)를 사용한다.
  GI tract의 점막(mucosa)을 보기 위해 바륨(barium)을 사용한다.

Ureter, bladder를 볼 때 요오드(iodine)를 사용한다. -IV

혈관(vessel)도 볼 수도 있는데, 조영제를 혈관에 직접 넣으며 촬영한다. Angiography, classical angiography, conventional angiography는 모두 동의어다. 방사선에 의한 생물학적 유해성 있다(radiation hazard).

Ultrasound (US)

echogenicity(echo)라는 표현을 쓴다. 밝게 보이면 high echo, 어둡게 보이면 low echo, 안 보이면 anecho라 한다(메디프리뷰 유튜브에서 추가 설명 예정).

- 기체를 너무 싫어한다. 액체를 보는 데는 매우 우수하다. 고체는 soft tissue를 주로 본다. Bone은 표면만 보이고 나머지는 볼 수 없다.
- 초음파 자체로 진단명까지 진단 할 수 있는 질환은 많지 않다.
  대신 액체인지, 고체인지(stone) 실제 soft tissue인지를 구분하는 데는 좋다.
- 내시경에 붙여서 submucosa(점막하), trachea 주변의 mediastinal space를 보기도 한다. 혈관(vessel)도 볼 수 있는데 US-angio라 부르지 않고 Doppler라 부른다.
- 방사선에 의한 생물학적 유해성이 전혀 없다. 초음파의 장점이기도 하다.
  임산부, 어린이 등에 부담 없이 쓸 수 있다.

Computer Tomogram (CT)

density라는 표현을 쓴다(x-ray와 동일하다. 물리학적으로 형제관계이다).

까맣게 보이면 low density, 하얗게 보이면 high density

용도: 고체, 액체, 기체 모두 볼 수 있다.

- 시야가 넓어서 장기(organ) 전반을 볼 수 있으며 장기(organ) 간의 관계를 보는 데 장점을 갖는다. 여러 장기를 볼 수 있는 대신 크기가 작아져서 작은 병변(예 GB polyp, 소량의 액체)을 보는 데는 한계가 있다.
- Axial image로 주로 촬영하였으나 MDCT가 나오면서, coronal view가 가능해졌다. Hepatobiliary tract, urinary tract 등의 검사에 활용도가 높아졌다.
- 염증이나 암(cancer) 의심 시는 조영제를 사용한다(거의 대부분).
- stone이나 hemorrhage를 볼 때는 조영제를 사용하지 않는다.
- CT에서 사용하는 조영제는 요오드(iodine)로 만든 것을 정맥주사해서 사용한다. 부작용이 있는 경우 사망에도 이를 수 있어 각별한 주의를 요한다. (조영제 정리 편에서 다시 자세히 다룬다.)
- 혈관(vessel) 촬영이 가능하며 CT angiogram이라고 부른다.
- 방사선에 의한 생물학적 유해성이 있다. (radiation hazard) x-ray와 동일하다.

MRI

- H 이온의 전자를 이용하여 영상을 만드는 기법이다.
- Signal intensity라고 부른다. 줄여서 SI라고, 또 그냥 signal이라고 표현한다.
- 밝게 보이면 high signal 어둡게 보이면 low signal, 안 보이면 dark signal. (메디프리뷰 유튜브에서 추가 설명 예정)
- 프로그래밍 조건에 따라 T1, T2, proton, Flare image 등 다양한 영상을 볼 수 있다.
- Axial은 물론, coronal, saggital, oblique view까지 다양한 사면을 제공한다.
- 기체를 너무 싫어한다. 고체를 보는 데 매우 우수하다. 액체도 잘 보인다.
- Gadollium이라는 MRI만의 조영제가 있다. CT 조영제와 달리 매우 안정적인 조

영제라서 아직 커다란 부작용, 특히 사망에 이르는 부작용이 보고된 바는 없다.

- 혈관(vessel) 촬영이 가능하며 MR - angiogram (MRA)라고 부른다.
- Hepaticopancreatic duct를 조영제 없이 coronal view로 볼 수 있는 장점이 있다. 이를 MRCP (MR cholangiogram)라 부른다.
- 방사선에 의한 생물학적 유해성이 전혀 없다. MRI의 장점이기도 하다.
- 임산부, 어린이 등에 부담 없이 쓸 수 있다.

핵의학(Nuclear medicine, RI)

진하게 보이면 hot uptake, 안 보이면 cold uptake 라는 표현을 쓴다.

- 반드시 radiopharmaceutical agent를 IV로 넣으며 검사한다.
- 기체, 액체, 고체, 모두의 검사에 쓰인다.
- 기체 검사에 쓰이는 예는 lung scan을 통한 pulmonary thromboembolism
- 액체 검사에 쓰이는 예는 GE reflux에서 위액 역류, CSF leakage
- 고체 검사에 쓰이는 예는 metastasis, bone scan, 심장에서 thallium scan 등이다.
- 99 m TC-RBC라는 agent를 예를 들면 앞 부분의 99 m TC는 영상을 만드는 부분이고, RBC는 특정 조직에 가서 binding하는 부분이 된다.
- 원하는 조직을 선택적으로 볼 수 있으며, 실시간의 움직임을 볼 수 있는 장점이 있다.
- Positron Emission Tomography (PET)는 핵의학 검사에 속한다.

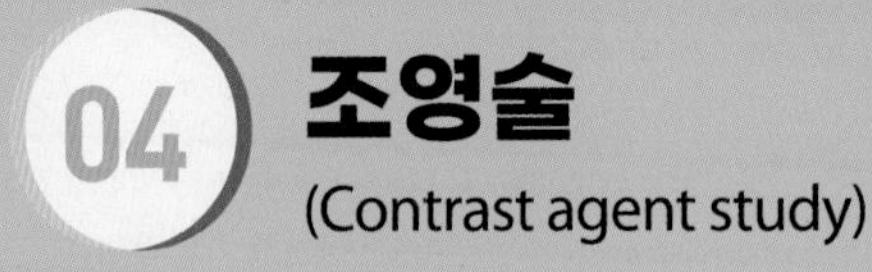

04 조영술 (Contrast agent study)

Contrast(대조)

주변과 차이를 벌려서 식별을 용이하게 만드는 일.
예를 들어 푸른 나뭇잎 위에 푸른 애벌레가 있다면 쉽게 보이지 않는다. 하지만 애벌레를 찾기 위해 나뭇잎을 붉은색, 흰색, 분홍색으로 바꾼다면 애벌레는 쉽게 눈에 뜨이게 된다(negative contrast study: 병변보다 주변을 변화시킴). 의심되는 병변이 있을 때 병변자체를 인위적으로 변화시켜 눈에 잘 뜨이게 만든다면 즉 애벌레 자체를 다른 색으로 만든다면 positive contrast가 되며 대부분의 contrast materials이 여기에 속한다.

x-ray: barium, Iodine

US: air

CT: iodine

MRI: Gadollium

Nuclear medicine: radiopharmaceutical = radioisotope

많이 쓰이는 그리고 시험에 잘 나오는 조영제는 barium, iodine 2가지다.

Barium(황산 바리움)

GI tract의 mucosa를 보는 데 쓰인다. 1) Filling study 2) mucosa study

GI tract의 mucosa를 보려면 barium을 mucosa에 바르고 외부에서 공기를 주입하여 GI tract을 완전히 팽창시킨다(풍선 불 듯).

이중 조영 검사

- 이중 조영 검사(double contrast study)는 barium을 mucosa에 바르고, 공기를 주입한 후 x-ray 촬영하여 이미지를 얻는 검사 방법을 말한다. Mucosa의 변화, mucosal lesion, submucosal lesion의 구분 등에 쓰인다. 상부위장관 검사(UGI) small bowel series, 하부위장관 검사(colon study)가 여기에 속한다.

점막 검사(mucosal study)

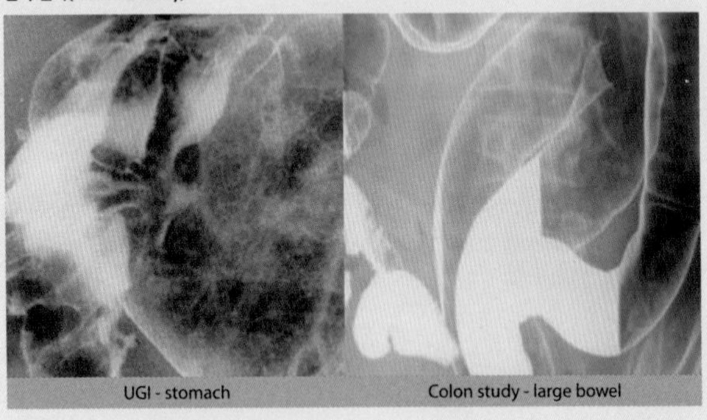

UGI - stomach

Colon study - large bowel

이중 조영 검사

충만 검사(filling study)

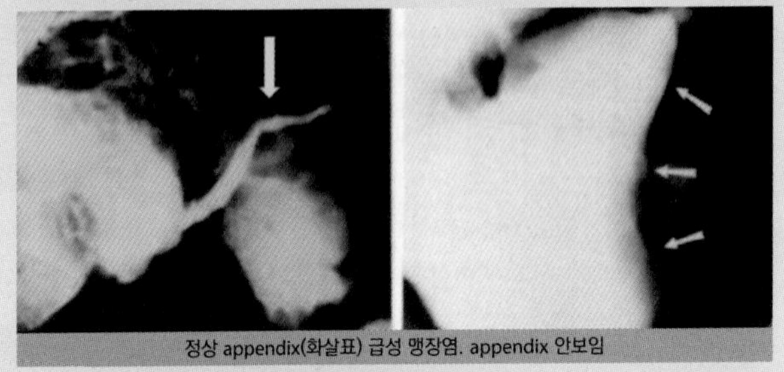

정상 appendix(화살표) 급성 맹장염. appendix 안보임

정상일 때는 appendix로 barium이 들어가서 high density로 보인다. 급성 맹장염일 때는 appendix로 들어가는 appendix입구의 점막 부종(edema)으로 조영제(바리움)가 들어가지 못한다. X-ray에서 보이지 않는다.

충만 결손(filling defect)

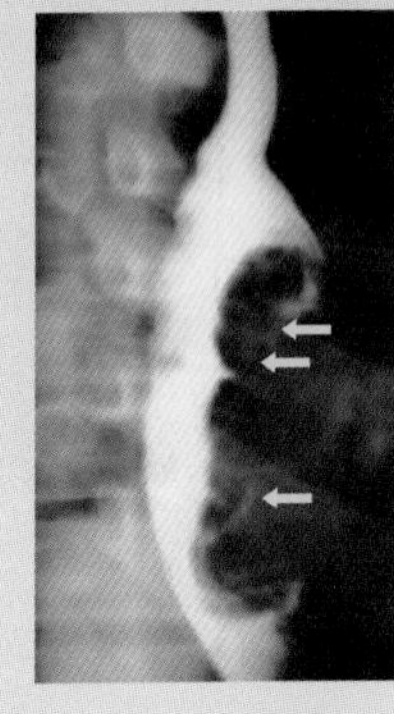

식도(esophagus)의 충만검사다.
흰 부분은 식도 안에 들어간 조영제(바리움),
옆의 검은 부분은 cancer다.
충만결손(filling defect) 부위가 식도암이다.

Iodine

X-ray에 속한 IVP, CT 검사의 조영제이다. IV로 주입한다.

오심, 구토 가벼운 저혈압부터, anaphylactic shock에 의한 사망에까지 이를 수 있다.

IVP 검사 시 anaphylactic shock은 매우 드물다.

CT 조영 시 anaphylactic shock이 일어날 가능성이 높아 각별한 주의를 요한다.

- Immune reaction type 4에 의한 anaphylactic shock은 초기에는 laryngeal edema가 생명의 위협이 된다(빠른 기도삽관이 필요). 후기에는 systemic hypotension이 온다(vasodilation에 의한 것이므로 epinephrine 등의 vasoconstrictor를 사용한다).

Elevated immunity에 의한 것이어서 immune suppressant (Dexamethasone, antihistamine)도 치료제에 포함한다.

치료보다 예방이 중요하다. 이전에도 같은 조영제에 대한 거부반응이 있었는지, 달걀, 항생제 등에 대한 allergic reaction의 유무를 묻는다. 소량을 subcutaneous에 주사하여 반응을 보거나 눈에 점안하여 충혈을 보는 등 evocation test도 함께 한다.

Renal excretion을 하므로 kidney function을 사전에 확인하고 dehydration 상태, kidney function이 안 좋을 때는 CT조영제를 쓰지 않는 것이 좋다.

생물학적 유해성 (Radiation hazard)

X-ray, CT 등에서 방사선 유해성이 있다.

납으로 차폐가 가능하며 DNA 손상을 일으킨다.

체세포 변형으로 인해 백혈병, 암 등이 발병할 수 있다.

생식세포 변형이 일어나면 기형아 출산 가능성이 생긴다.

핵의학에서 쓰이는 radiopharmaceutical agent도 생물학적 유해성이 있다.

물리적 성격은 X-ray, CT의 전리방사선과는 다르다.

초음파, MRI와 달리 생물학적 유해성을 염두에 두고 사용해야 한다.

시험문제 지문에 자주 나오는 내용들 ★

- 임신 시 RI 검사는 하지 않는다.
- 임신 시 CT는 납치마로 산모의 배를 가리고 시행한다.
- 검사에 의한 기형: 8~25주 사이가 가장 많다.

02
소화기 내과

소화기 내과

Part I
위장관질환

01 서론

소화관(GI tract)은 muscosa(점막)을 보는 것이 90% 이상이다.

Mucosa를 보는 방법은 barium study와 내시경을 이용하는 것 2가지 밖에 없다.

소화기 내시경의 발달로, mucosa를 보기위한 barium study의 역할은 많이 축소되었다.

본 책에서는 임상적, 수험준비에 필요하지 않은 barium study는 과감히 줄이기로 하였다.

- Fluoroscopic study: 일반 x-ray 기계로 연속 촬영이 가능하다. Barium study를 위한 기계다. esophagogram, UGI, small bowel series, colon study, defecogram 등의 GI tract 전 영역에서 쓰이며 IVP, Angiography (conventional angiography) 등에 사용한다.

소화관(GI tract)에서 abdomen CT의 용도는 소화관 자체를 보는 것은 아니다.

- 소화관 병변과 주변장기와의 관계
- malignancy에서 병기판정 등에 쓰인다.

02 설사 및 변비

변비(constipation)

① colon transit time study: x-ray에 잘 보이는 radioopaque(하얗게 보임) material을 환자에게 먹이고 일정 시간이 지난 후 rectum을 포함하여 촬영한 뒤 marker의 개수를 센다(marker=radioopaque material).

② 배변 조영술(defecography): 일반 X-ray와 barium을 이용한 방법이다. x-ray로 사진 아닌 동영상 촬영 후 각 단계별로 분석한다.

배변 조영술

stool 유사한 물질(radioopaque)을 항문을 통해 주입하며 배변을 참게 한다. 환자를 일정한 통 위에 쪼그리고 앉게 한 후 옆에서(lateral view)를 여러 장 얻는다. 변을 안 보게 하고 1장 촬영, 힘을 주어 변을 내보내게 하면서 1장 촬영(근육이상 발견 위해), 배변 후 1장을 촬영한다. 잔변량과 배변 시 근육움직임을 측정한다.

colon transit time study

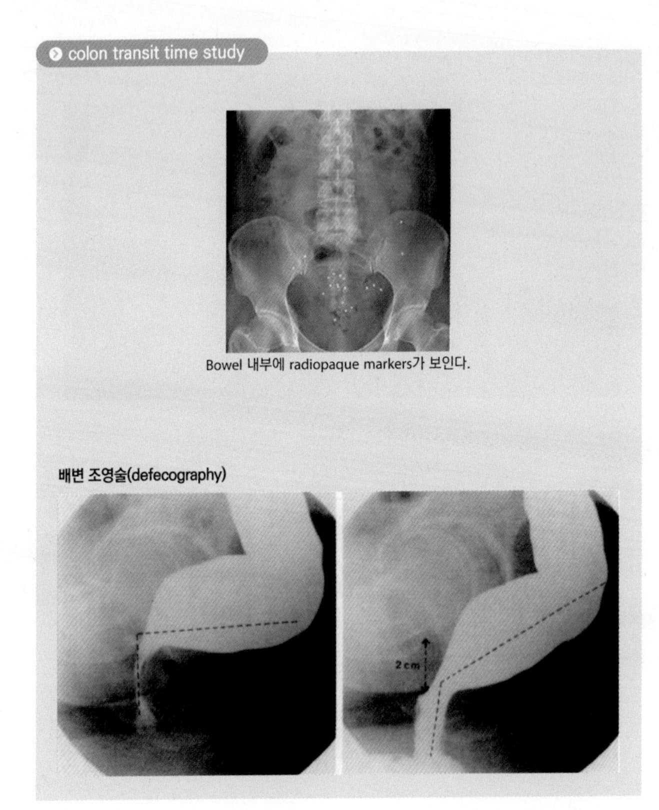

Bowel 내부에 radiopaque markers가 보인다.

배변 조영술(defecography)

정상 defecogram

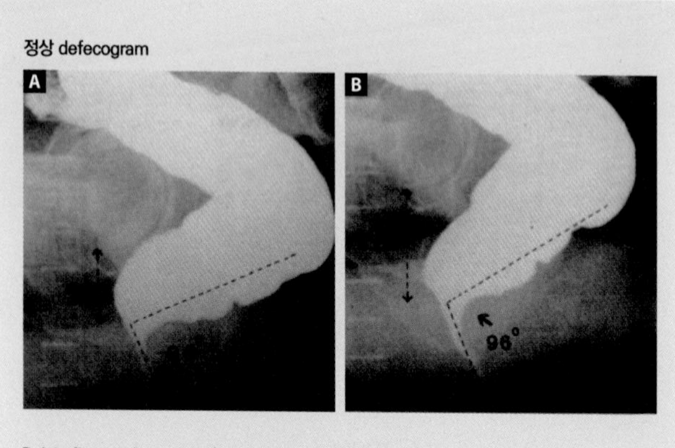

Pelvic floor defecogram (See anorectal angle)

03 위장관출혈

1. 상부 위장관출혈

① 내시경

② Angiography

③ Upper GI: ulcer, malignancy 등의 발견을 기대할 수 있으나 내시경으로 대치하는 경우가 많아 거의 쓰이지 않는다.

2. 하부 위장관출혈

① Tc−RBC scan or angiography를 먼저 시행한다. 0.1 mL/min 출혈도 Detection 가능하다.

예 Meckel's scan: gastric mucosa에 친밀성(affinity)을 갖는 agent를 tagging하여 시행한다.

FIGURES

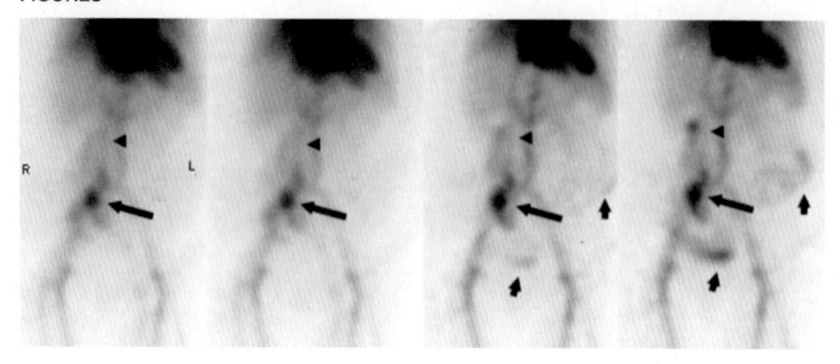

Tc−99m RBC scan: Rt.proximal artery에 hot uptake. bleeding focus 발견

04 식도 질환

영상검사

식도 질환: Tubular organ (Mucosa study)

① Fluoroscopic study: 일반 x-ray 기계로 연속 촬영이 가능하다. esophagogram, UGI, small bowel series, colon study, defecogram 등의 GI tract 전 영역에서 쓰이며 IVP, Angiography (conventional angiography) 등에 사용한다.
G-E reflux, old man의 abnormal esophageal movement의 진단에 유용하다.

② Esophagogram (single study): 충만결손의 유무를 확인하며 Achalasia가 있는 경우 single study상에서 진단이 된다.

③ Double contrast study: mucosa coating 후 mucosa extension(공기를 주입하여)하고 mucosa를 면밀히 관찰한다.

i) esophagus의 mucosal change.
ii) Achalasia(식도이완 불능증)

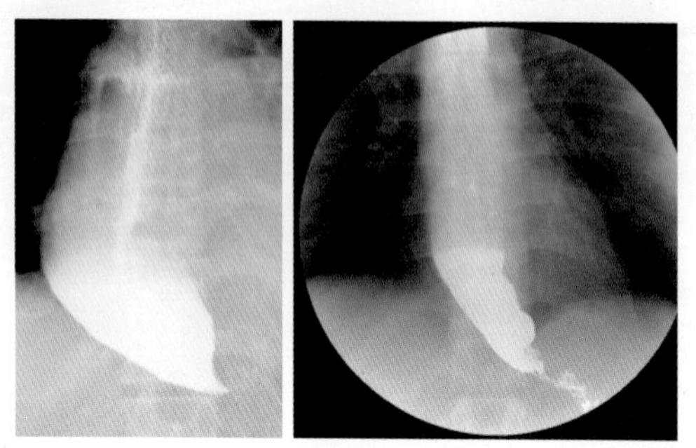

Bird's beak 모양의 narrowing이 보인다.

미만성식도경련/광범위식도연축(Diffuse esophageal spasm)

기타 식도질환

1. 식도 게실/곁주머니

: 약해진 muscle layer 통해 빠져나온 mucosa가 sac을 만드는 질환.

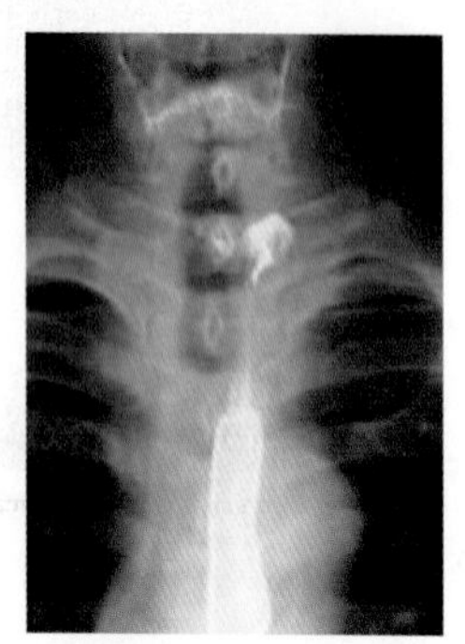

Lt. proximal clavicle에 barium collection이 보인다.

2. 틈새탈장/열공헤르니아(Hital hernia)

Stomach의 일부가 diaphgram 상부에 위치하는 질환으로 diaphgram 상부에서 gastric mucosa를 찾으면 확진할 수 있다.

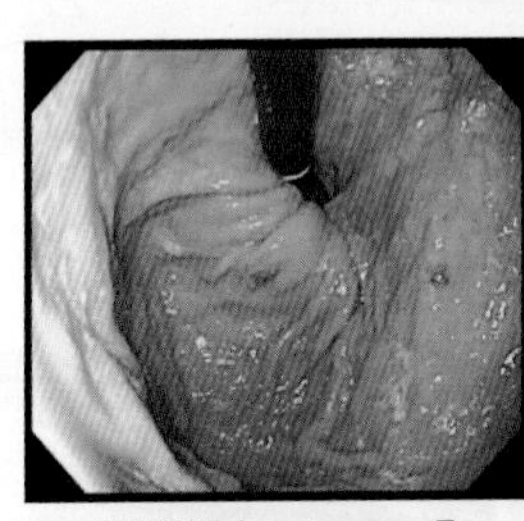

위내시경에서 gastric mucosa를 diaphragm 위에서 찾음

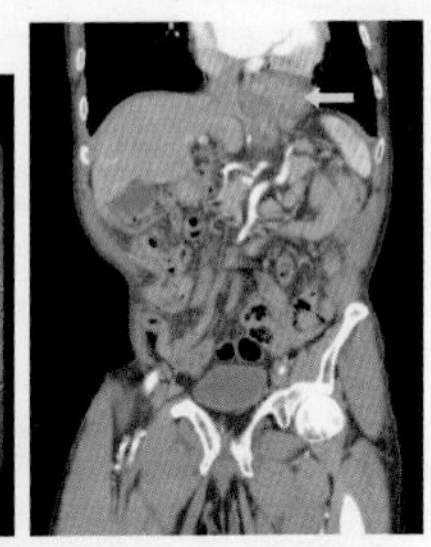

CT coronal image

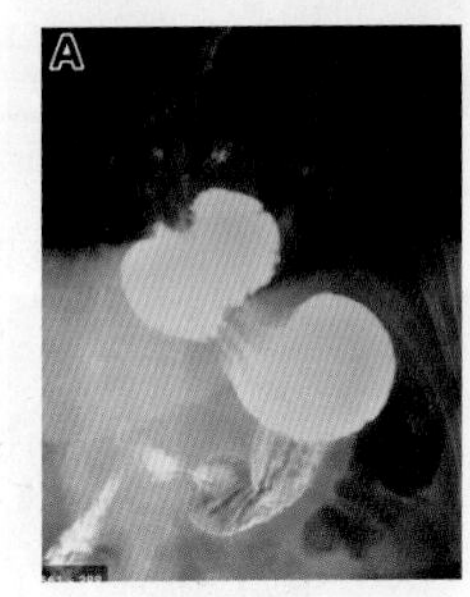

Diaphagram 상부에서 stomach가 보인다.

3. esophageal rupture

식도파열(Esophageal rupture)

- chest PA(90%) 진단 가능: pneumomediastinum, subqutaneous emphysema, pneumothoax 등을 봄
- chest CT: esophagus 자체 보다는 주변의 변화를 본다.
- esophagraphy
  - contrast material의 leakage(새는 것)을 보는 것만큼 확정적 진단 방법은 없음 ⇨ diagnostic
  - 단 GI tract 밖으로 leakage를 전제로 한 검사이므로 pulmonary edema를 피하기 위해 grastrograffin을 씀

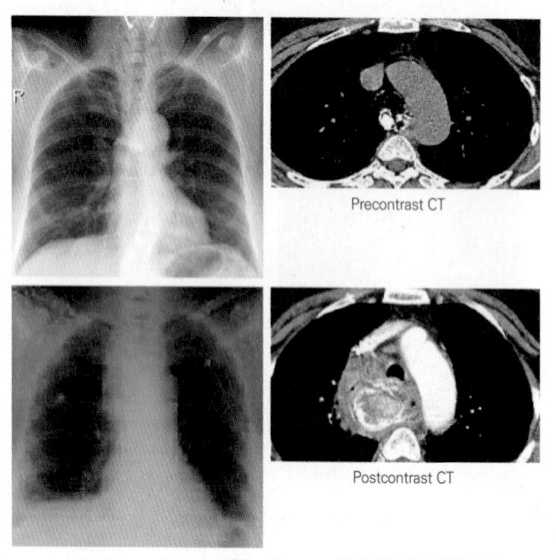

mediastinum widening 보임 mediastinum에 새어 나온 조영제 보임

Point

chest PA로 pneumomediastinum을 볼 수 있다고 하나 실제로는 쉽지 않다. 증상 및 병력으로 esophageal rupture가 의심되면 Chest CT (mediastinum setting)를 시행하는 것이 좋다.

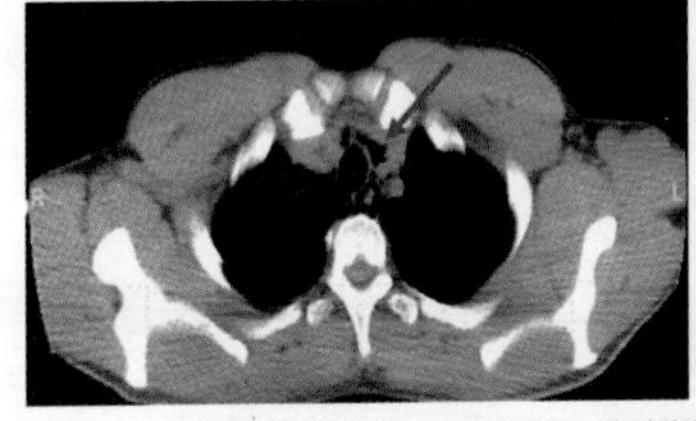
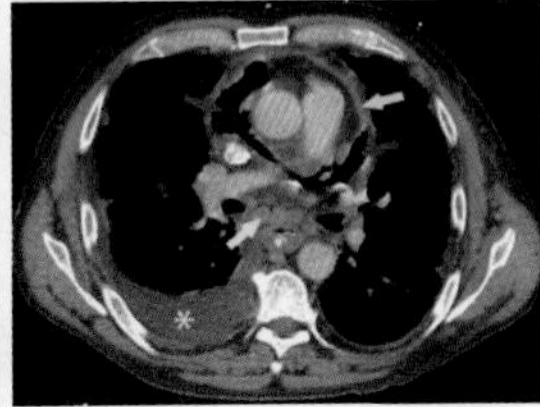

비정상적인 위치의 mediastinal gas가 진단에 도움 된다: esophageal rupture

05 소화성 궤양 및 위염

십이지장 궤양(Duodenal ulcer, DU)

1) 상부위장관 조영술(barium study)

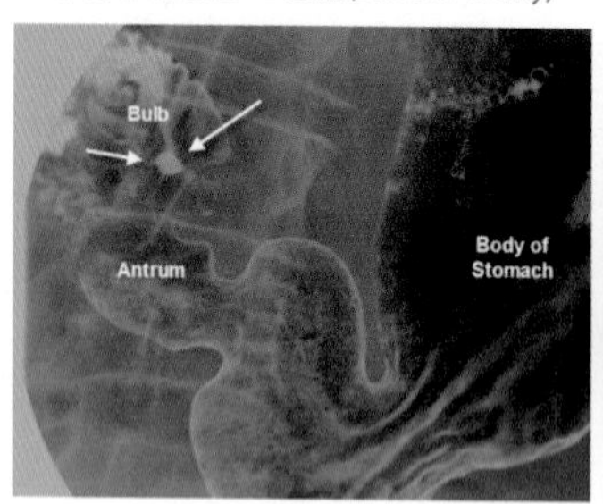

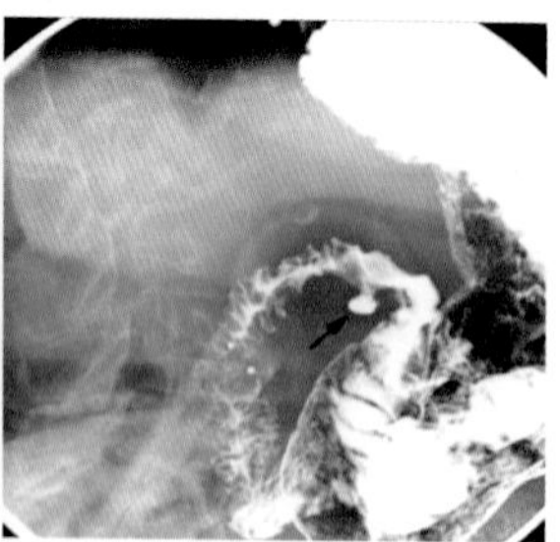

UGI에서 duodenum의 손상된 점막에 고인 barium이 하얗게 보인다.

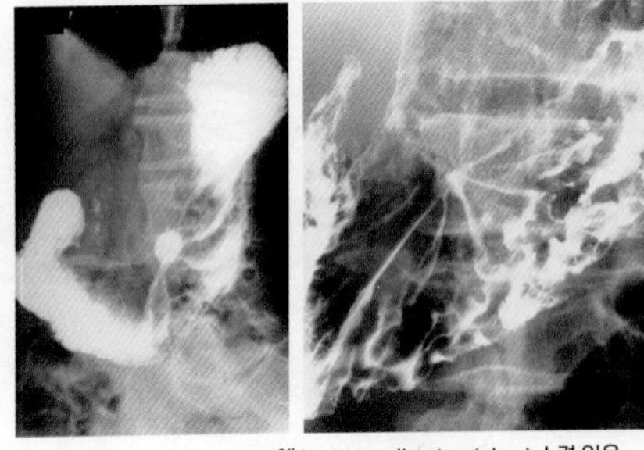

stomach body portion에 barium collection (ulcer) 소견 있음

2) 천공(perforation)

궤양의 천공은 천공 자체를 직접 보는 것은 아니다(간접 소견을 본다).

천공에 의해 bowel의 공기가 복강 안으로 들어가서 보여지는 free air를 찾아 진단한다.

Free air를 통해 정확히 어느 부위의 천공인지는 정확히 알기 어렵다.

하지만 intraperitoneal space인지 retroperitoneal space의 천공인지는 알 수 있다.

천공(perforation)된 부위가 복강인지/후복강인지 구분법

- **복강: intraperitoneal space**
  - chest PA 촬영 시 free air가 diaphragm 아래서 얌전히 보인다.

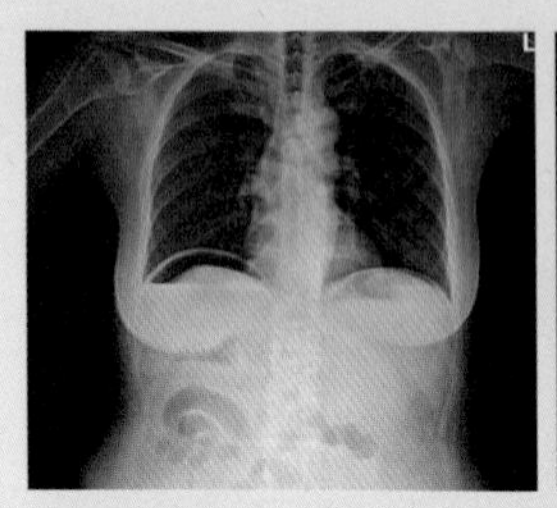

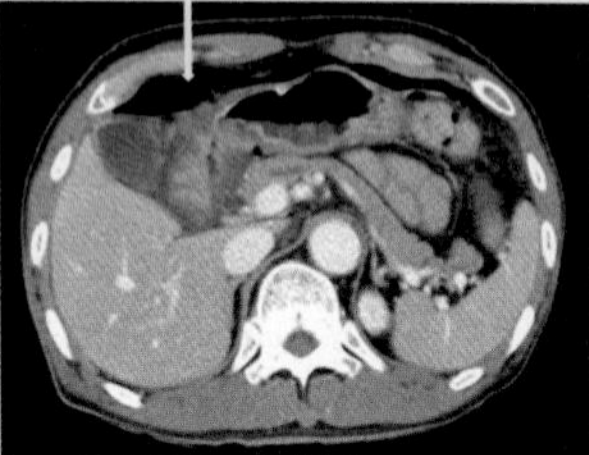

Intraperitoneal cavity 내에서 ulcer perforation은 장내(intrabowel) gas가 장외(extraluminal) 공간으로 배출하는데 이렇게 빠져 나온 기체를 Free air라고 한다. Free air는 chest PA상에서 횡격막(diaphragm) 아래서 보인다.

- **후복강: retroperitoneal space**
  - diaphragm 아래가 아닌 다른 곳에서 보인다.
  - 후복강 장기인 kidney 주변, psoas muscle 주변에 보이면 더욱 쉽게 진단 가능하다.

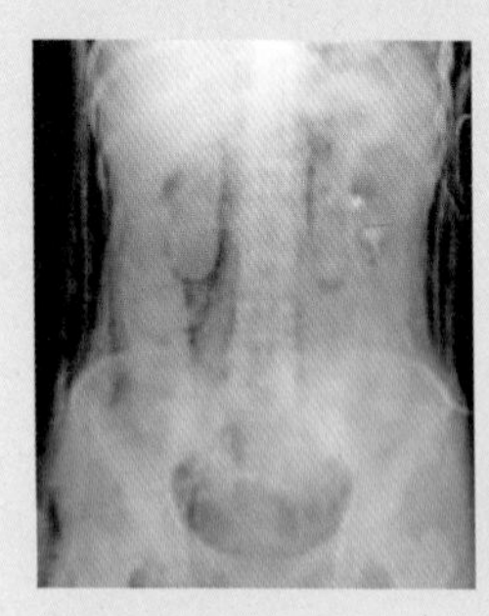

Both kidneys의 주변에 검은색 음영이 보인다(gas).
Kidney는 retroperitoneal organ.
따라서 Retroperitoneal free air 진단 가능.

천공(perforation)된 부위가 복강인지/후복강인지 구분법

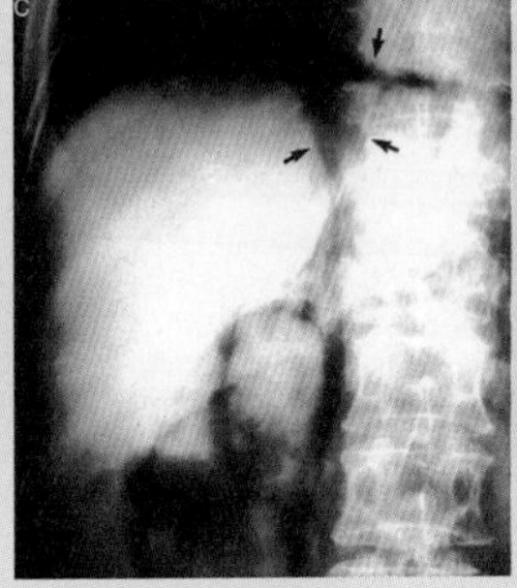

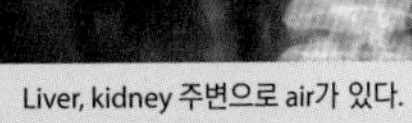
Liver, kidney 주변으로 air가 있다.

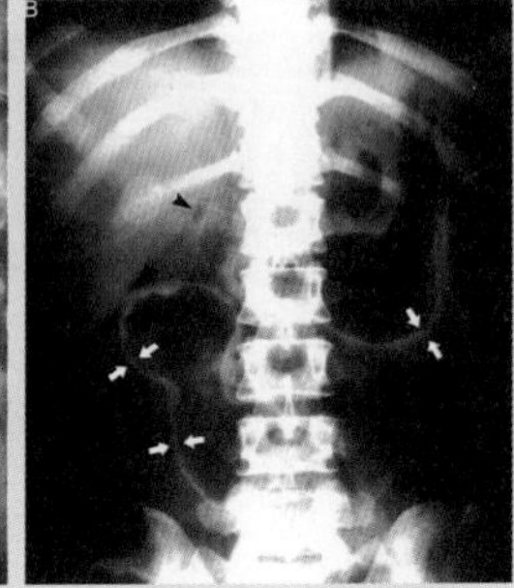

stomach, small bowel 밖에 free air

gas pattern이 abnormal하고 경계가 분명치 않으며 intraperitoneal free air가 아닌 경우 retroperitonoeal free air를 의심해 볼 수 있다.

위날문부 협착증

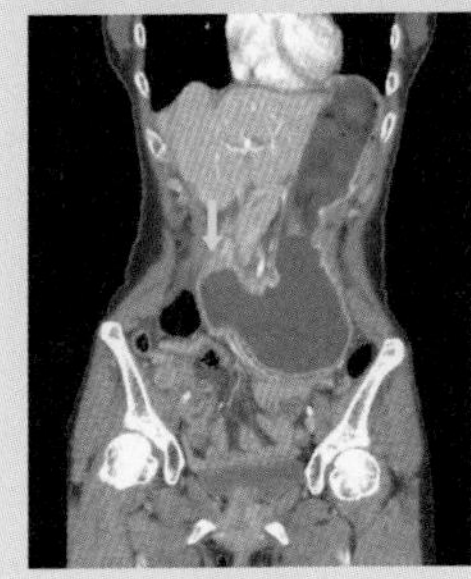

Antrum의 dilatation이 보인다(⟹).

3) 수술 후의 합병증

(1) Afferent loop syndrome

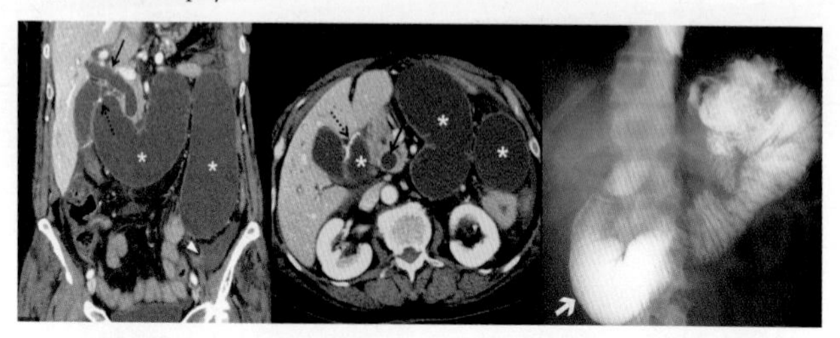

(2) Efferent loop syndrome

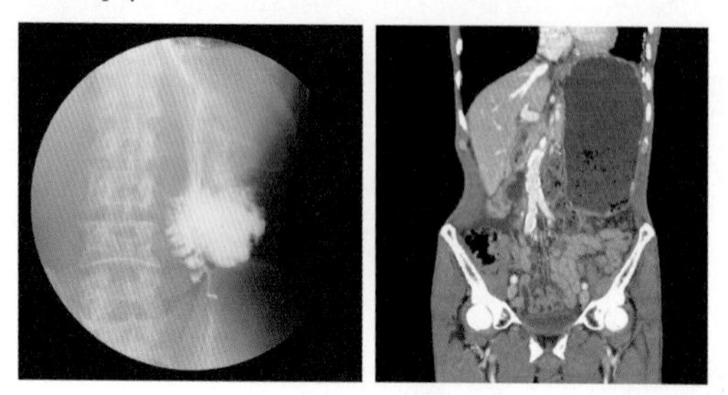

06 식도 및 위 종양

식도암(esophageal cancer)

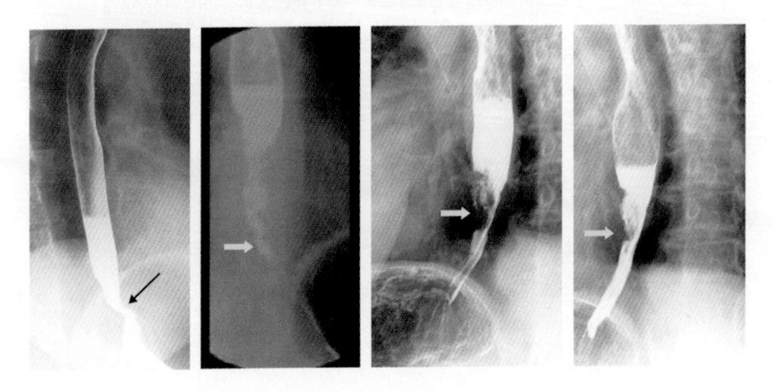

불규칙한 경계를 갖는 충만 결손(filling defect가 있다.)

07 염증 창자병/염증성장질환(IBD)

IBD에 속하는 대표적 질환은 UC. Crohn, Tbc, Bechets 등이 대표적이다.

cobble stone, skip lesion, longitudinal ulcer 등 radiologic manifestation에 대한 기술이 있으나 text로만 이해하기를 바란다. 영상의학 검사를 통해 IBD를 의심할 수는 있으나 정확히 어떤 질환인지는 진단하기 어렵기 때문이다. 정확히 감별이 안 되기 때문에 IBD는 clinical manifestation, Bx를 통해 진단하게 된다.

IBD (inflammatory bowel disease)에 속한다는 것까지 알아내는 것이 영상검사의 역할이다.

colon study 사진에서 질환 모양이 diverticulum, cancer, polyposis, intussception이 아니면 IBD이다. UC, Crohn, Tbc, Bechets 등의 진단은 영상의학 검사를 통해 IBD 카테고리까지 의심하고, clinical setting을 통해 내려야 한다. 영상의학 검사만으로는 불가능하다.

Ulcerotive colitis(궤양성장염)

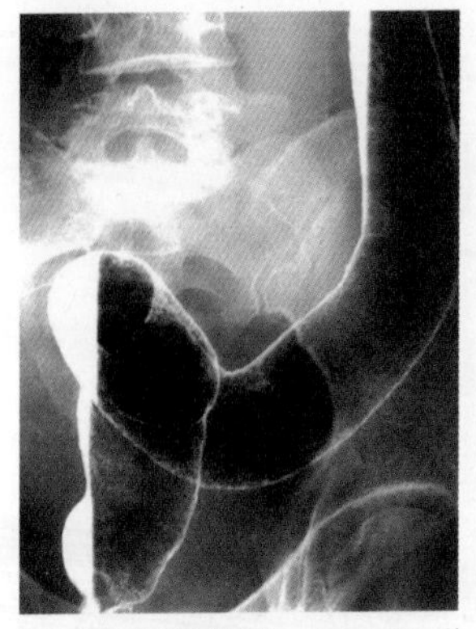

직장, S자결장, 하행결장에 haustral marking의 감소가 보인다. 장의 길이가 짧아져 있다.

Crohn Disease

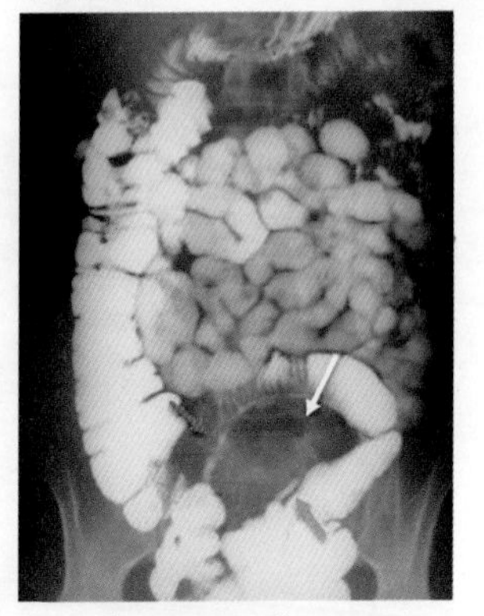

Ileum의 loop narrowing이 right lower quadrantus에 보인다(➡). sinus tract이 보인다(➡).

Ileocecal tuberculosis

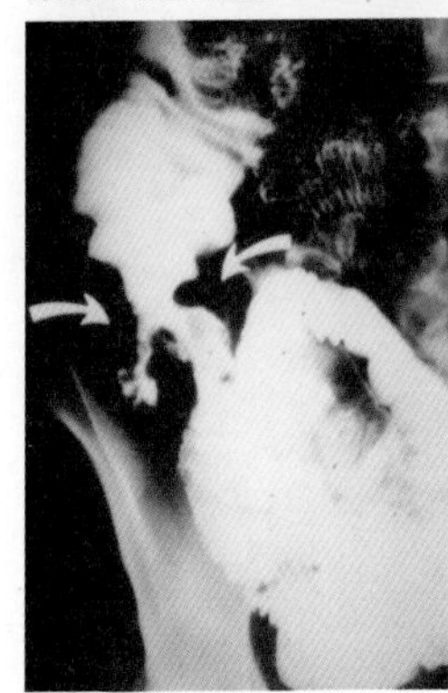

Cecum, ileocecal valve thinking이 있다.
Terminal ileum narrowing이 있다.

IBD 합병증

(1) 독성 거대결장(toxic megacolon)

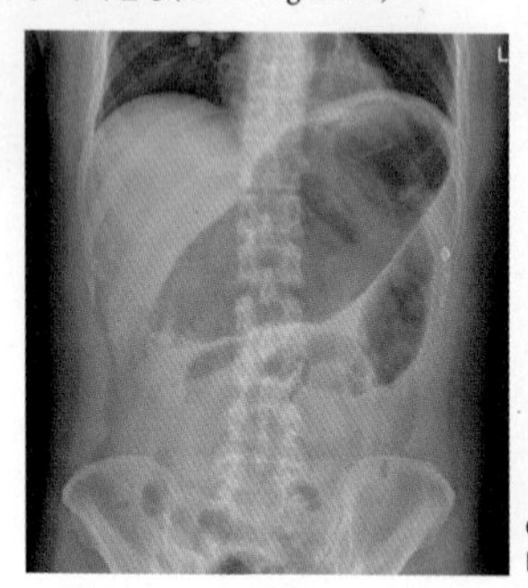

Colon dilatation (6 cm),
haustal marking 감소가 보인다.

장관외증상(Extraintestinal manifestation of crohn disease)

- peripheral arthritis: 15~20% CD에 더 흔함
- Ankylosing spondylitis: 10%에서 더 흔함
- sacroilitis

IBD 사진 주고 hand, spine, pelvis AP 등 사진 나오면
→ crohn disease 의심

08 소장 및 대장 질환

과민성 대장 증후군(Irritable bowel syndrome, IBS)

기능성 질환(functional disease)으로 특별한 병리학적 소견은 없다. 따라서 특별한 radiologic findings이 없다. 기능성 질환은 영상의학적 소견이 뚜렷하지 않다. 증상은 있는데 영상의학소견이 정상일 때 기능성 질환을 의심할 수 있는 정도까지만 도움을 받는다.

Descending colon의 haustral markings의 증가를 볼 수 있다고는 하나 소화기 증상만으로도 진단이 충분하다. 확진을 위해 영상의학 검사를 시행하지는 않는다.

게실질환(Diverticular disease)

점막이 약해진 근육층(muscle layer)을 뚫고 바깥쪽으로 outpouching하는 것이다.

single study (filling study)에서 조그마한 혹이 매달린 것처럼 보인다.

double study에서는 하얀 색 링(ring)들이 보인다.

1. 소장 게실증(Small-intestinal diverticulosis)

- duodenum, jejunum에 호발(duodenum: 2nd portion의 medial surface)
- Meckel's diverticulum은 terminal ileum

2. 대장 게실증(Colonic diverticulosis)

대장의 근육층이 가장 얇아서 가장 많은 divericulum이 생긴다.

여러 개의 diverticulum이 있는 상태이다. 터져서 염증이 생긴 상태는 아니다.

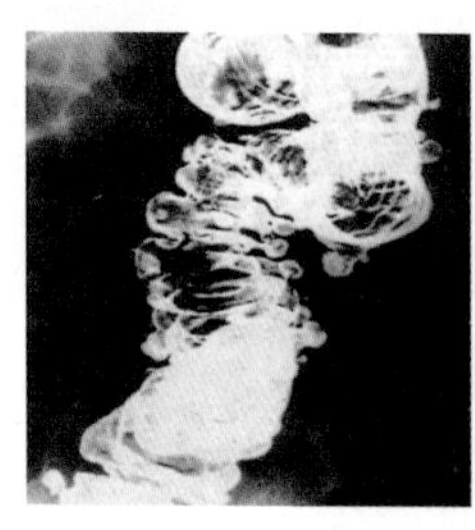

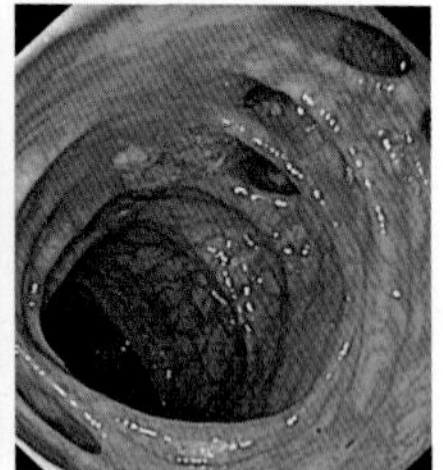

3. 게실출혈(diverticular bleeding)

4. 게실염/곁주머니염(divericulitis)

- diverticulum에 음식물 찌꺼기가 모여서 염증반응을 점막에 일으키게 되는 것이다. free perforation, inflammation 등이 일어날 수 있다. free perforation은 일반 x-ray 검사에서 pneumoperitoneum 또는 retropneumoperitoneum으로 보이

게 된다.

- Inflammation은 inflammatory cell과 localized fluid collection을 관찰함으로써 진단할 수 있는데 CT만 진단 가능하다. inflammation을 직접 볼 수 있는 것은 아니고 주변 fat의 haziness로 진단한다(주변에 밀가루를 뿌려 놓은 것처럼 하얗게 보이는 것).
- Ba-enema를 하는 경우 contrast material이 바깥으로 새어 나간 것(leakage)을 통해 확인할 수 있으나 barium peritonitis의 위험 때문에 급성 염증기엔 금기한다. 6주 정도 지나 안정기에 시행하는데 목적은 divericulitis의 진단보다는 cancer 가능성을 배제하기 위해 시행한다.

Ba-enema

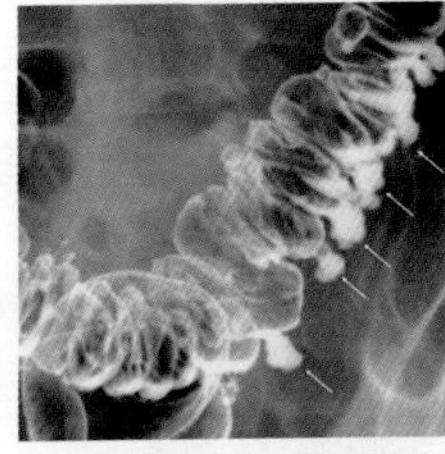

조영제로 가득한 여러 개의 작은 sac들이 distal sigmoid colon에 있다(게실 안에 조영제가 차 있다).

CT

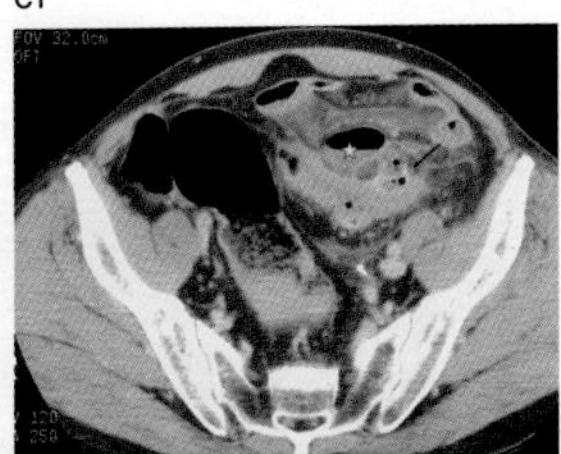

Sigmoid로 추정되는 위치에 여러 개의 공기 방울과 fat haziness이 보인다(우상단).

허혈성 장질환(장간막/창자간막 허혈, mesenteric ischemia)

1. 급성 장간막/창자간막 허혈(Acute mesenteric ischemia, AMI)

CT 이외의 다른 영상의학적 검사는 필요하지 않다.

Contrast enhancement CT 시행하여 ischemia에 빠진 bowel를 찾고, SMA의 thrombus를 찾으면 진단이 가능하다.

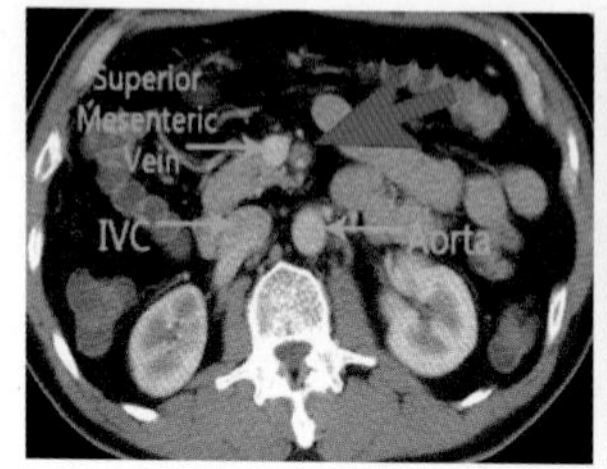

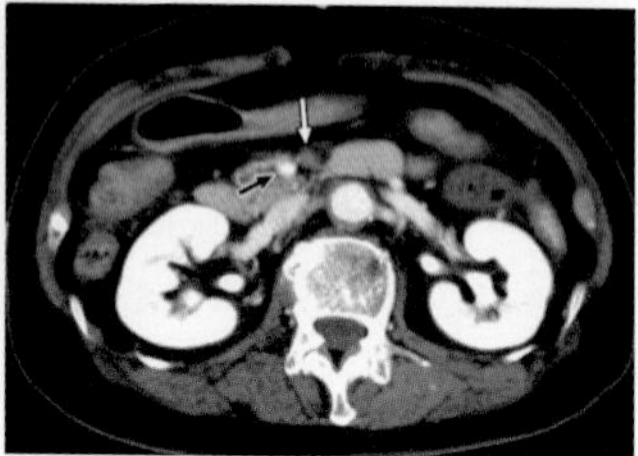

밝은 SMV 옆에 상대적으로 어두워 보이는 SMA를 찾으면 진단 가능하다.

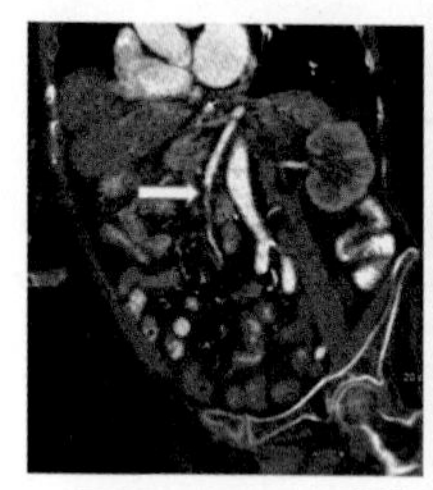
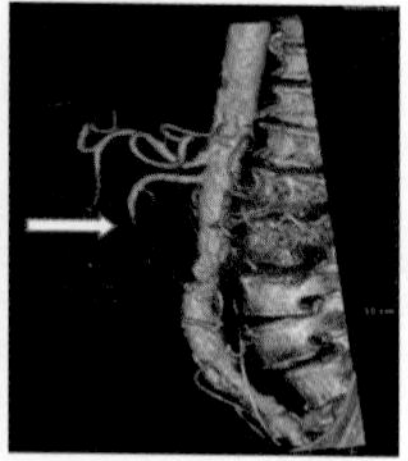

CTA (CT angiography) 시행하여 막힌 SMA 찾는 것이 가장 정확
(진단의 gold standard) - 답을 쓸 때는 CTA 찾으면 된다.

2. 만성 장간막/창자간막 허혈증 (Chronic mesenteric ischemia)

3. 허혈성 대장염(Ischemic colitis, IC)

- Main pathology: mucosa로 가는 artery에 blood suppy가 감소, 이로 인한 mucosa의 edematous change
- 진단: mucosa coating이 가능한 대장조영술(barium enema)로 진단
  Nonocclusive disease이므로 angiography는 진단에 도움이 안 된다.

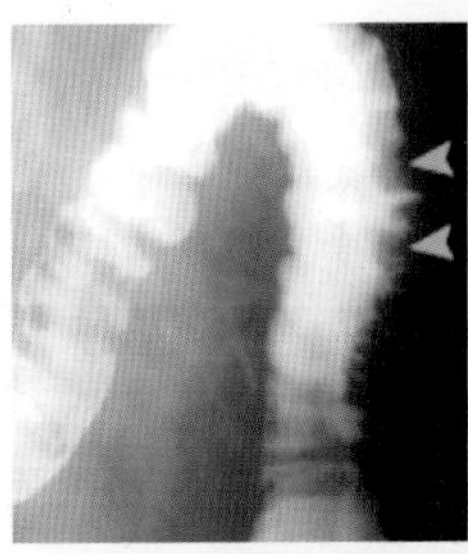

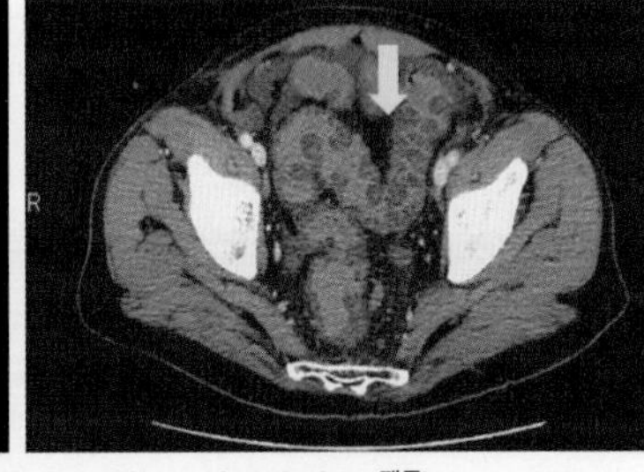

"thumbprinting" (submucoal hemorrhage & edema 때문)

Thumbprinting sign

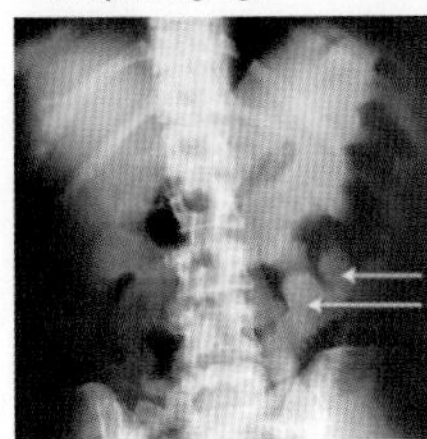

- Pseudo-membranous colitis
- Ischemic colitis
- IBD

4. Angiodysplasia(혈관 형성이상/혈관 이형성)

■ 위 창자간막동맥 증후군(SMA syndrome)

- 지나가는 구조물에 관한 해부학 문제가 종종 출제됨
- SMA 기시부 아래 있는 fat의 감소로 인해 SMA가 충분히 들리지(elevation) 않아 기시부 아래 충분한 공간(Abdominal aorta와 SMA 사이)이 확보되지 않음
- 정상각도: 38~56도 SMA syndrome: 6~25도
- 그로 인해 정상적으로 지나가는 duodenum 3rd portion, Lt. Renal vein이 compression됨
- 진단: UGI, hypotonic duodenum study
- CT의 경우 MDCT에 의한 CT angio가 도움이 될 수 있음
- 보조적으로 Doppler가 사용되기도 하는데 이는 Lt. renal vein의 compression에 의한 혈액량 감소를 측정하기 위해 사용됨
- 매우 마른 환자, 장기간 누워있는 환자, 화상환자 등의 표현이 예문에 있음

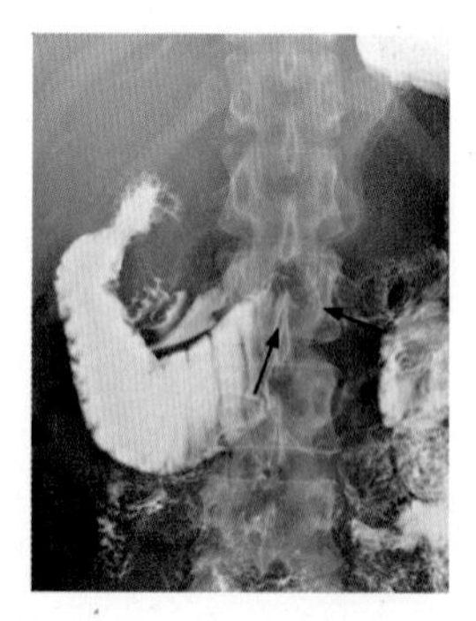

Duodenum 3rd portion이 compression 되어 barium이 보이지 않는다.

방사선 장결장염(Radiation enterocolitis)

- 점막의 부종, 궤양, 장 폐쇄 등을 볼 수 있는데 nonspecific(비특이적이다)
- Simple x-ray: 비특이적이라 진단이 불가
- radiology: Ba-enema를 통한 점막(mucosa) study를 통해 진단 가능
- 정상부와 병부의 경계가 자를 대고 선을 그은 듯 명확한 것이 진단의 clue가 된다.
- 주된 pathology는 microangiopathy.
- 방사선 치료 병력 + 이해하기 어려운 이미지 = 방사선 장결장염

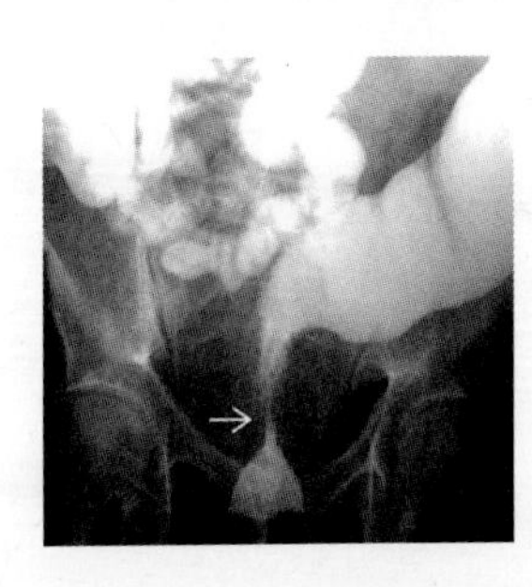

Rectosigmoid junction 부위에 위-아래 경계가 분명한 segmental narrowing이 보인다.

창자막힘/장폐쇄(Intestinal obstruction)

사진을 통해 small bowel인지 /large bowel인지를 아는 것이 중요하다.

1) Large bowel는 바깥쪽으로 거꾸로 된 U자 모양(inverted U shape)을 보인다.
   Small bowel은 large bowel의 안쪽에 위치해 있다.

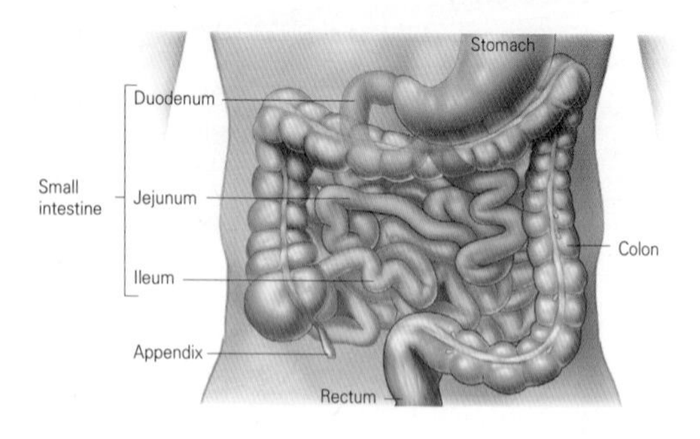

2) large bowel에는 haustra가 있다.

Small bowel에는 valvuae conniventes가 있다.

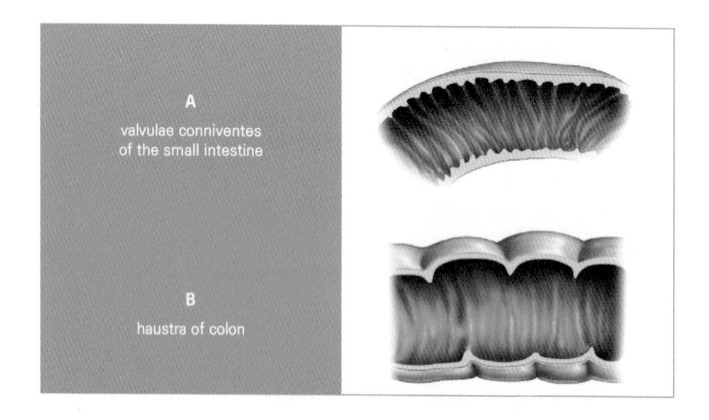

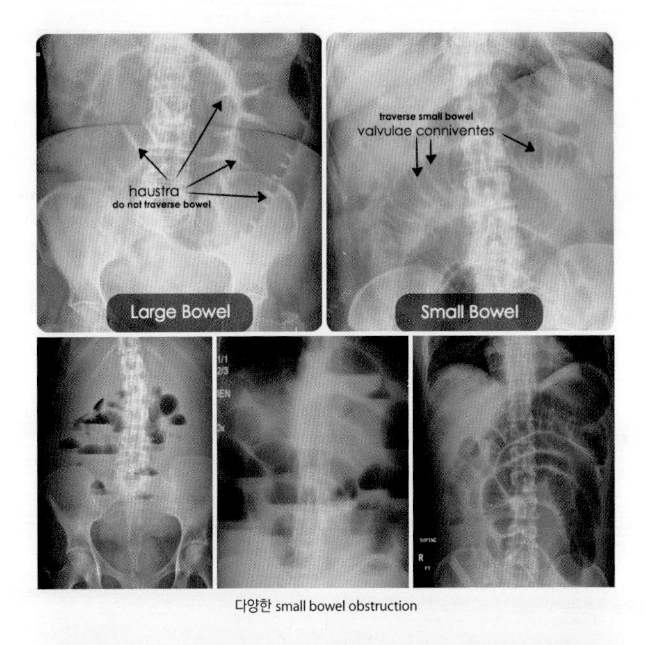

다양한 small bowel obstruction

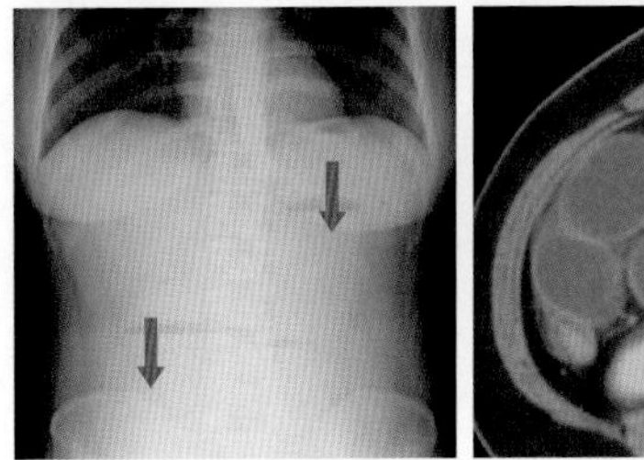

Small bowel obstruction

: Multiple, air-fluid levels(➡)

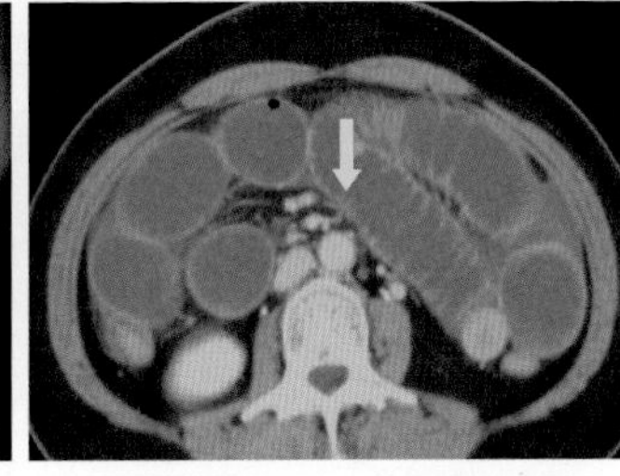

fluid-filled small and large bowel

: valvulae conniventes(⇨), small bowel.

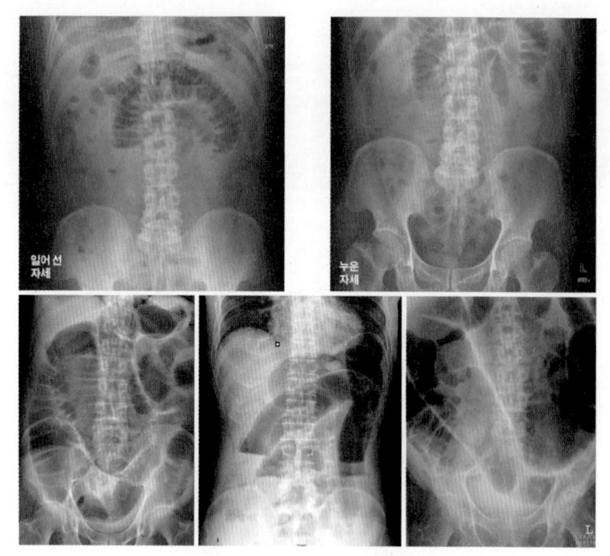

여러 가지 large bowel obstruction

Strangulation

a condition in which the blood supply to a part of the body, typically a hernia, is reduced or cut off as a result of compression of blood vessels.

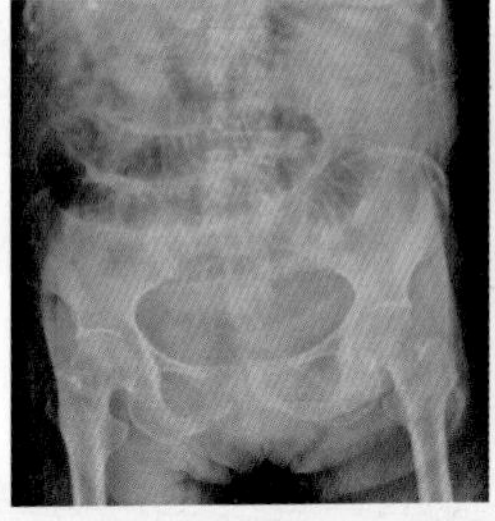

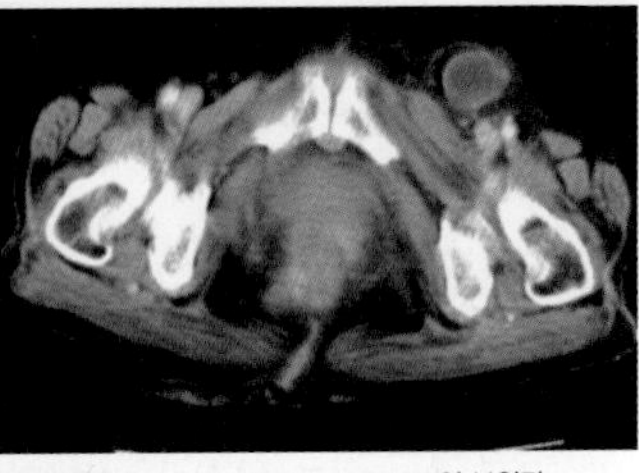

Long segmental small bowel dilatation 그리고 Lt. inguinal herniation (CT)이 보인다.

Volvulus

an obstruction caused by twisting of the stomach or intestine.

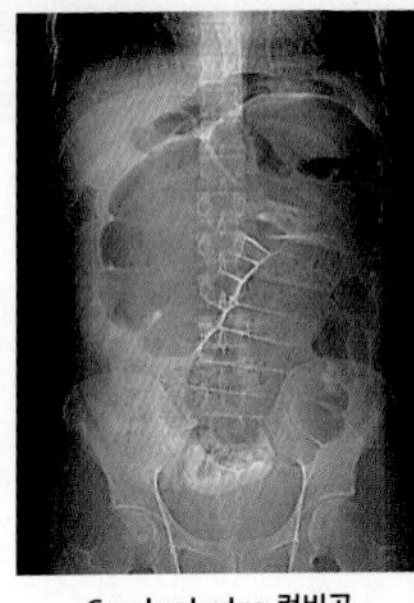

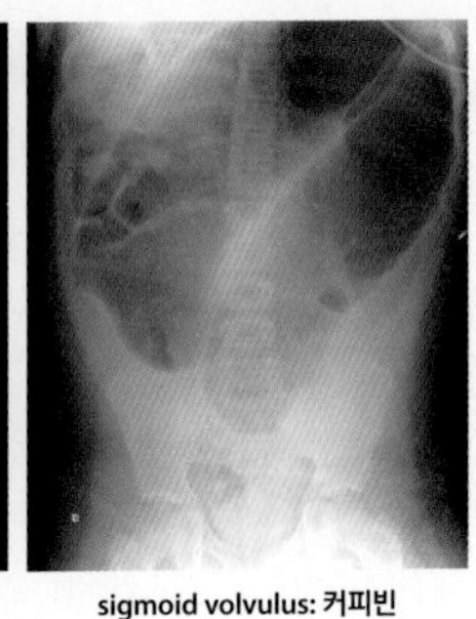

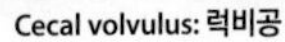

Cecal volvulus: 럭비공

sigmoid volvulus: 커피빈

비슷한 bowel dilatation이지만 small vs large bowel의 차이가 있다.

럭비공의 stich가 valvulae conniventes다.

09 소장 및 대장 종양

대장의 용종(colon polyp)

① 대장조영술(double-contrast barium enema): filling defect로 나타남

- 1 cm 미만의 작은 용종이나, 장이 겹쳐있는 경우에는 발견 어려움
- 용종이 발견되어도 colonoscopic biopsy가 필요함

② virtual colonoscopy (CT or MRI 이용)

- 대장 내강을 공기 또는 CO_2로 팽창시킨 후 촬영, 3D 영상을 얻음
- 작은 용종도 발견할 수 있고, 비침습적인 것이 장점

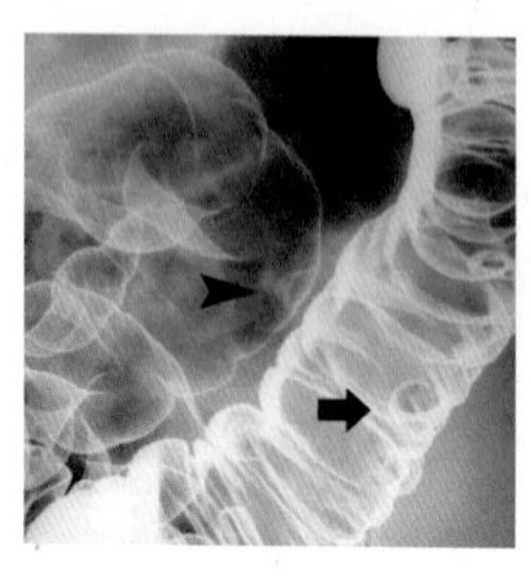

대장조영술
: polyp(➤) diverticulum(➡)

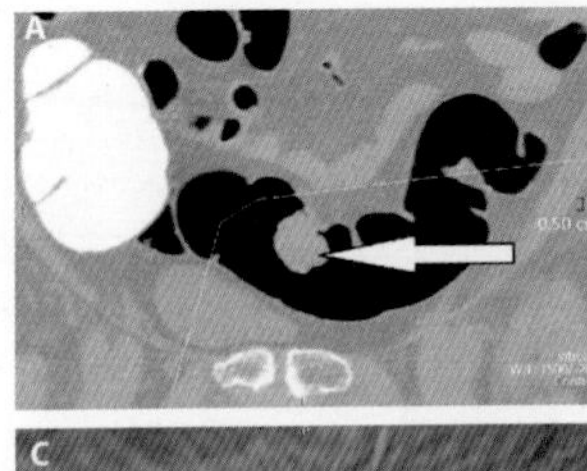

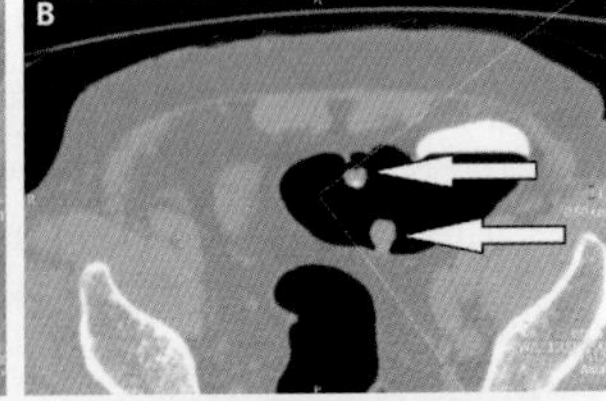

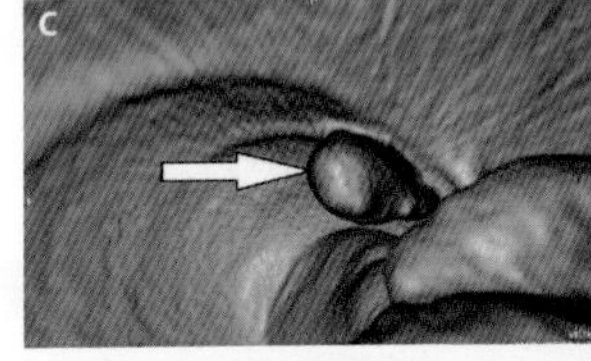

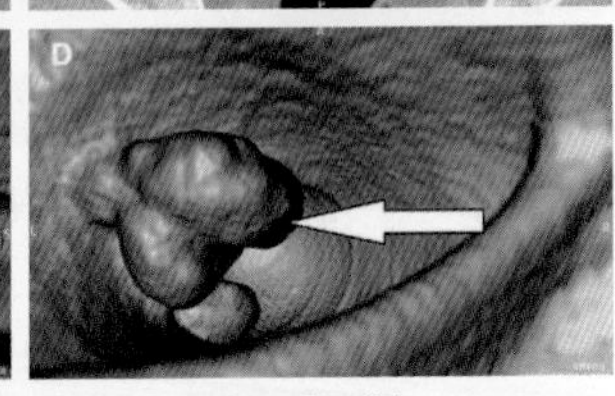

Vitual colonscopy: CT polyp을 보인다.

4. 용종증후군(Polyposis syndrome)

여러 개의, 셀 수 없는 개수의 많은 polyps가 점막에 흩어져 있다.
영상 또는 대장내시경 소견만으로는 정확한 진단은 불가능하다.

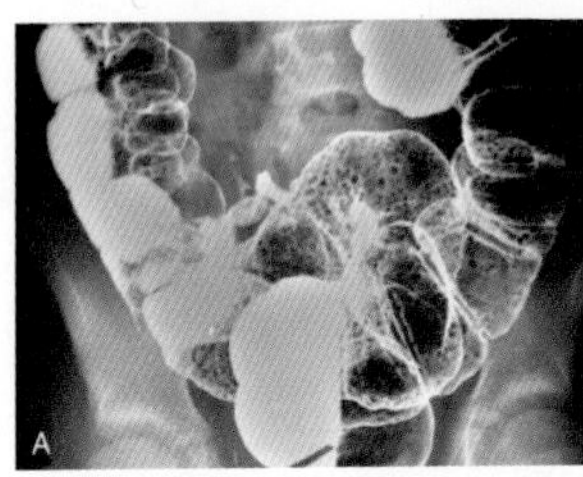

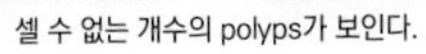

셀 수 없는 개수의 polyps가 보인다.

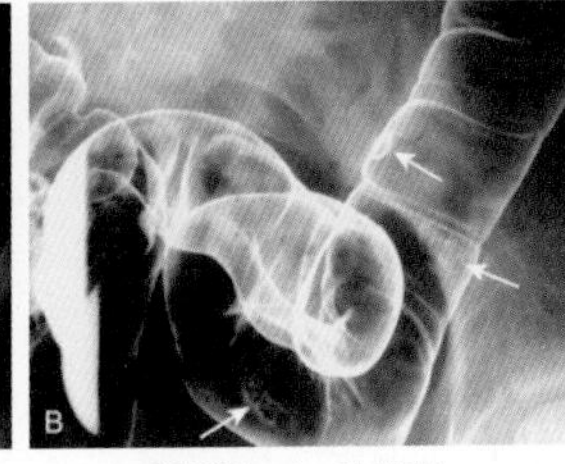

여러 개의 polyps가 보인다.

1) Familial adenomatous polyposis (FAP)

2) FAP variant: FAP + extraintestinal manifestation

- Gardner's syndrome: osteoma (mandible, skull, long bone) + polyposis
- Turcot's syndrome: FAP + CNS tumor (medulloblastoma, etc)
  - polyposis + Brain MRI(*절대 이 수준을 넘는 문제는 나오지 않음)

3) Familial hamartomaous polyposis syndrome

- Peutz-Jehr's syndrome: 젊은 사람, 입술에 점(색소 침착) + polyposis

4) Nonfamilial polyposis syndrome

- Cronkite-Canada syndrome: Old age

대장암(colon cancer)

Colon study에서 apple core sign, napkin ring sing 사진을 보고 colon cancer 진단하는 것은 어렵지 않다. Rt. Vs Lt. colon cancer는 증상이 다르다. Lt. 또는 Rt. Colon cancer 사진을 주고, **증상을 예측하는 문제가 잘 출제된다.**

- ~~응용~~: transverse colon cancer의 경우는 intraperitoneal metastasis가 가능하다 (ascending, descending colon은 retroperitoneal space). 시험에서 CT, MRI 사진을 주는 경우는 Serosa penetration하여 주변에 fat이 involve 되었는지, 또는 원격 전이(distant metastasis)를 묻기 위함이다.

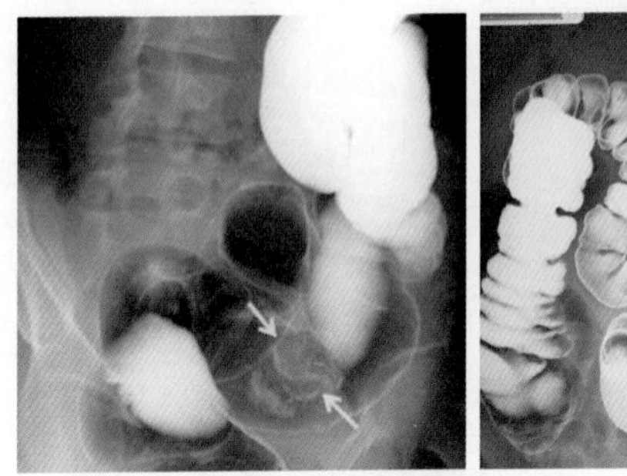

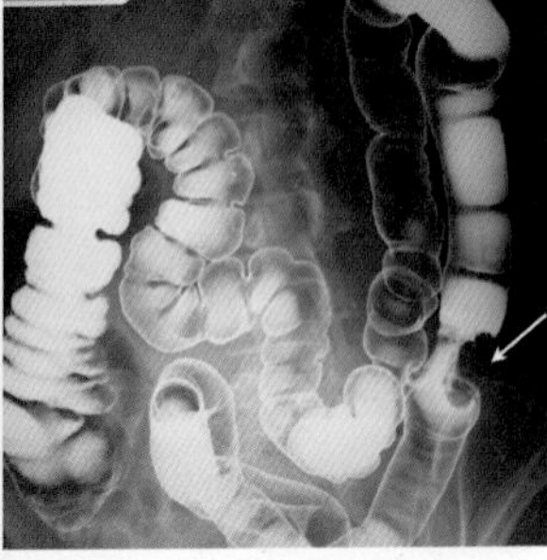

Irregular mucosal lesion 보이는 descending colon의 lateral filling defect: Colon cancer

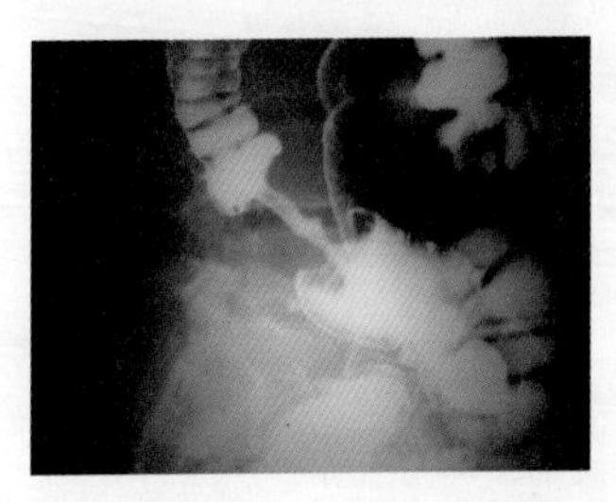

Proximal ascending colon에
"apple-core" appearance 보임.
Rt. Colon cancer

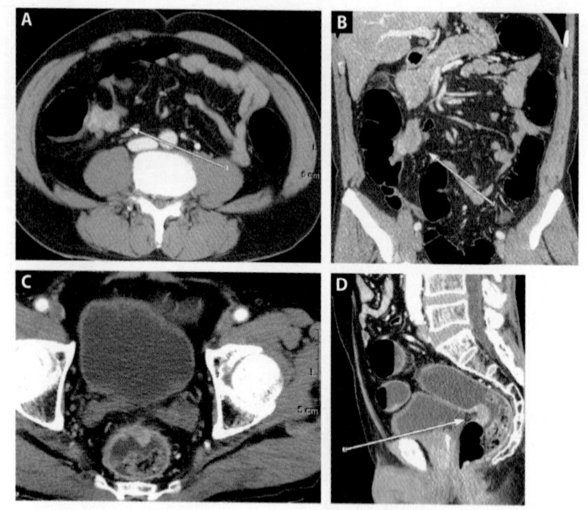

A, B(같은 사진): Axial/saggital view; Cecum medial portion에 enhancement 보이는 mass 있다.
C, D(같은 사진): Axial/saggital view; Rectum anterior wall에 enhancement 보이는 mass 있다.

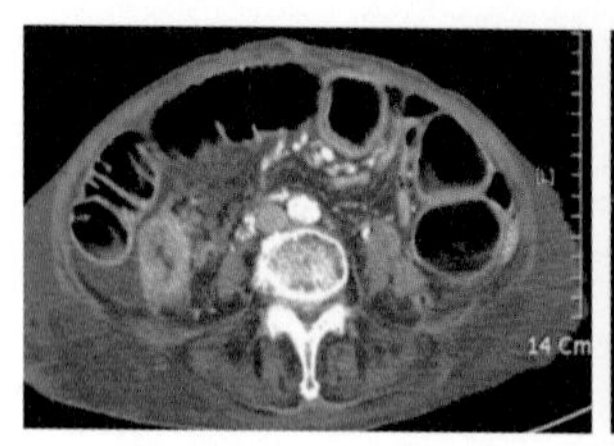

Rt. Side colon cancer with ascitis

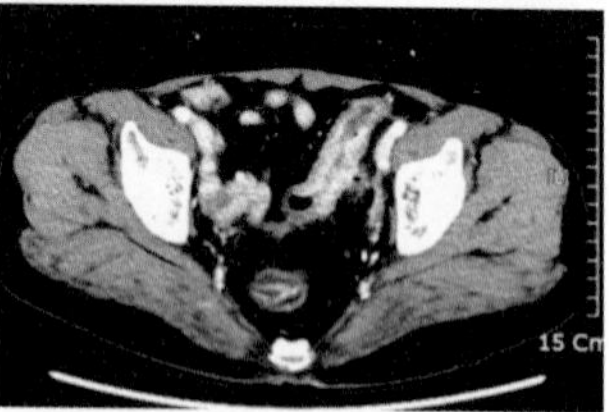

Diffuse, enhanced wall thickening, sigmoid colon

10 흡수장애

- 흡수장애 질환에서는 영상검사의 역할이 크지 않다.
- 흡수장애는 주로 small intestine의 문제이다.
- Small bowel series (Enterocolysis: upgrade된 small bowel series)를 시행한다.
- 이런 것이 있다는 정도만 알아 두고 pass하자.
- Enterocolysis: small bowel series 시행하면서 조영제(contrast)를 tube에 연결하여 외부에서 투여하는 검사.

11 복막질환

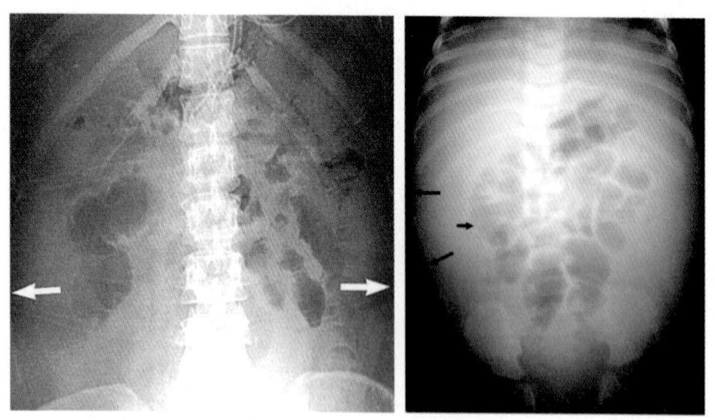

Ascending, descending colon의 lateral margin이 medial side로 옮겨졌다. Bowel 사이의 간격이 벌어져 있는데, bowel 사이에 ascitis가 들어가서다(특히 왼쪽 사진).

- 위의 사진은 Abdomen spine view다.

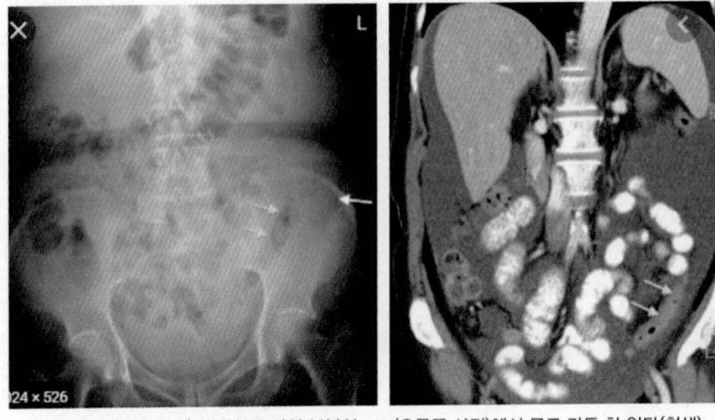

X-ray(왼쪽 사진)의 화살표 사이 부분이 MRI(오른쪽 사진)에서 물로 가득 차 있다(회색).

복수(Ascitis)

- 일반 X-ray: diffuse haziness
- US (golden standard)

Abdomen supine view 촬영 이유는 복수(ascites)를 보기 위해서다. 그러나 소량의 복수는 보이지 않고 검사 자체의 한계도 많았다. 다른 검사가 마땅치 않아서 사용한 검사다. Screening 목적보다는 P/E, Symptom 등을 통해 의심 후 확인 위해 시행한 검사였다.

지금은 ascites가 의심되면 바로 US 초음파를 시행한다.

예전에 비해 abdomen supine의 진단적 가치는 많이 낮아졌다.

복수(ascites)의 확인을 위해 CT/MRI 등은 시행하지 않는다.

급성 복막염(Acute peritonitis)

- 일반 x-ray: chest PA diaphragm 아래의 free-air 찾기
- US: 유용성 적음
- Abdomen CT: Ascitis, 운이 좋으면 free air 볼 수 있음
- Barium x-ray: barium peritonitis (chemical peritonitis)의 가능성이 있어 절대 금기

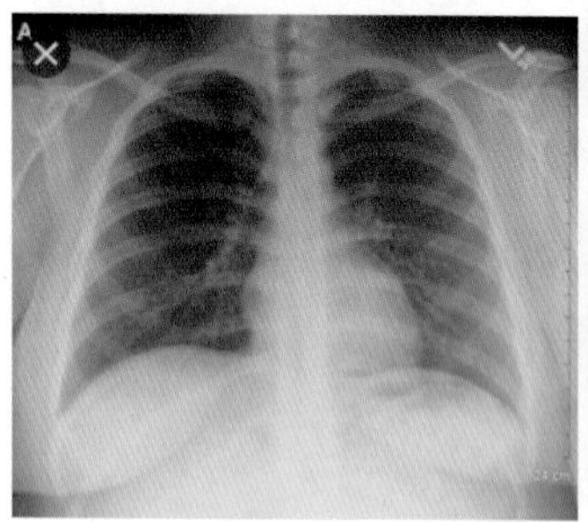

Normal chest PA

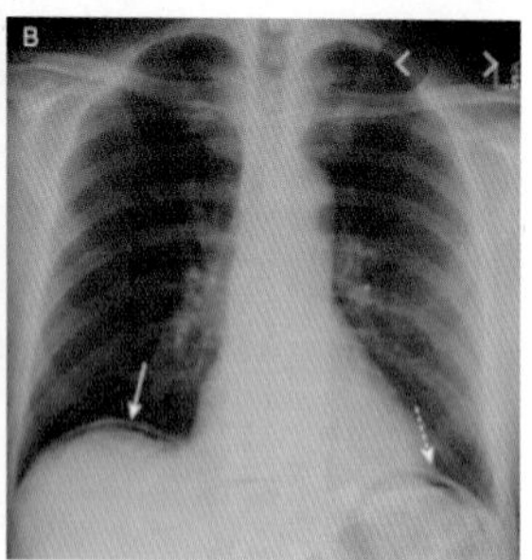

free air under the diaphram

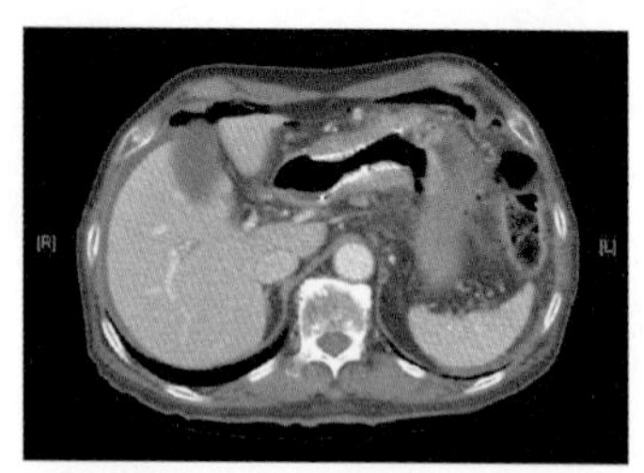

Abdomen muscle 뒤로 free air가 보인다.

결핵성 복막염(Tbc peritonitis)

Abdomen ascitis가 CT에서 보이는데 영상소견만으로 진단이 불가능하다.

(그냥 ascites다. 복막 비후 등이 보일 수 있지만 찾기 어렵고, 복막 비후만으로 tbc peritonitis를 진단할 수도 없다. 결국 fluid analysis해야 한다.

Tbc peritonitis와 동일한 영상을 보이는 질환들(Abdomen CT)

peritoneal carcinomatosis

psedomyxoma peritonei

malignant mesothelioma

등의 예문이 출제되며 R type으로 출제 가능하다(모의고사).

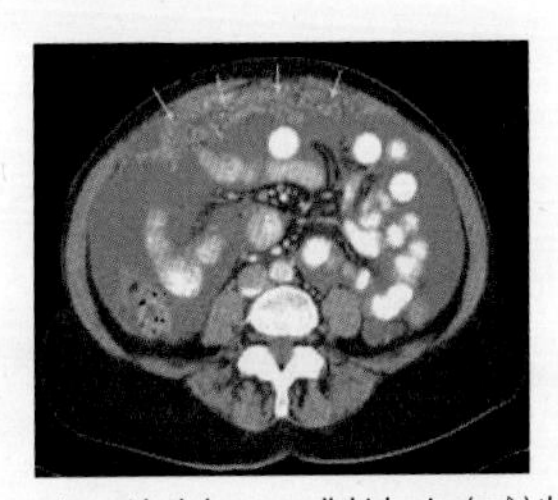

Abdomen ascites with abdomen wall thickening(⇨) tbc peritonitis

Tuberculosis peritonitis / peritoneal carcinomatosis.

psedomyxoma peritonei / malignant mesothelioma.

등 4가지 질환을 모두 감별해야 하며 결국 ascitis의 analysis를 통해야 정확히 진단할 수 있다.

소화기 내과

Part II
간, 담, 췌 질환

01 서론

간담관계 영상검사

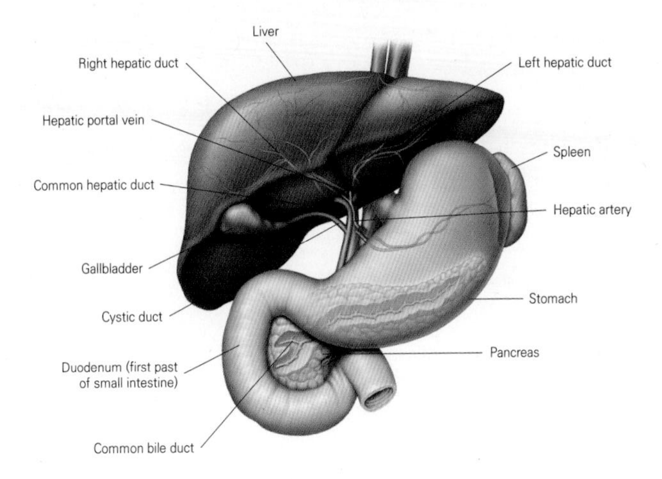

간, 담도 췌장은 인체의 앞부터 뒤까지 놓여 있다(차례로).

Biliary duct, pancreatic duct 등은 비교적 가느다란 관(duct)이다.

- 초음파가 닿기 어려운 곳이 많고(bowel 내부의 공기, 먼 거리)
- CT로 보기엔 너무 작아서 잘 안 보인다.

따라서 GI tract과는 달리, 작은 duct를 보기 위한 study들이 별도로 존재한다.

(PTC, ERCP, MRCP)

Pancreas는 간표면 기준으로 뒤쪽으로 떨어져 있어 초음파가 닿기 어렵다.

Transverse colon이 앞을 막고 있어 초음파 검사가 더욱 어렵다.

따라서 Pancreas 검사의 screening은 abdomen CT로 진행하게 된다.

1. US
liver, GB, pancreatic duct, bile duct 등에 대한 primary screening 검사

2. Doppler: US를 이용한 vessel 검사

① portal vein thrombosis

② portal hypertesion evaluation

③ TIPS 후 portal vein pressure evaluation

3. CT, MRI

- liver의 특별한 blood supply system (hepatic artery, portal vein) 때문에 dynamic (3phase) study를 진행한다.

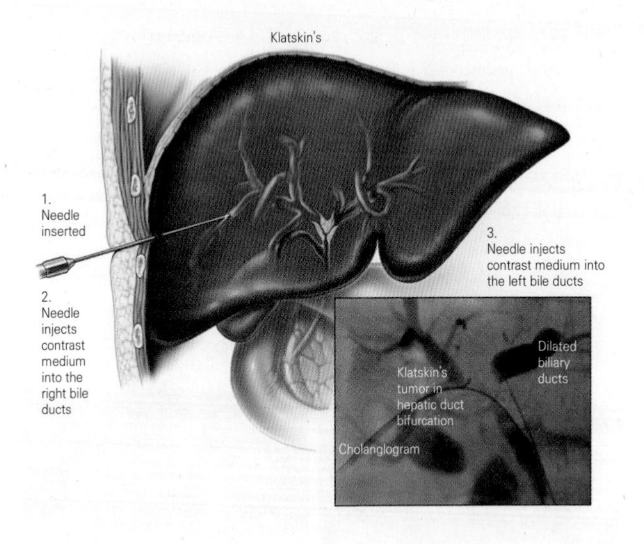

- Dynamic 또는 3 phase study는 liver의 focal lesion에서: hemangioma, HCC 감별
- 일반 contrast study는 contrast 주기 전 1회/후 1회 – 총 2회 scan
- Dynamic study는 contrast 주기 전 1회/후 3회 – 총 4회 scan 시행한다.
- Dynamic study에서는 injector를 사용하여 정확한 시기에 정확한 용량의 contrast를 체내 주입하게 된다.

4. Cholangiography

- Bilary duct, pancreatic duct를 보는 검사로 기본원리는 같다.
- PTC = ERCP = MRCP는 **동일한 대상**을 보는 다른 검사다. **검사대상**은 같다.

- PTC: 외부로부터 피부를 뚫고 needle이 들어가서 contrast를 주입한다.
- ERCP: endoscope를 이용하여 bowel을 통해 contrast를 주입한다. 철제 belt. 마치 뱀처럼 생긴 물체가 사진에 함께 나타난다.
- MRCP: pancreaticobiliary tree의 내부의 fluid 흐름의 속도를 이용하여 검사 별도의 contrast를 사용하지 않는다. 따라서 needle이나 철제 belt 등이 필요 없다.

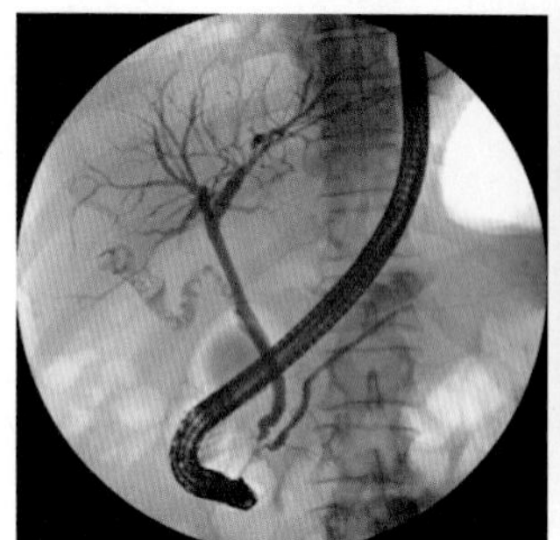
ERCP: bilary tree 왼편으로 철제 belt 보임

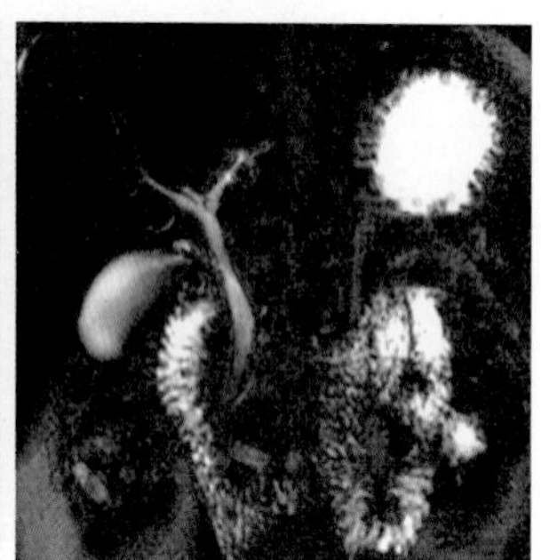
MRCP: MRI 이용. contrast agent 필요 없음

5. Radioisotope scanning

- ^{99m}TC-labeld sulfur colloid scanning
- ^{99m}TC은 이미지를 얻기 위한 것이다.
- Kuffer cell을 찾아가 binding을 하는 것은 sulfur colloid이다.
- Hot uptake는 의미가 없고 주로 cold uptake (defect lesion)를 찾는다.

- Cold uptake는 kuffer cell이 없다는 의미(cancer, cyst, adenoma) 등 뭔가 문제가 있다는 정도의 정보일 뿐 진단을 내리는 데 완벽한 도움을 주진 못한다 (sensitivity는 있으나 specificity는 없다).

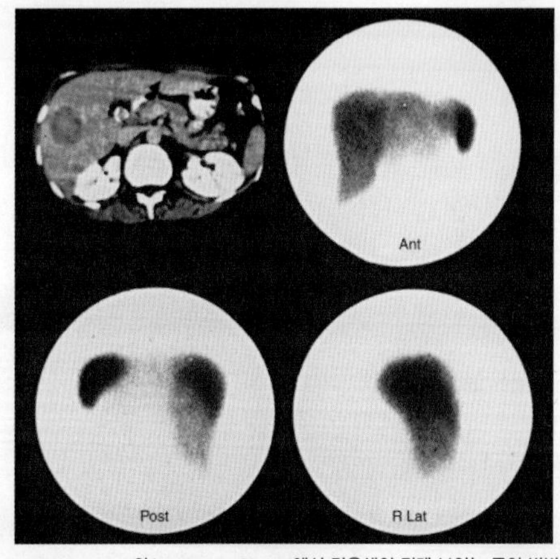

Seg. 5/6 junction의 hepatoma. RI scan에서 검은색이 적게 보이는 곳이 병변

02 빌리루빈 대사 및 황달

황달(Jaundice)

- 황달의 원인은 간자체의 원인(intrahepatic) 간 외의 원인(extrahepatic)으로 나눌 수 있다.
- 초음파를 통해 biliary duct dilatation이
  - 없다면 (–): intrahepatic cause – 더 이상의 영상검사는 의미 없다(위음성 주의).
  - 있다면 (+): extrahepatic cause – 영상 검사를 추가한다.

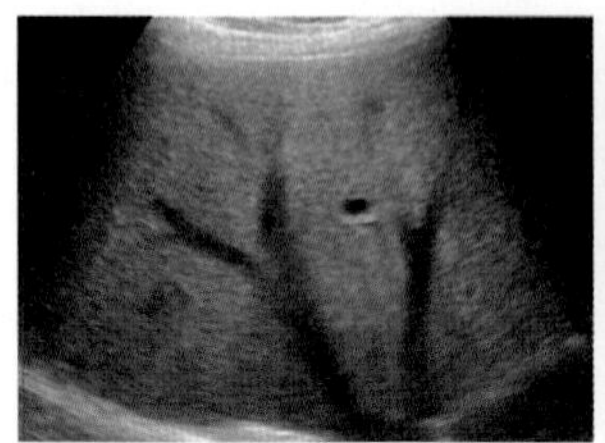

정상소견: 나뭇가지 = portal vein

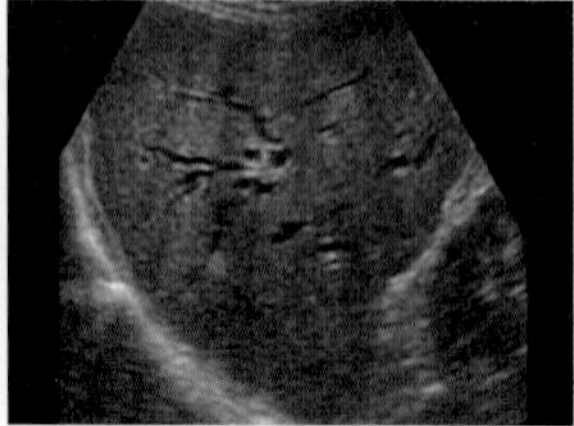

가느다란 가지들이 duct dilatation

초음파 검사 위음성: false (-); CBD의 partial obstruction, LC, primary sclerosing cholangitis

CT; CBD stone을 보는 데 좋다 .

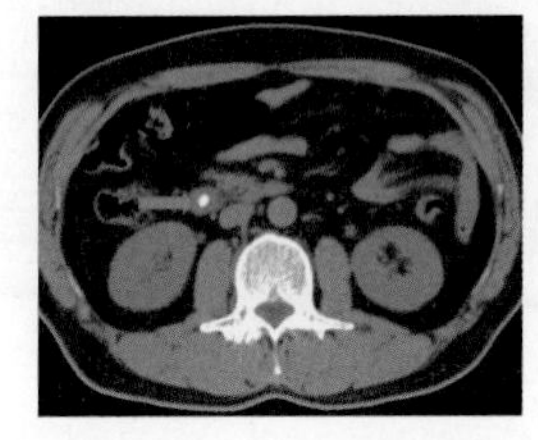

Distal CBD stone:
조영제 사용하지 않아야 잘 보인다.

ERCP; CBD stone (choledocholithiasis) 진단의 gold standard

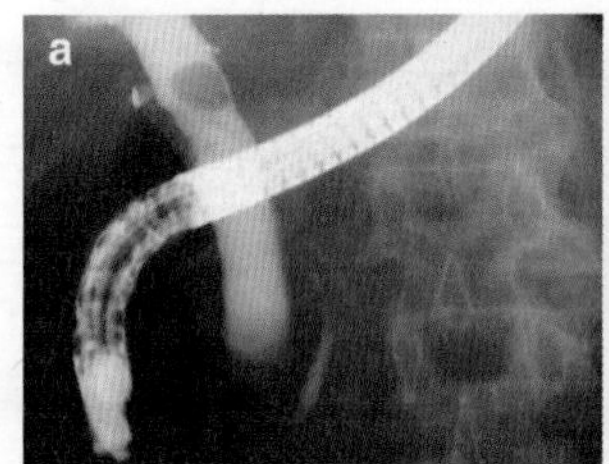

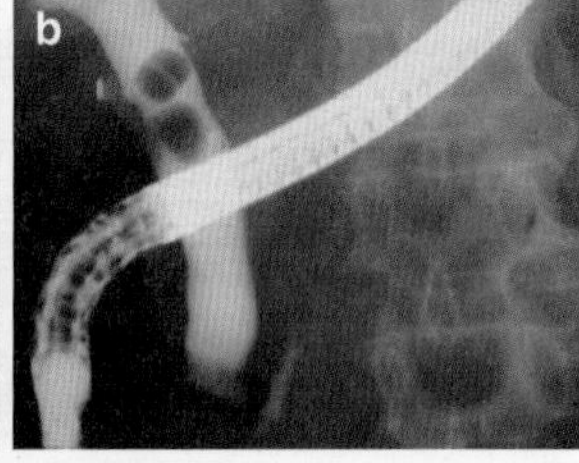

검은색 방울(stone)=충만결손(filling defect)

MR cholangiopancreatography (MRCP); noninvasive, ERCP 대체 가능

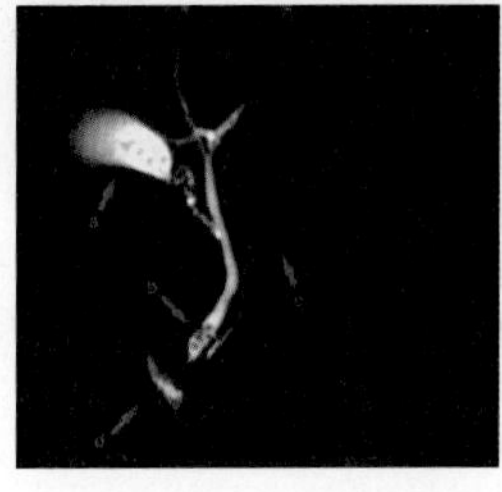

MRCP image showing stones in the distal common bile duct:
(a) Gallbladder with stones, (b) Stones in bile duct,
(c) Pancreatic duct, (d) Duodenum.

05 대사성 간질환

지방간/지방 간염

Liver parenchyma(실질)에 전반적으로 fat이 침착 된다.

초음파에서는 high echo로 보인다(Rt. kidney cortex보다 높다).

CT에서는 low density로 보인다(spleen density보다 낮다).

- 영상의학적 이미지 적용 의미가 적어 시험에서 거의 묻지 않는다.
- chronic liver disease = diffuse liver disease = fatty liver
  (엄밀하진 않지만 큰 category에서는 동일한 의미로 혼용하여 쓸 수 있음)

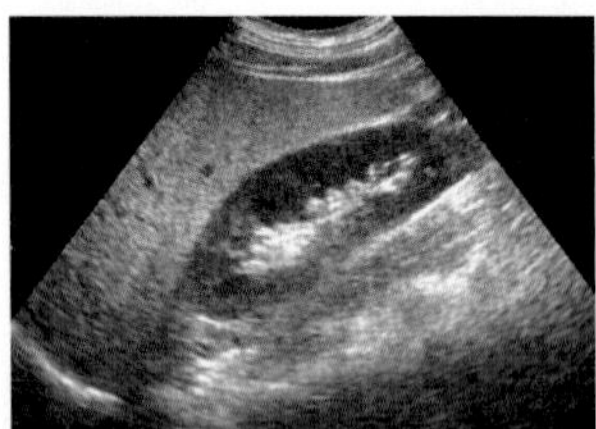

Fatty liver: kidney cortex 보다 high echo

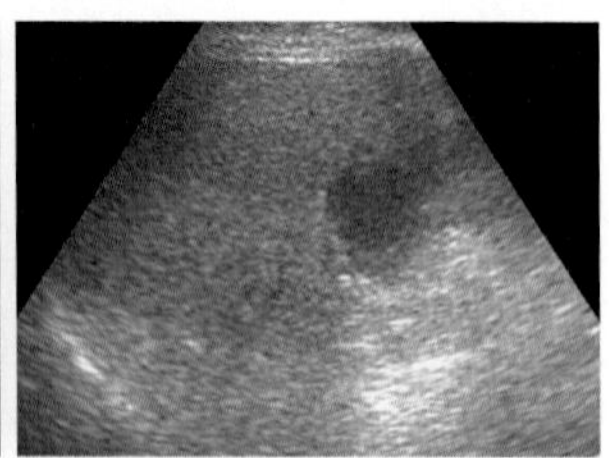

fatty liver

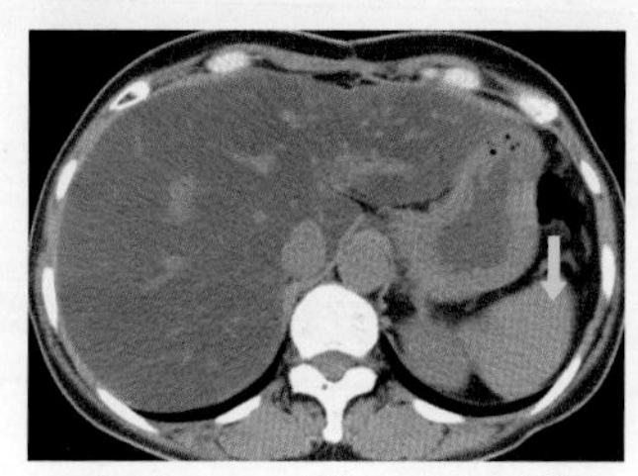

CT: fatty liver, spleen보다 low density로 보인다.

- CT: diffusely low density
  (왜냐하면 fat이므로)
- 대사성 간질환에서의 응용
- Glygogen storage disease
- fatty liver와 유사
- Hemochromatosis

Fat은 CT에서는 low density,

MRI, T1에서는 high SI로 보인다.

이 원리를 fat이 liver에 침착 되는 대사성질환의 진단에 이용할 수 있다.

(예 glycogen storage disease, Hemochromatosis) – 우상단 표참조

Wilson's disease

Liver: Hepatomegaly (95%), liver cirrhosis, HCC를 일으킬 수 있다.

06 간경변증

1) Liver shrinkage(=atrophy): 간 실질이 위축되어 남는 자리로 주변의 fat 또는 bowel이 차 들어 오는 소견을 볼 수 있다. 남는 자리는 fat, bowel, ascitis (=fluid) 등이 채우게 된다.

2) Surface irregularity

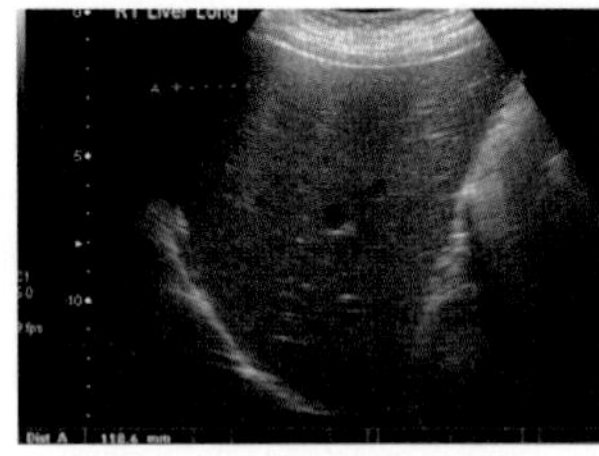

정상 간초음파: fine echogeneity

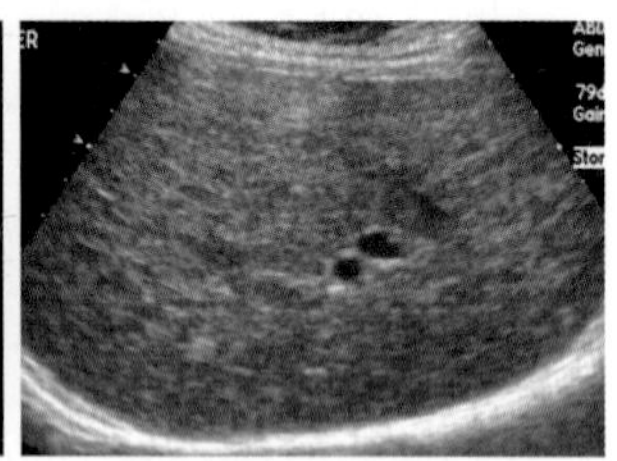

LC 간 초음파: coarse echogeneity

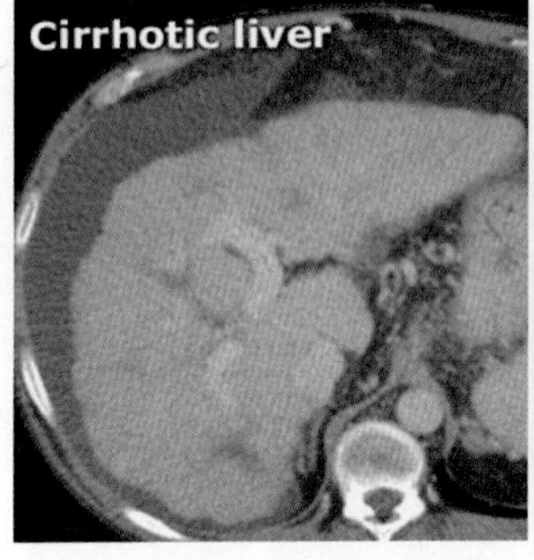

Ascitis with surface irregularity

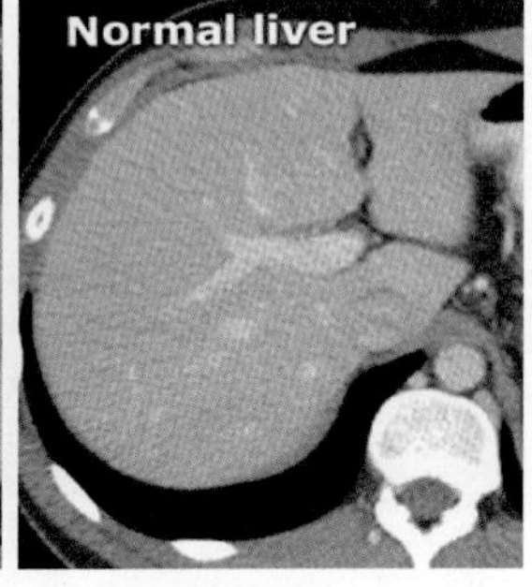

normal liver CT

간 경변증의 주요 합병증

1. 문맥압 합병증(portal hypertnesion)

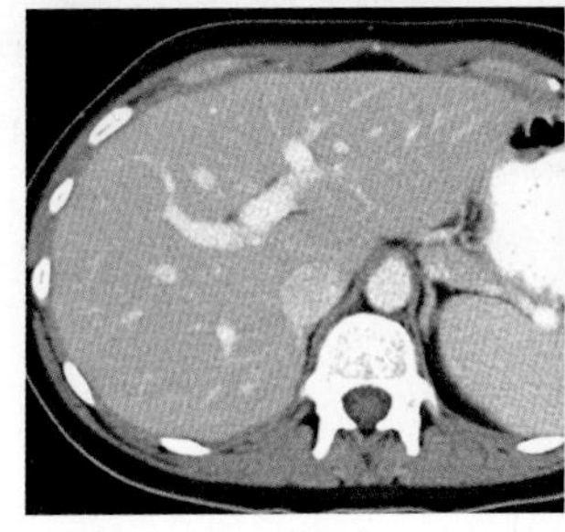

Normal liver CT

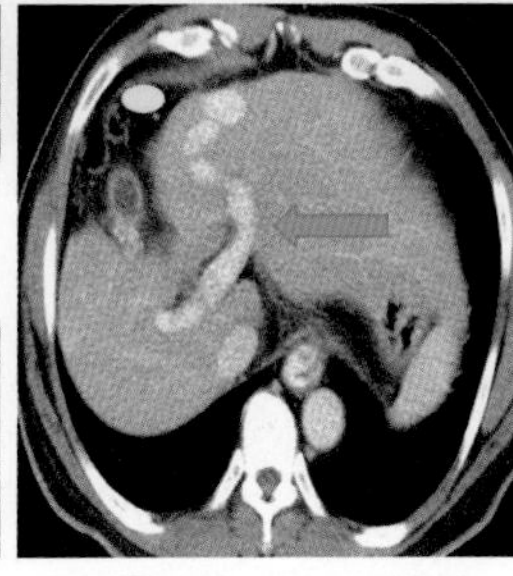

fat ( ) enlarged portal vein(➡)

Portal hypertension에 의해 portal vein이 비정상적으로 커진다.

2. 정맥류 출혈(Variceal bleeding)

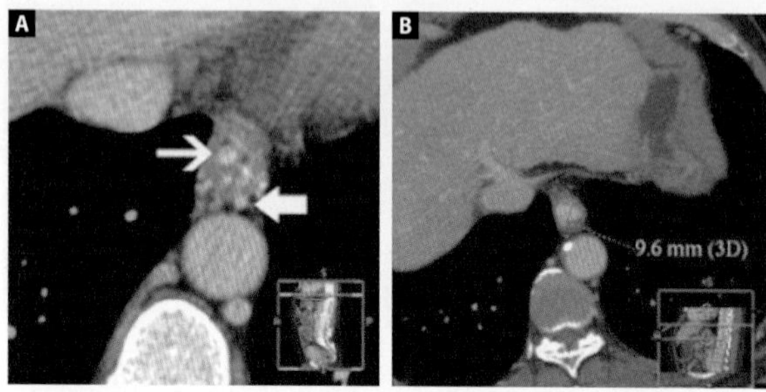

CT: Esophageal varix CT: normal esophagus

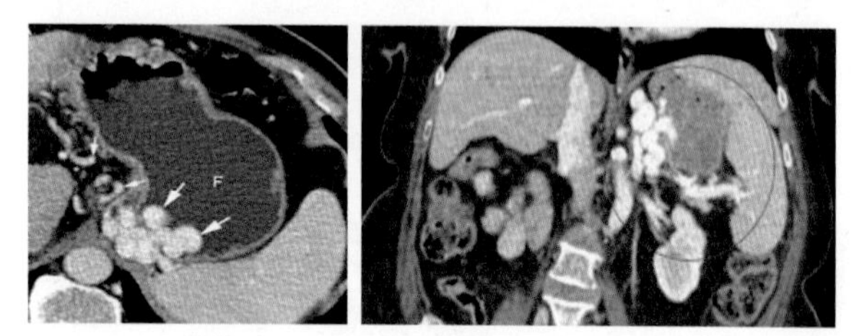

CT에서 Portal hypertension 시사하는 gastric varix 소견을 보인다.

3. 복수(ascitis)

Liver cirrhosis에 의한 복수와 다른 원인으로 생기는 복수는 영상의학적 검사 소견은 동일하다. 복수는 원인과 무관한 동일한 영상의학적 검사 소견을 보인다.

4. 원발/자발세균복막염(Spontaneous bacterial peritonitis, SBP)

- 자발성 세균 복막염(Spontaneous bacterial peritonitis, SBP)이 의심되는 경우 US 보다 CT가 선호된다(다른 infection의 source를 찾는 데 유용하다).

5. 간신증후군(Hepatorenal syndrome [HRS], functional renal failure)

6. 간성뇌증(Hepatic encephalopathy, HE)

Hepatic encephalopathy: Brain CT/MRI 등은 정상이다.
영상의학적 진단이 도움이 전혀 안 된다.

7. 간세포암(HCC)

LC는 HCC의 precancerous lesion이다. [간종양]에서 자세히 설명 예정

Bilary cirrhosis

US, CT, ERCP, MRCP 등에서 담도 폐쇄의 소견은 없음!
(→ 주로 다른 간담도계 질환의 R/O 또는 간경변 확인이 목적)
원발성 담즙성 간경변증(primary bilary cirrhosis, PBC) – (파워내과 323 페이지 참조)

07 간 종양

양성 간 종양

단순 간낭종(simple hepatic cyst)

1. 해면 혈관종(Cavernous hemangioma)

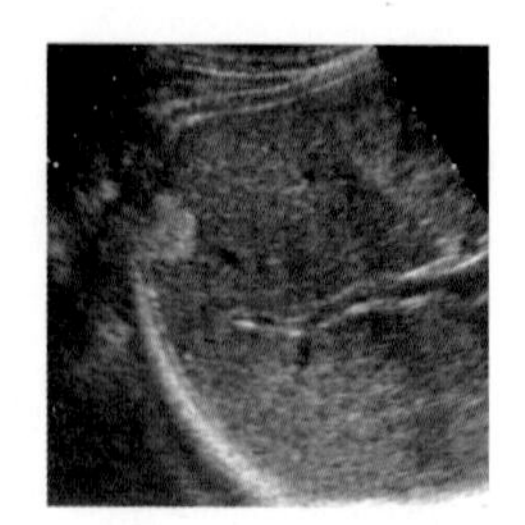

- 간 초음파에서 가장 흔하게 보이는 양성 종양이다. 대체로 초음파에서 high echo(고에코)로 보이며, 간에 오는 전이암과의 감별이 가장 중요하다.
- 주로 CT, MRI로 확진이 가능한데 contrast material(조영제) 전/후로 나누어지는 것보다 동맥기/문맥기(portal phase)/지연기(delay phase)로 시간별로 좀 더 세밀하게 촬영하는 Dynamic technique을 사용한다.
- Dynamic은 통상 링거병에 조영제를 넣어

시행하는 것과 달리 특별한 injector를 사용하며 검사 대상자의 heart beat에 맞추어 조영제를 투입하며 시간별로 좀 더 세밀하게 촬영하는 방법이다.

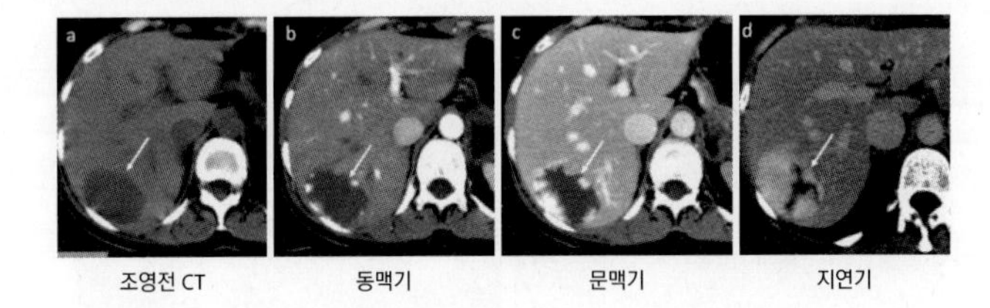

조영전 CT　　　동맥기　　　문맥기　　　지연기

주요개념

종양 내부가 여러 개의 혈관으로 가득 차 있는데 혈관이 지나치게 많아 중심부가 압력이 높다. 그래서 처음에는 압력이 낮은 주변부가 먼저 조영되다가 시간차를 두고 중심부가 조영된다.

- 간의 양성 종양(80% 이상)
- 무수히 많은 vascular lake로 구성→조영 촬영 시 천천히 조영됨
- 대부분 무증상(출혈 발생은 드묾), 우연히 발견
- 진단

1) US

– 경계가 뚜렷하고 균일한 Hyperechoic lesion(→특징적!)

– post. enhancement(후방음영 증가)

2) Dynamic contrast–enhanced CT

– 동맥기; 종괴 주변부부터 조영↑(peripheral nodular enhancement)

– 조영후기; 종괴 내부도 조영↑

3) MRI

- T1 image: 균일한 저음영 종괴
- T2 image: 경계가 뚜렷하고 균일한 고음영 종괴(매우 밝음)

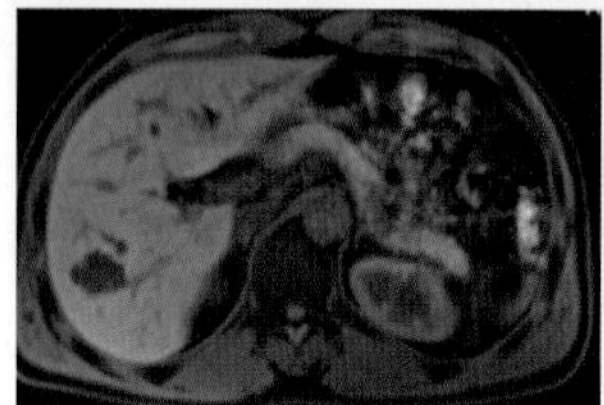

T1 이미지에서 균질한 저신호 종괴

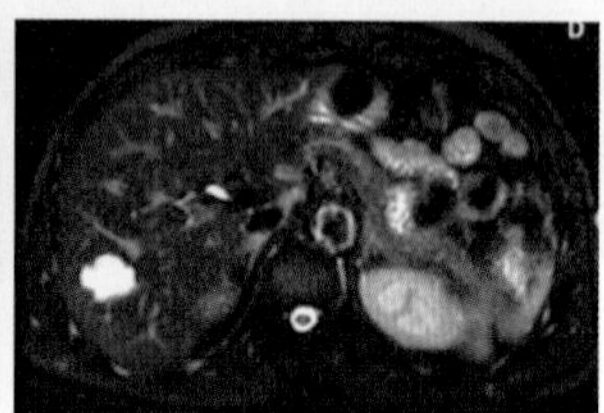

T2 이미지에서 밝은 신호의 종괴(light bulb sign)

2. 국소 결정성 과형성(Focal nodular hyperplasia, FNH)

: 국가고시/전공의 시험에선 출제 잘 안됨

- 균일한 종괴, central hypodense "stellate" scar (septation)가 특징
  - Dynamic CT, Contrast MRI (US에선 잘 안 보임)
  - 동맥기에 빠르게 조영이 증가되었다가 빠르게 감소됨
  - MRI
  - T1: 저음영(→ 조영 시는 고음영이 특징), central scar는 저음영
  - T2: 다양(3/4는 고음영, 1/4은 저음영)

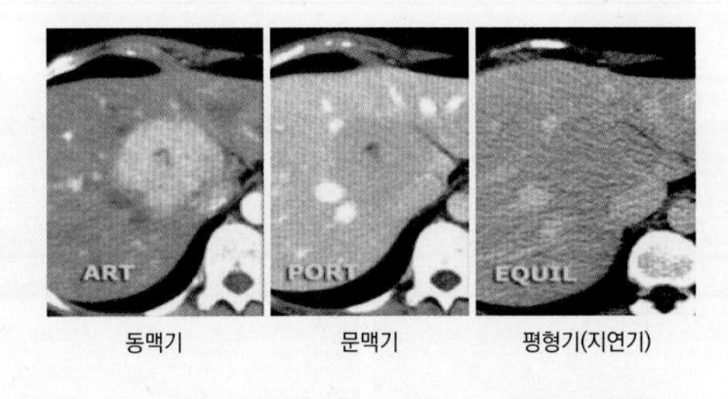

동맥기 문맥기 평형기(지연기)

3. 간세포 선종(Hepatocellular adenoma, HA)

영상으로의 진단에서 HCC, FNH와 유사하다→시험에 잘 안 나옴

단순 낭종(simple cyst)

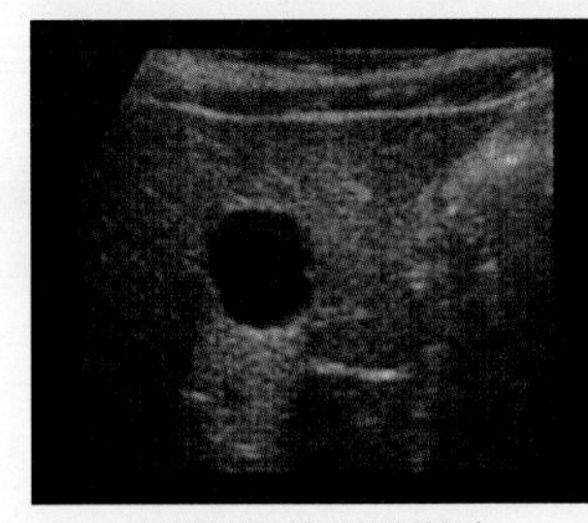

내부에 아무것도 보이지 않으며
후방조영 증강이 있다.

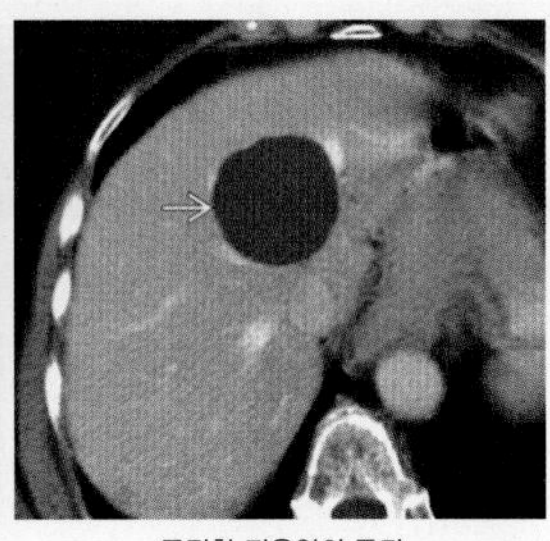

균질한 저음영의 종괴

복합 낭종(Complicated cyst)

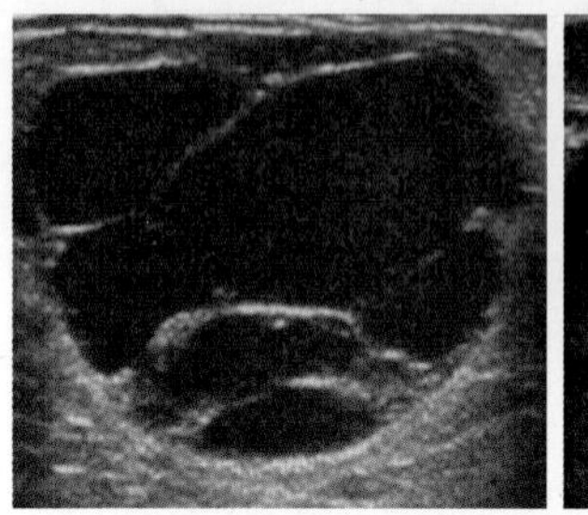

Cyst 내부에 격벽(septum)이 보인다.

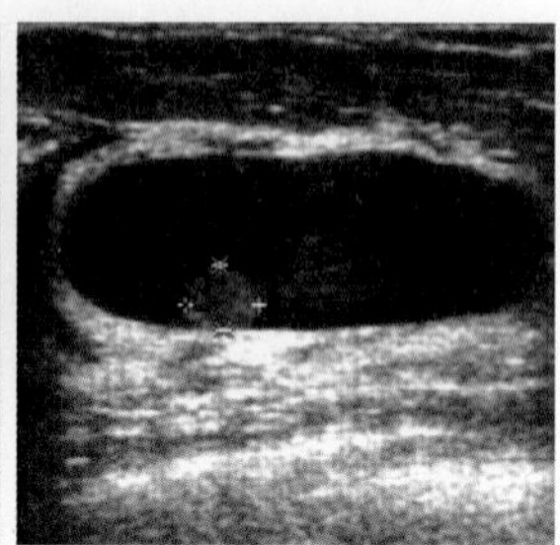

Cyst 내부에 small nodule이 있다.

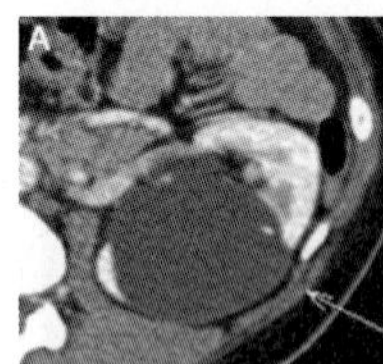

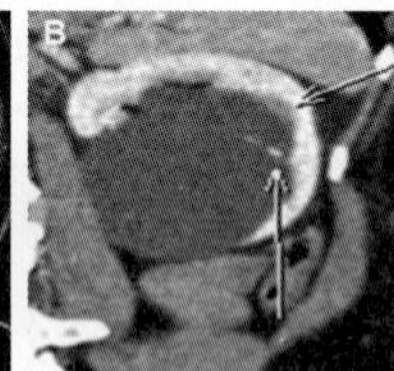

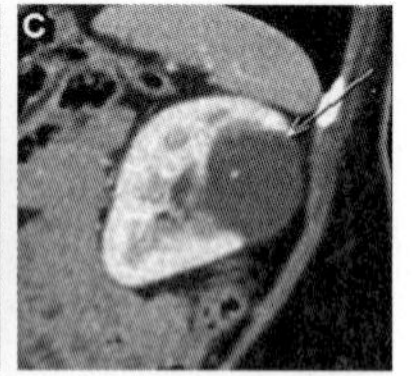

CT: 흰색점(화살표)이 있어서 complicated cyst가 된다.
Complicated cyst는 반드시 추적관찰 또는 aspiration, 또는 biopsy 해야 한다.

원발성 간암

1. 간세포암(Hepatocellular carcinoma, HCC)

- Liver cirrhosis가 선행되고 HCC가 온다.
- Liver cirrhosis 없이 HCC가 오는 경우는 많지 않아서 국가 고시, 전공의 시험에선 underlying liver cirrhosis 없는 HCC 출제되지 않는다고 생각해도 무방하다.

- HCC는 특별히 새로운 혈관을 생성하면서 자라는데(neovascularity) 신생혈관에 의해 진단 및 치료에서 특이점을 갖게 된다.

* 진단: 조영제가 빠르게 들어갔다가 빠르게 빠져나감.
Rapid fill–in, rapid washout

* 치료: Hepatic artery embolization

1) HCC의 초음파 소견

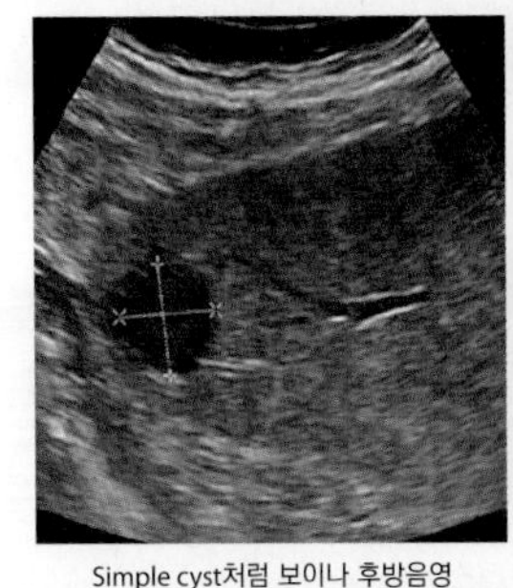

Simple cyst처럼 보이나 후방음영 (posterior enhancement)이 없다.

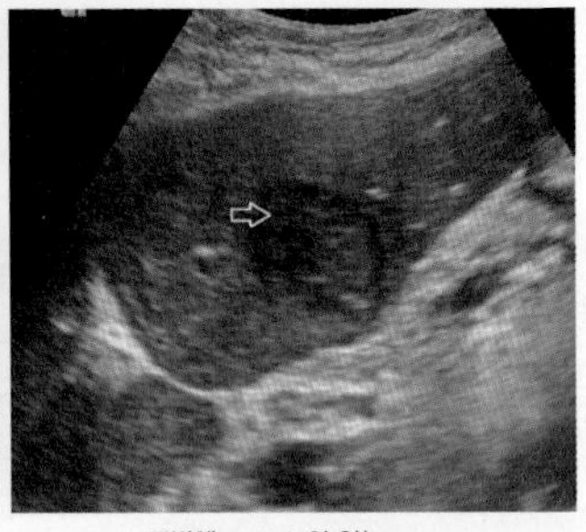

주변에 capsule이 있는 mass

- HCC의 초음파 소견은 다양하다.

2) HCC의 CT 소견

- US보다 더 정확
- 작은 종양 및 혈관 침범도 진단 가능

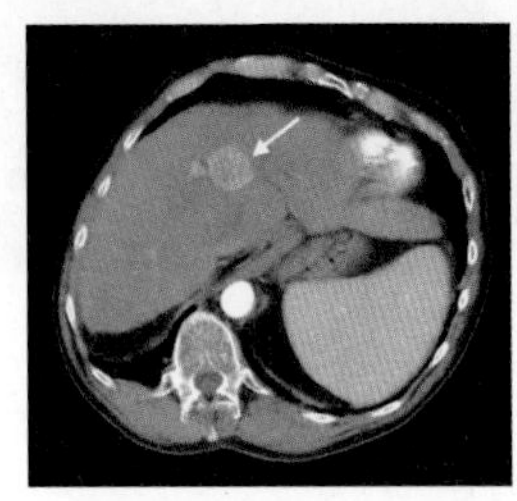

HCC: liver cirrhosis + nodule

- Liver volume이 감소되어 있고(liver 앞쪽의 lung은 보이지 않아야 정상이다), surface irregularity가 보이는 전형적인 liver cirrhosis 소견이다.
- Liver cirrhosis에 nodule이 있는 것 만으로도 충분히 HCC를 의심할 수 있다.

원발암(Hepatocellular carcinoma)의 dynamic CT 소견

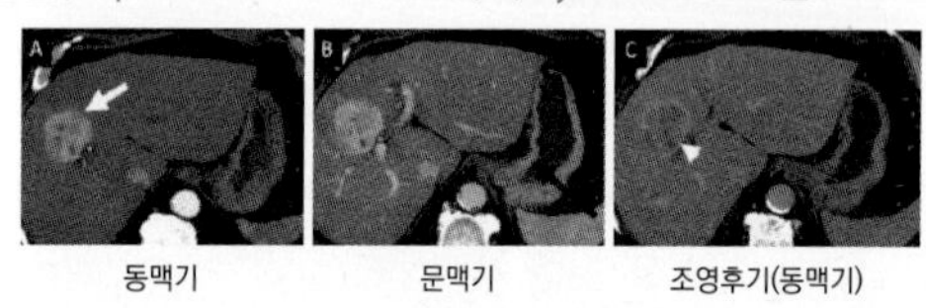
동맥기 문맥기 조영후기(동맥기)

경계가 불분명하고, 불균등하게 조영증강되는 불규칙한 종괴

- 동맥기(대동맥이 가장 하얗게 조영될 때): 조영증강 시작
- 문맥기(대동맥 조영은 약간 감소, 문맥계 조영): 조영증강 최대
- 조영후기(정맥기); 저음영(↔hemangioma와의 차이), Hemangioma는 고음영

혈관종(hemangioma)의 dynamic CT 소견

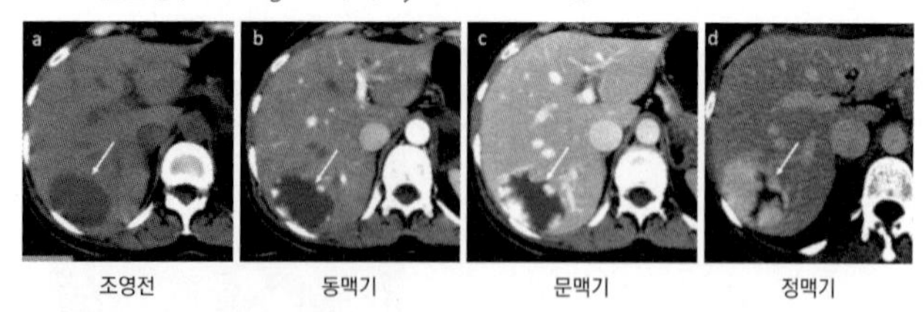
조영전 동맥기 문맥기 정맥기

1. Lipiodol CT

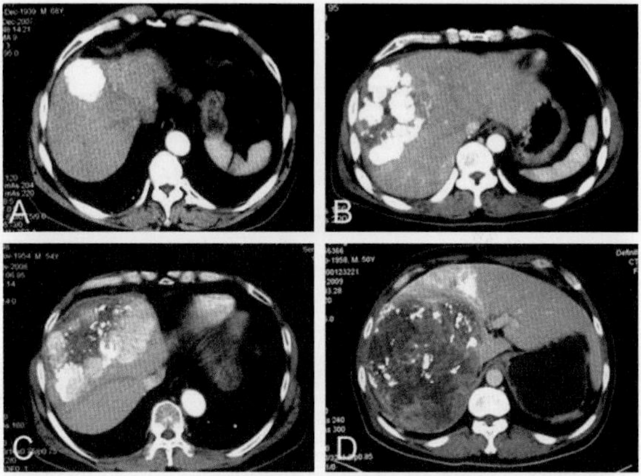

A. TACE 후 HCC가 완전히 embolization된 상태
B. HCC 재발하며 크기가 커지고 lipidol이 깨진 모습
C. HCC가 더 커지면서 lipiodol이 줄었다.
D. HCC가 더 커지면서 Rt.lobe of the liver를 HCC가 완전히 채움

2. 기타 악성 종양

(1) Cholangiocarcinoma

Chapter 9. 담낭질환에서 자세히 설명한다.

전이암(Liver metastasis, secondary liver cancer)

간의 전이암은 간 이외의 장기의 암세포가 간으로 와서 종괴를 만든 것이다. 따라서 종괴 이외의 간 조직은 정상이다. 간 자체는 정상이다.

종괴가 여러 개일 때는 비교적 쉽게 진단할 수 있다.

하지만 하나의 종괴만 보이는 solitary metastasis가 30%나 된다.

Liver에 LC 없이 하나의 종괴(mass)가 보이면 metastasis 그리고 hemangioma(혈관종)을 의심해야 한다. 임상적으로 중요해 보이지 않는 hemangioma를 열심히 공부해야 하는 이유는 hemangioma 자체가 중요해서가 아니다. 초음파, 그리고 conventional CT (Dynamic CT가 아닌 경우)검사에서는 hemangioma와 metastasis를 감별하기 어렵다. 그래서 dynamic CT 시행한다.

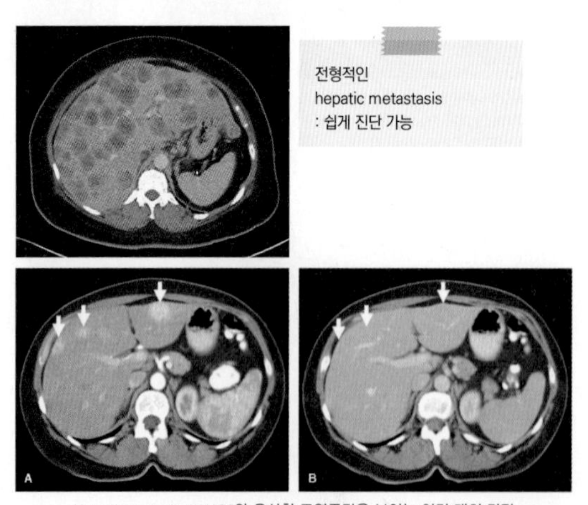

Hepatic metastasis: HCC와 유사한 조영증강을 보이는 여러 개의 결절

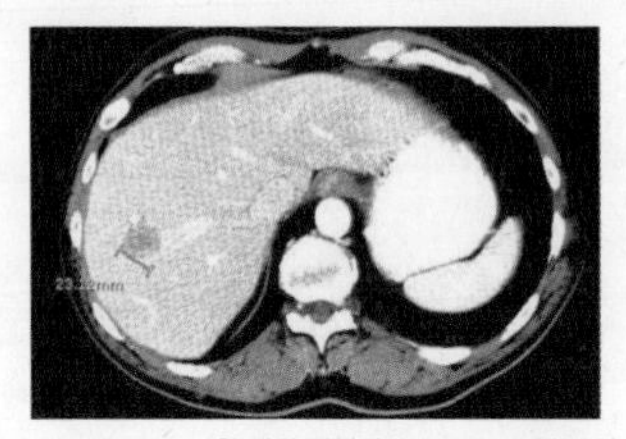

Solitary metastasis: 한 개의 결절이 liver Rt.lobe에 보임
(hemangioma, simple cyst 등과 감별해야 하는데 어렵다).

전이암의 초음파 사진은 매우 다양하며 전형적이지 않다.

초음파를 통해 전이암을 의심할 수는 있으나 정확한 진단은 어렵다.
(특히 solitary nodule)

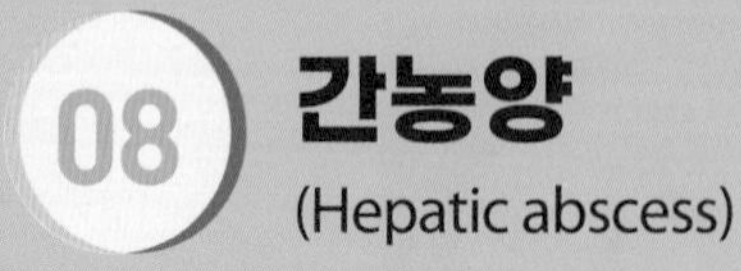

08 간농양
(Hepatic abscess)

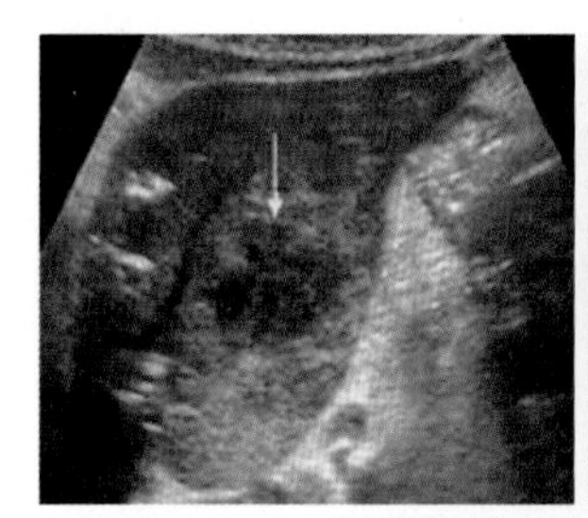
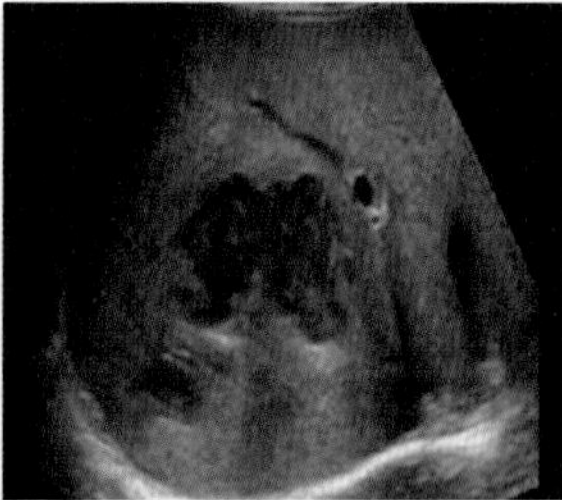

초음파: 불규칙한 경계를 가진 low echo lesion

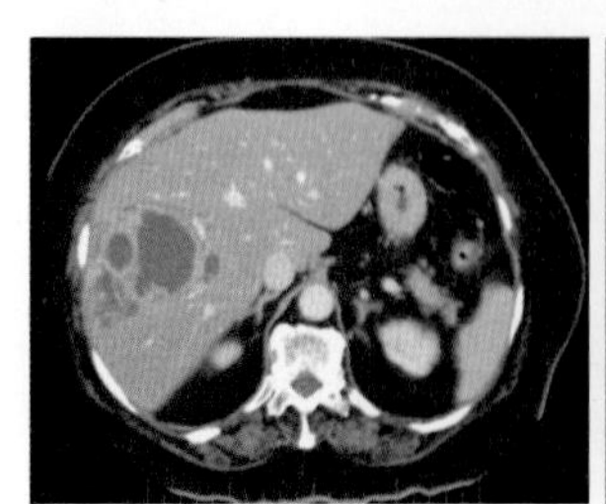
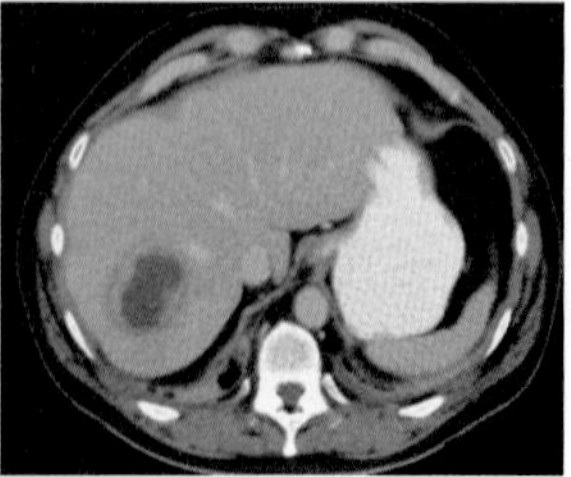

CT: Low density lesion 주변으로 rim이 보인다(임상적으로 열을 동반하고 있어 진단에 도움이 된다).

09 담낭 및 담관 질환

담낭 및 담관의 검사방법

① US – 가장 선호되는 진단방법

② CT – 담낭이나 담관 자체보다 주변의 변화를 보는 데 유용하다.

③ MRI – MRCP에 쓰인다

④ 경구 담관 조영술(oral cholecystography, OCG)

- US로 대치되어 거의 쓰이지 않는다.

⑤ Radioisotope scan (^{99m}Tc–labeled HIDA, DIDA, DISIDA 등)

- serum bilirubin 농도가 높아도 담낭으로 잘 배설된다.
- GB stone과 CBD stone은 증상만으로는 구별이 잘 안 되므로 US에서 GB에 stone이 보이지 않으면 ERCP 등으로 CBD stone 유무를 확인해야 한다.

담낭(gall bladdr)은 체표면에 가까이 있고 내부는 담즙액으로 차있다.

초음파로 진단하기 아주 좋은 위치와 구조를 갖는다.

담낭 질환은 초음파만으로 충분하다.

CT를 시행하는 경우는 질환 자체가 아닌 주변과의 관계를 보기 위함이다.

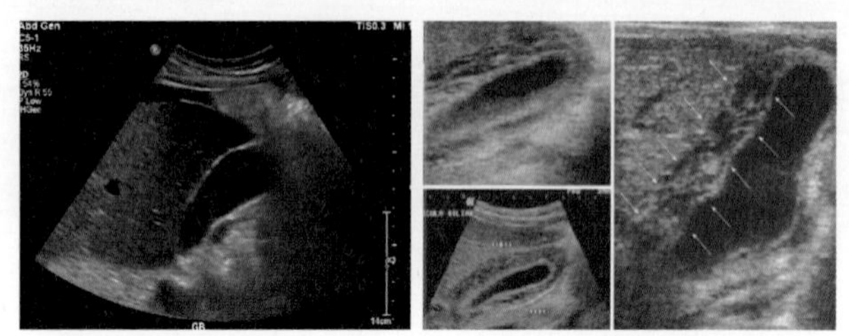

정상 담낭 초음파 사진

담낭벽 비후(GB wall thickening)

담석(쓸개돌, Gallstone)/담석증(Cholelithiasis)

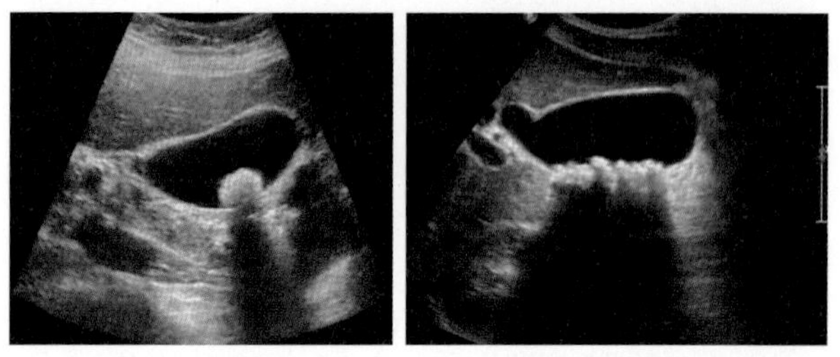

GB stone: 큰 것 하나

GB stones: 작은 것 여러 개

- 뒤로 보이는 검은 음영(post. Shadowing)이 stone을 뜻한다.

급성 담낭염/쓸개염(Acute cholecystitis)

Gall bladder에 stone만 있어서는 pain을 느끼지 않는다(무증상).

Gall baldder wall의 edema가 있어야 pain을 느끼게 된다.

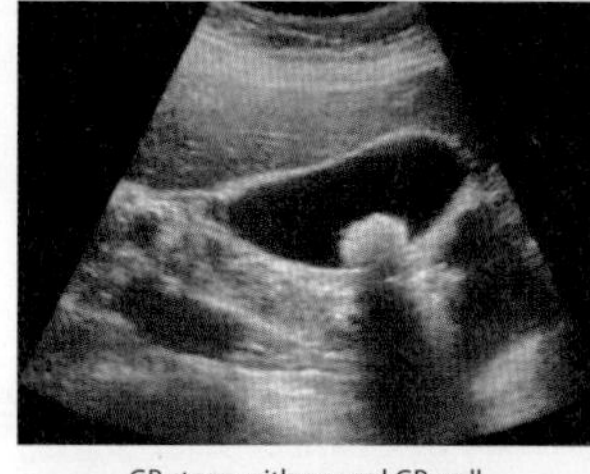

GB stone with normal GB wall

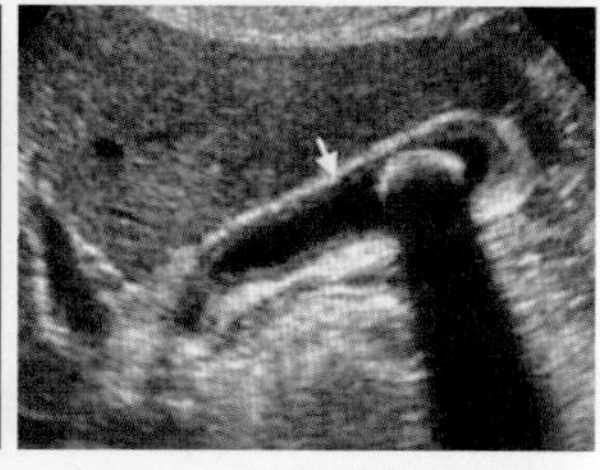

GB stone with GB wall thickening

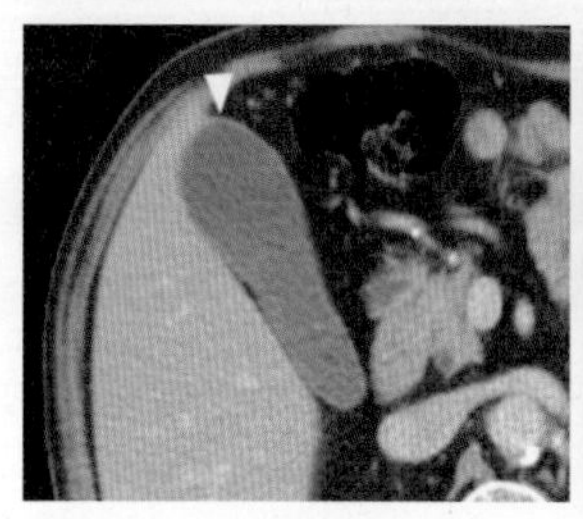

CT: normal GB

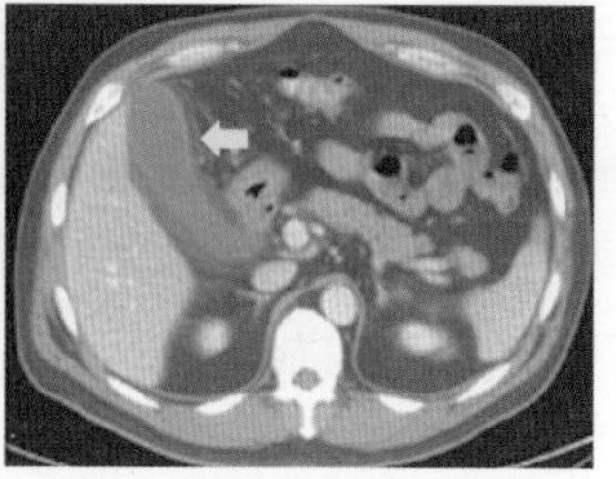

GB 주변 fat에 안개 낀 것 같은 변화가 있다.
Fat stranding: inflammation 소견
Acute cholecystitis의 CT 소견

- US: posterior shadowing 포함한 stone + GB wall thickening
- RI: HIDA에서 cystic duct는 보이나 GB가 보이지 않음

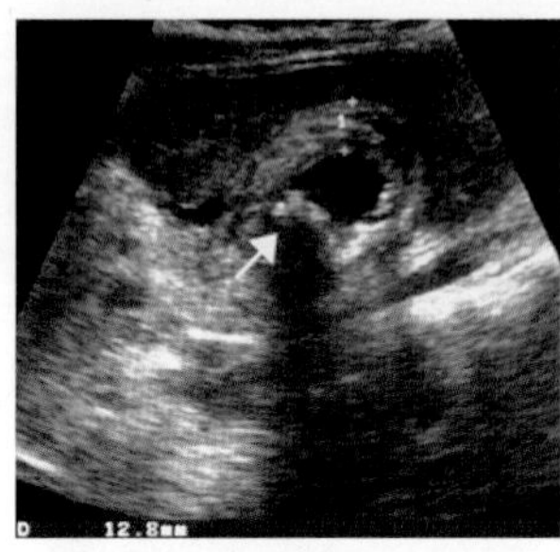

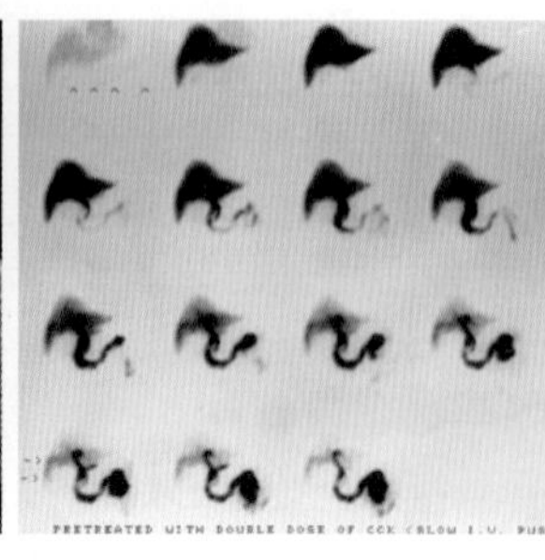

1. B wall thickening
2. 화살표는 stone이다.
   후면으로 posterior shadowing이 있다.

만성 담낭염/쓸개염(chronic cholecystitis)

담낭염(쓸개염)의 합병증

1) 기종성 담낭염(emphysematous cholecystitis)

GB wall에 공기(air)가 들어가는 질환.

일반 x-ray에서 GB 주변으로 검은 음영이 보인다.

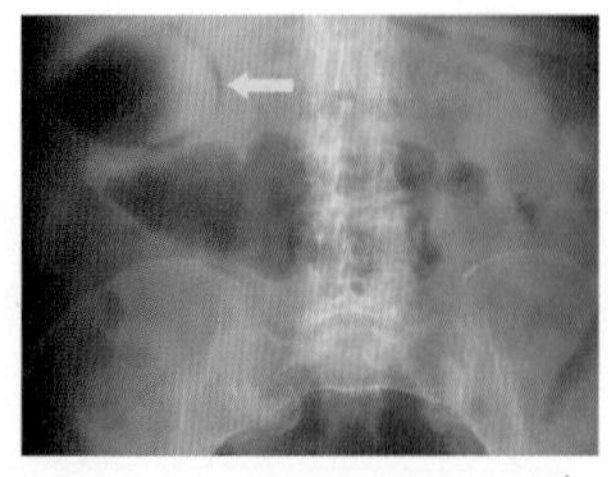

GB wall의 ischemia (gangrenous change)

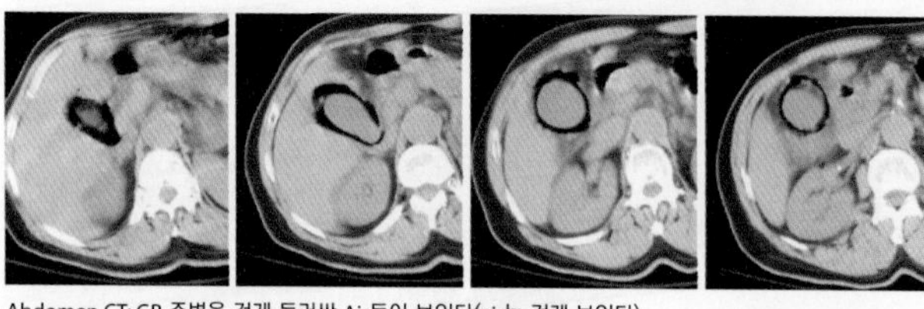

Abdomen CT: GB 주변을 검게 둘러싼 Air들이 보인다(air는 검게 보인다).

2. Empyema

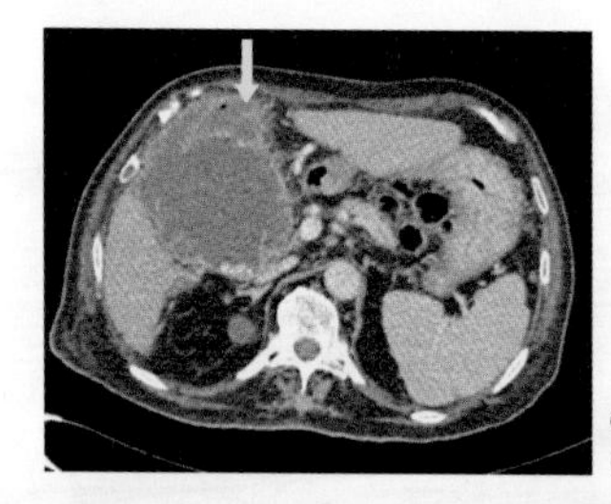

GB empyema
(GB 밖에 pus: ⇨)

7. 담석성 장폐색(Gall stone ileus)

Small intestinal obstruction

Biliary tree 내 air (air biliarygram)

장폐쇄 부위의 gallstone에 의한 석회화 음영

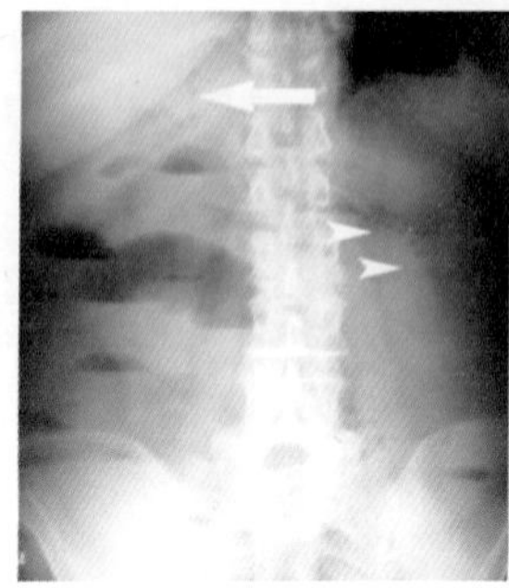

GB stone/ileus (화살머리)

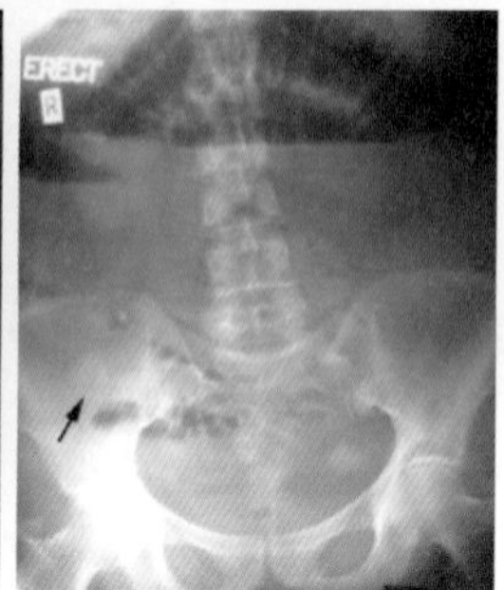

장폐색 부위 석회화 음영

9. 도자기화 담낭(porcelain gallbladder)

GB wall에 calcium salt가 침착된 것

plain abdominal film or CT: eggshell appearance

예방적 cholecystectomy 권장(∵ GB cancer 발생 위험 높음)

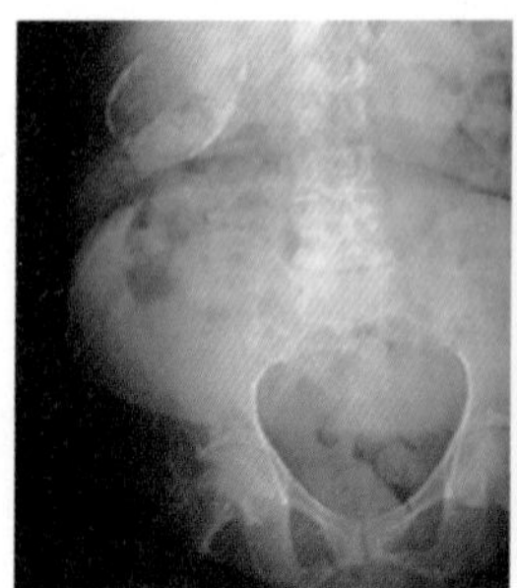

RUQ에 round-calcified rim

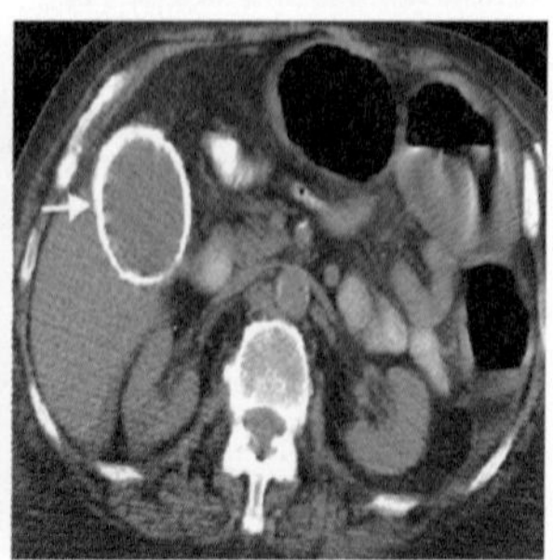

round GB wall calcification

증식성 담낭증(Hyperplastic cholecystosis)

① Adenomyomatosis

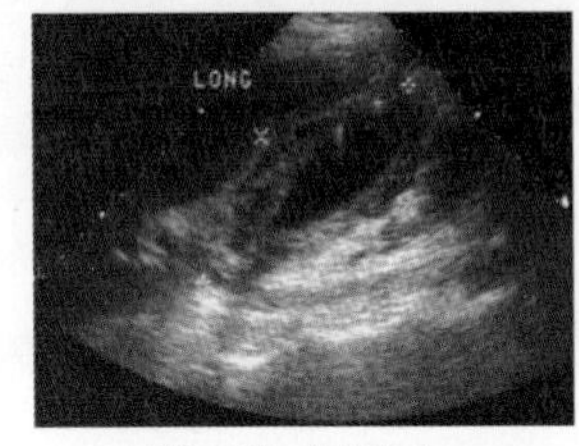

Diffuse GB wall thickening

② Cholesterolosis

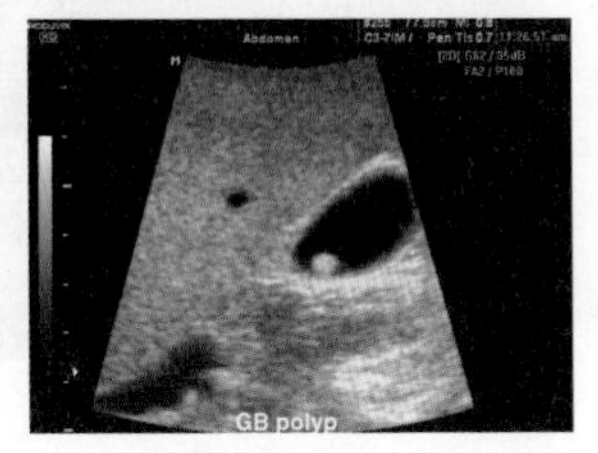

hyperechoic nodule (polyp)

담낭용종(GB polyps)

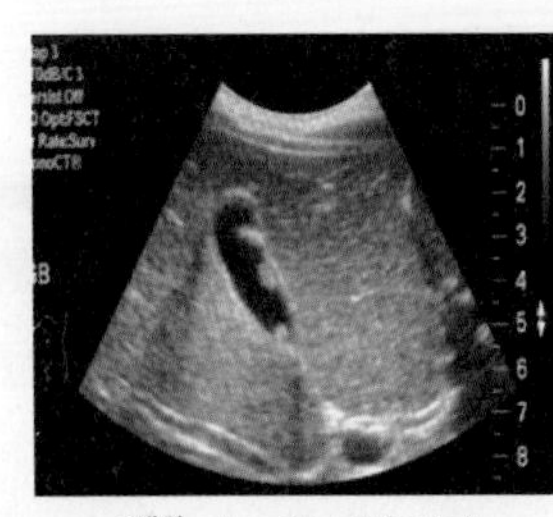

3개의 polyps, GB wall (Benign)

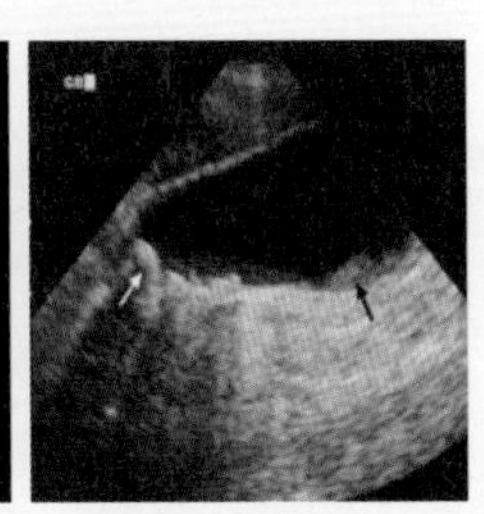

malignancy 가능성 높은 polyps

담낭암(쓸개암, GB cancer)

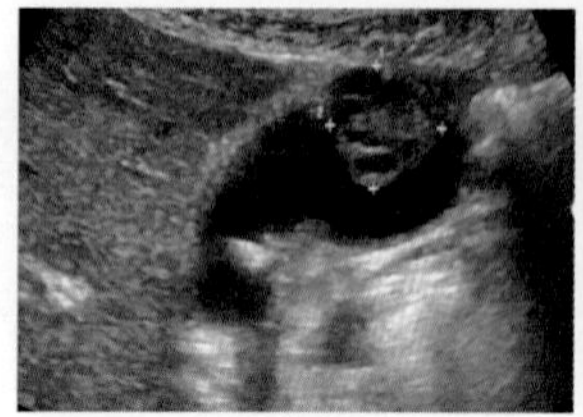
초음파상에서 GB wall에 protruding mass

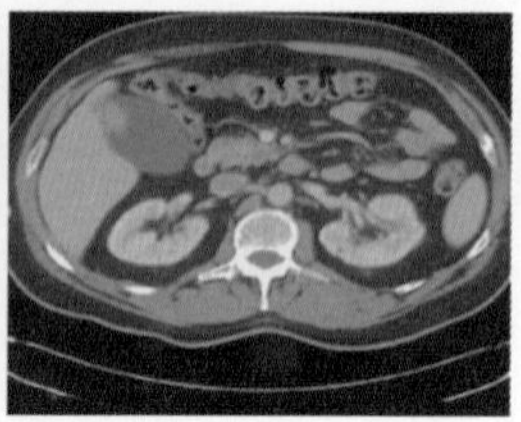
CT에서 GB wall에 small nodule

담관/쓸개관(bile ducts) 질환

선천성 기형

1. 총담관낭/온쓸개관낭(Choledochal cyst)

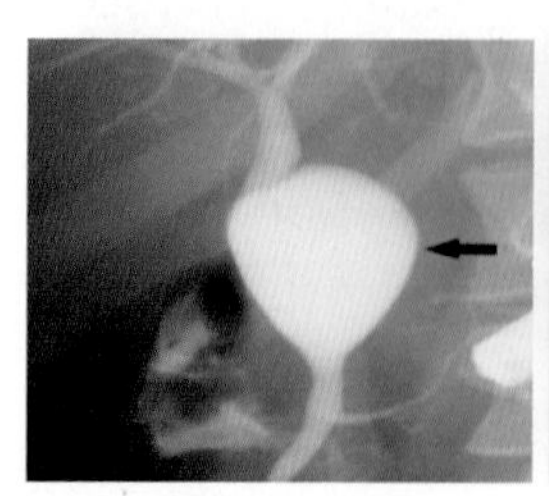
ERCP에서 CBD dilatation

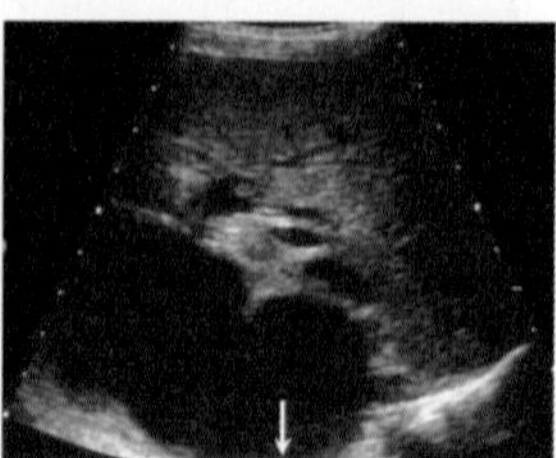
초음파에서 CBD dilation

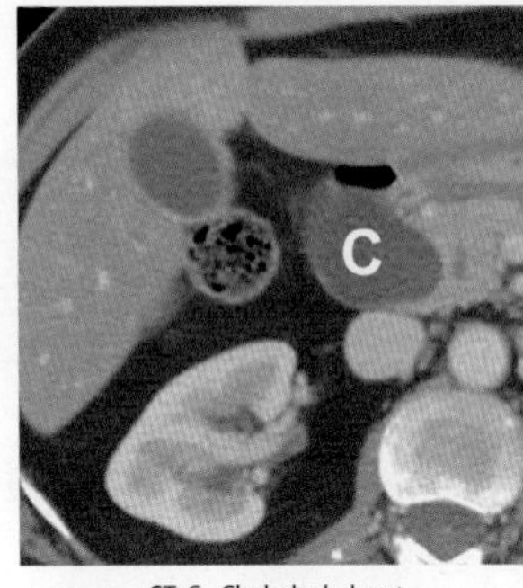

CT: C - Choledochal cyst

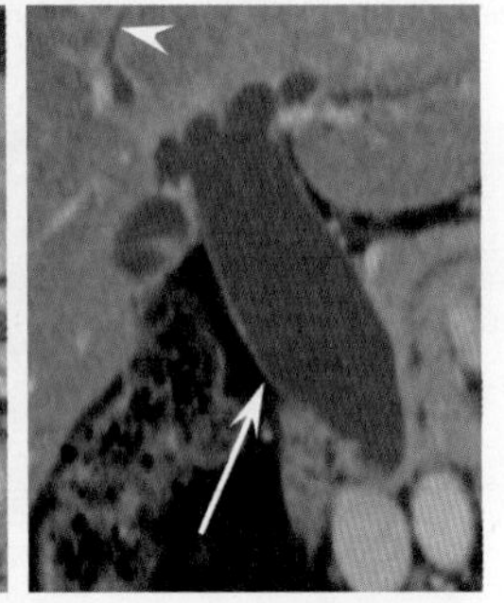

CT – coronal image; choledochal cyst

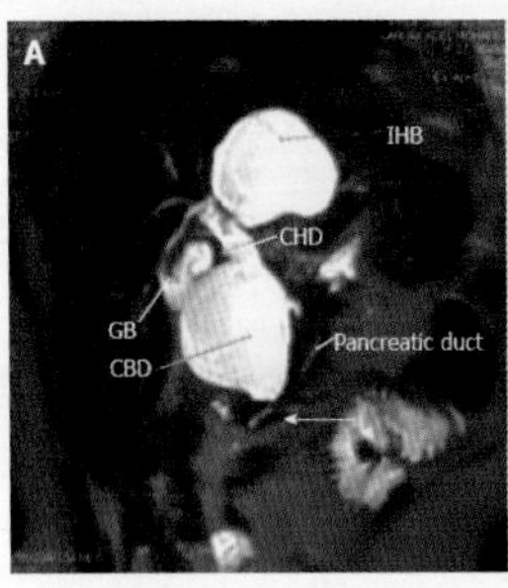

MRCT: choledochal cyst

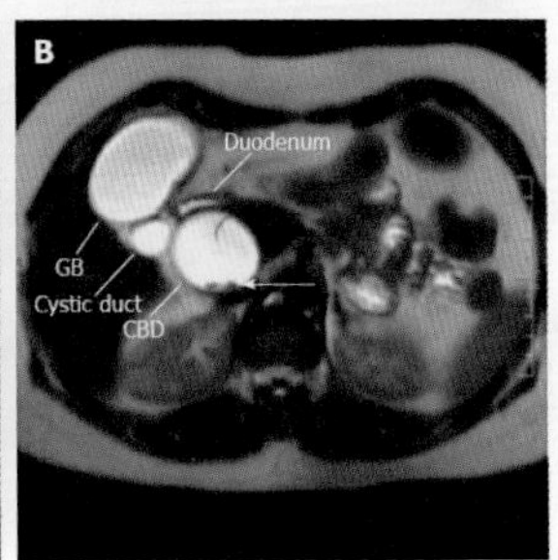

MRI: choeldochal cyst

2. 췌담관합류이상(Anomalous union of pancreaticobiliary duct, AUPBD)

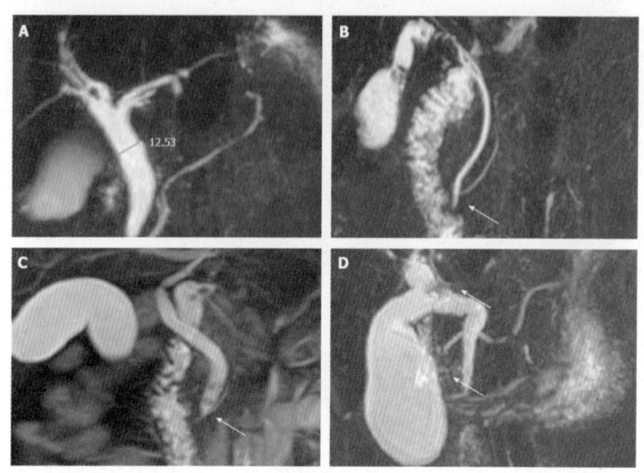

췌담 공통관의 길이 > 15 mm

총담관결석/온쓸개관돌증(Choledocholisthiasis, CBD stone)

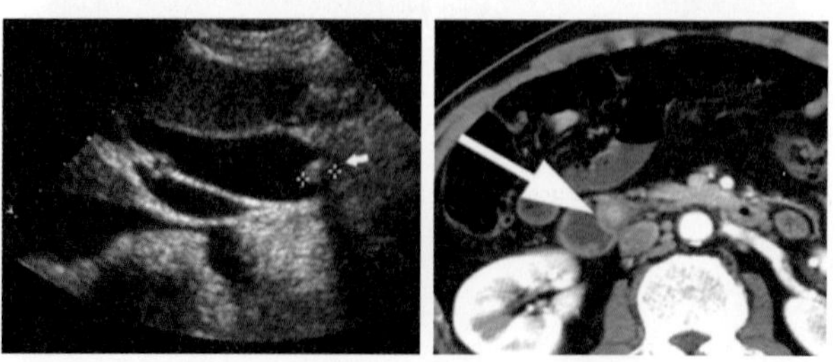

운이 좋으면 초음파에서 보일 수 있다.

CT에서도 운이 좋으면 보이는데, 찾기 어렵다.

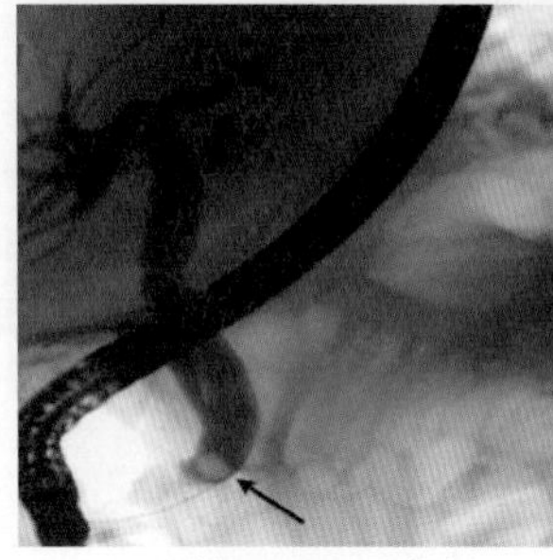

ERCP에서 filling defect 보인다.

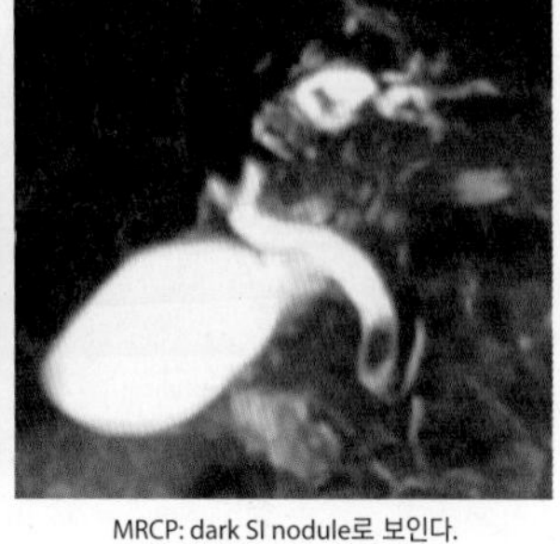

MRCP: dark SI nodule로 보인다.

Bile duct study는 ERCP, MRCP가 US, CT에 비하여 월등히 뛰어나다.

간내담석(Intrahepatic stone)

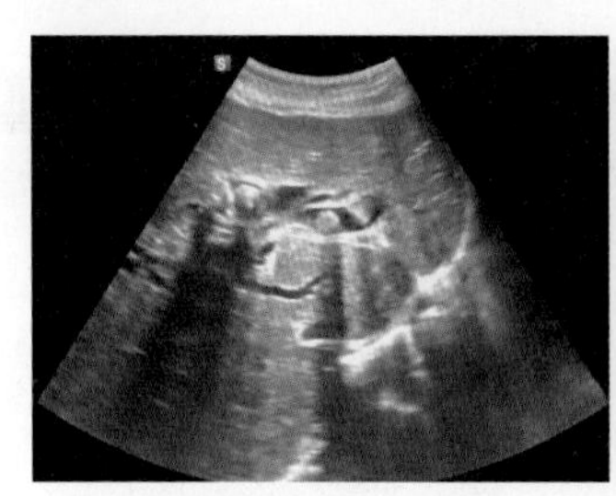

초음파에서 Lt.lobe IHD stone 보임

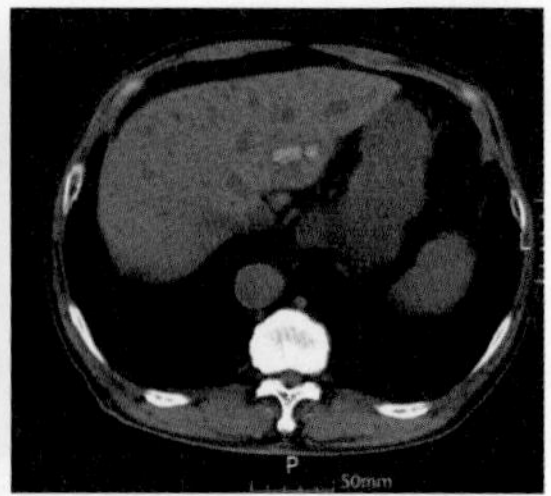

CT에서 Lt.lobe에 IHD stone 보인다.

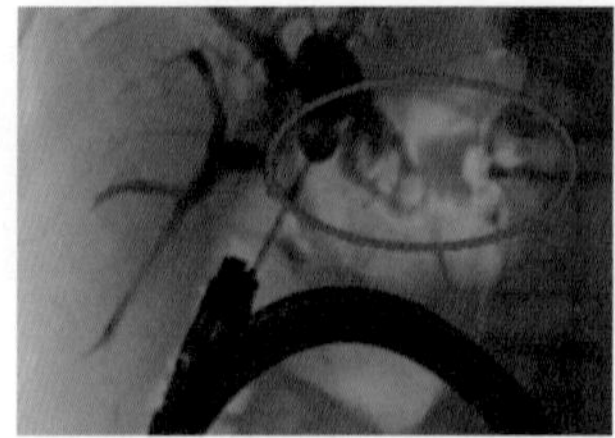

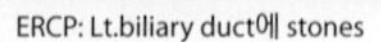

ERCP: Lt.biliary duct에 stones

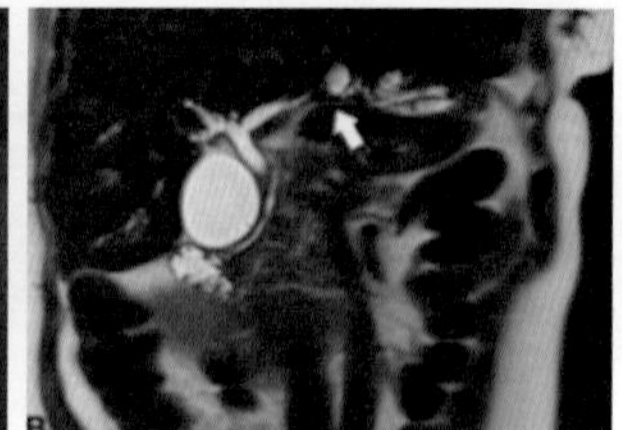

MRCP: Lt.biliary duct에 stones

혈액담즙증(Hemobilia)

- 간. 담도계의 기생충 감염
- 드물긴 하지만 간흡충(clonorchis sinensis)이 간에 감염을 일으키는 대표적 기생충이다.
- Pathology: 주로 peripheral duct dilatation을 일으킨다.

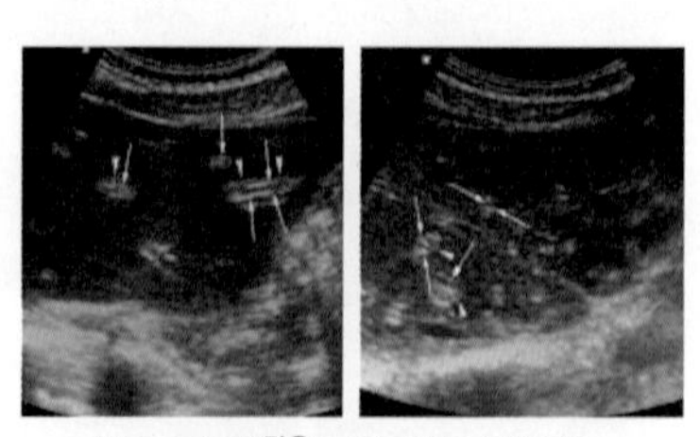

US: Tram-track 같은 peripheral duct dilatation

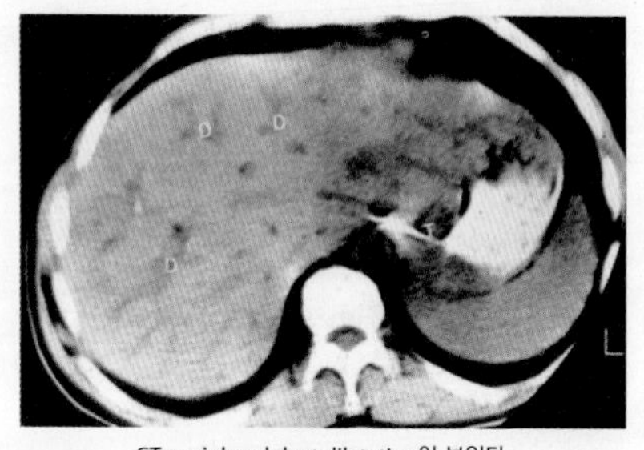

CT: peripheral duct dilatation이 보인다.

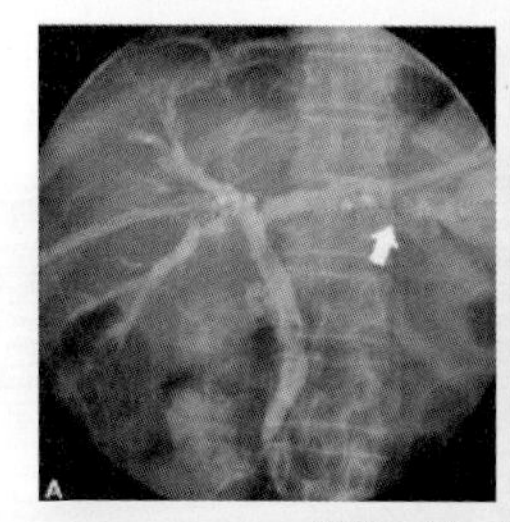

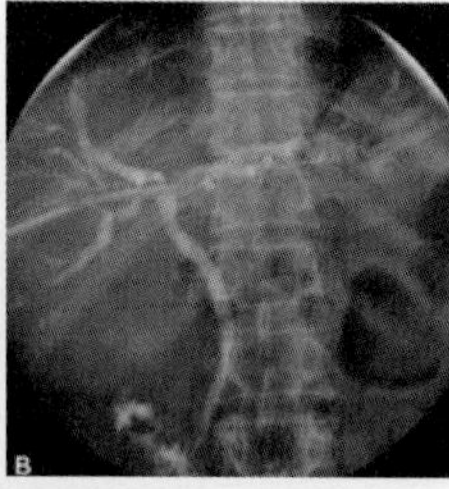

ERCP: peripheral duct dilatation

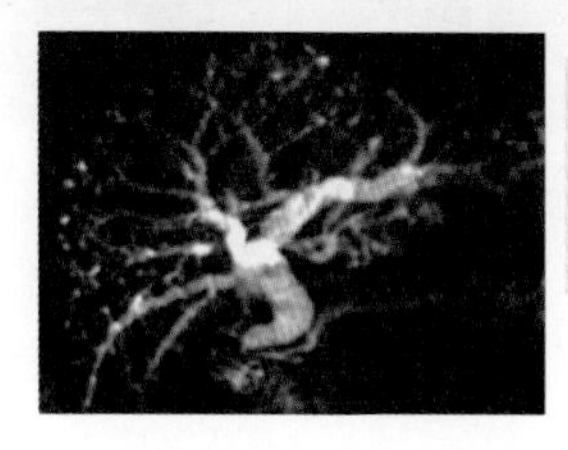

MRCP: peripheral duct dilation이 보인다.
duct 끝에 방울 같은 dilatation이 있다.

원발성 경화성 담관염(Primary sclerosing cholangitis, PSC)

담관암/온쓸개암(Cholangiocarcinoma, CCA)

Cholangiocarcrinoma는 biliary duct에서의 위치에 따라 세 부분으로 나누게 된다.

Y자를 떠 올리자

- 벌린 양팔에 해당하는 부위가 intrahe patic
- 양팔이 만나는 부위가 hilar, junctional area
- 가장 아래 부분이 distal CBD가 된다.

Bile juice가 위에서 아래로 흐르므로 Intrahepatic cholangiocarcinoma가 가장 늦게, Distal CBD cholangiocarcinoma가 가장 빠르게 증상을 나타내게 된다(황달증세).

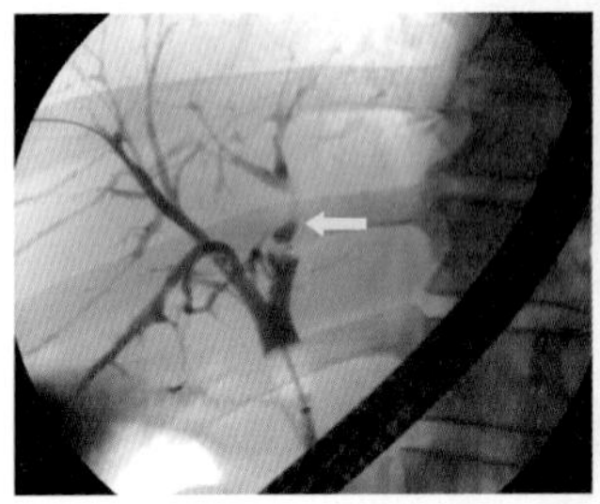

Lt. biliary duct에 filling defect가 보인다(⟹).

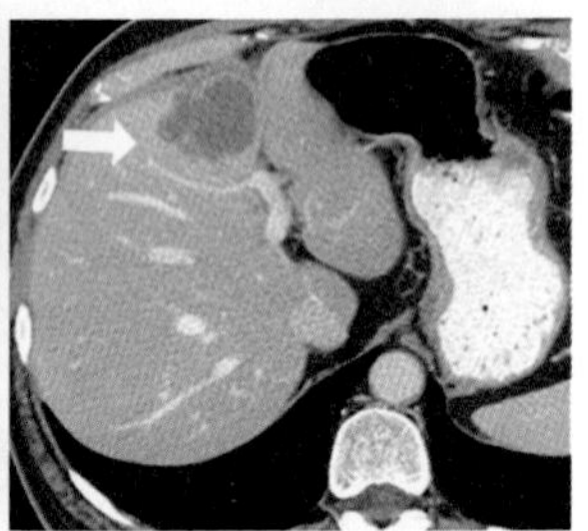

Lt. lobe에 mass

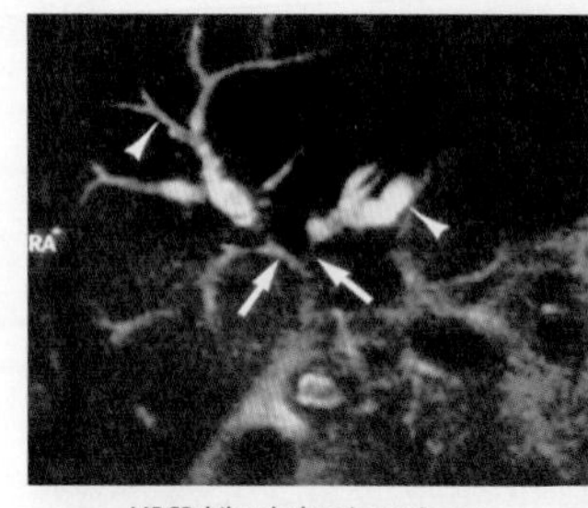
MRCP: hilar cholangio carcinoma

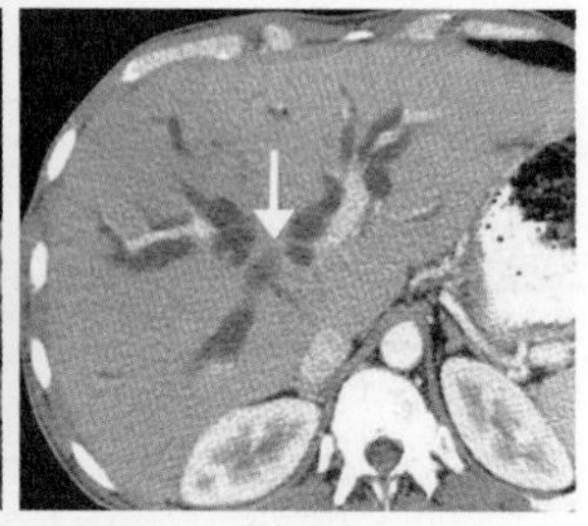
CT: hilar cholangiocarcinoma

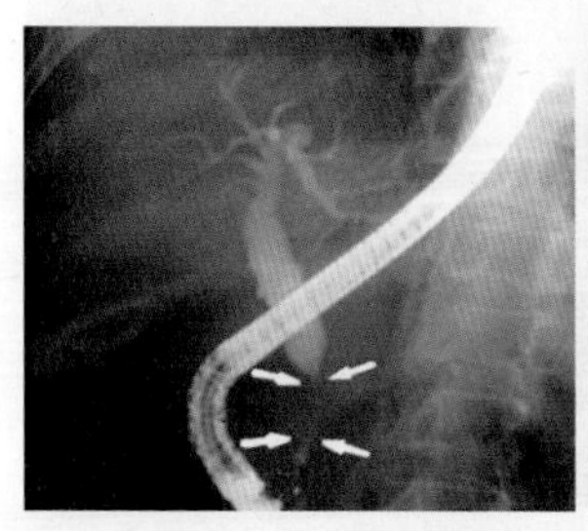
ERCP: distal CBD "rat tail sign"

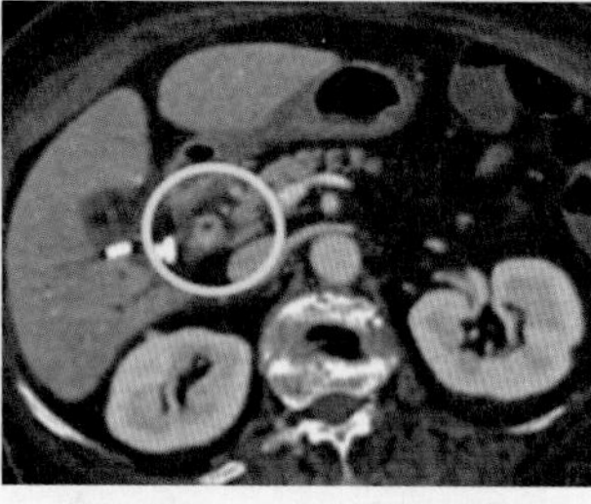
Distal CBD cancer는 찾기 매우 어렵다.

바터팽대부(Ampullar of Vater)암/팽대부암(Ampullary Ca.)

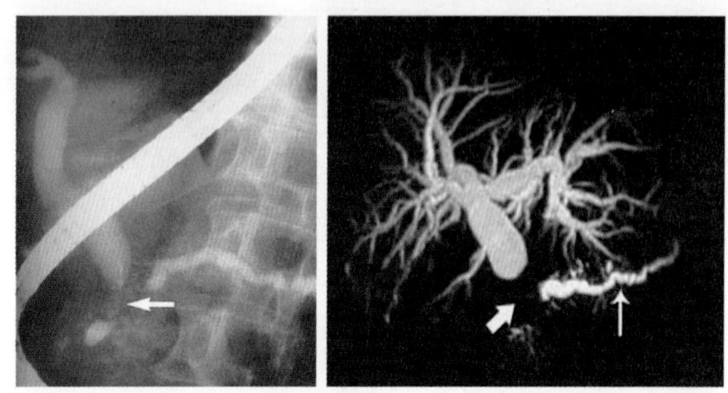

Distal CBD와 pancreatic duct junction 부위에 filling defect (ERCP/MRCP)

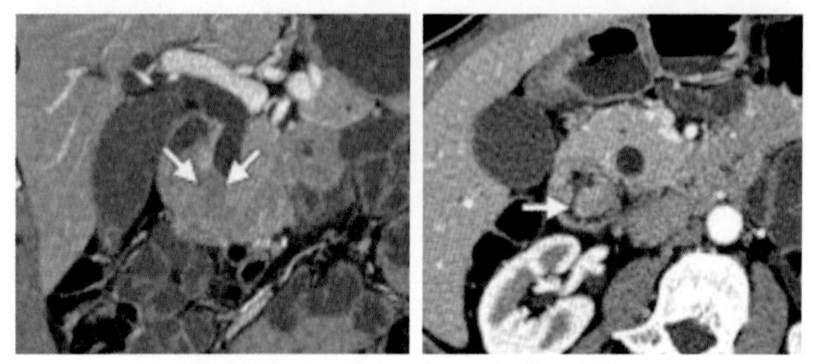

Distal CBD와 pancreatic duct junction 부위에 mass가 있다.

10 급성 췌장염/이자염

3. 영상검사

(1) 단순복부촬영: 도움되지 않는다. 사용하지 않는다.

(2) 복부 CT: 주로 사용되며 CT로 충분하다.

(3) MRI (MRCP): 담도계 병변 구분이 필요할 때 제한적 사용

(4) 복부초음파: 별로 도움되지 않는다.

(5) ERCP – 진단목적은 아님. 치료 목적임

Grade of Acute pancreatitis CT findings

A. Normal.

B. Enlarged pancreas

C. Inflammatory change in pancreas and peripancreatic fat

D. Ill–defined single fluid collection

E. Two or more poorly defined fluid collection

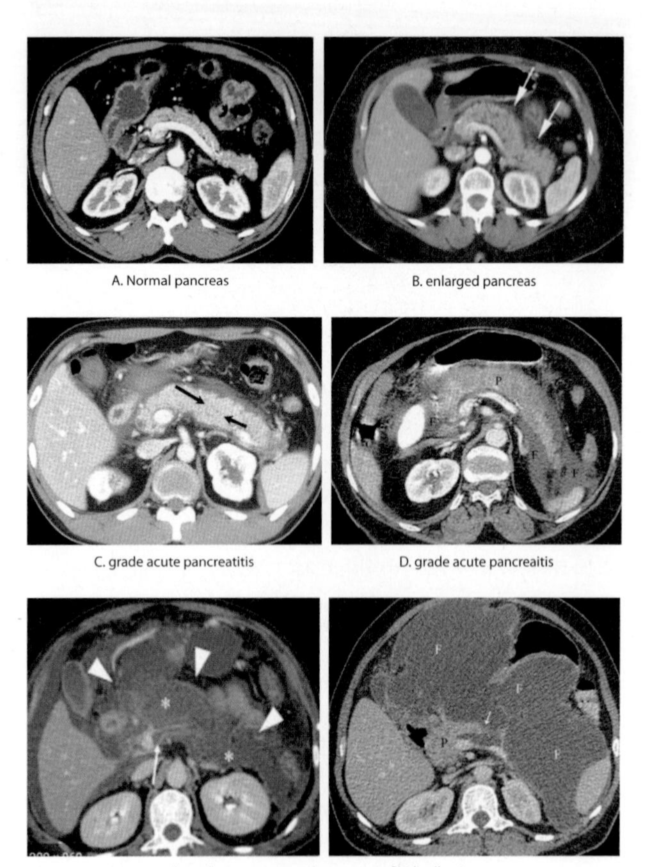

A. Normal pancreas

B. enlarged pancreas

C. grade acute pancreatitis

D. grade acute pancreaitis

E. grade acute pancreatis: two more fluid collection

합병증

1. 감염성 췌장괴사(infected pancreatic necrosis)

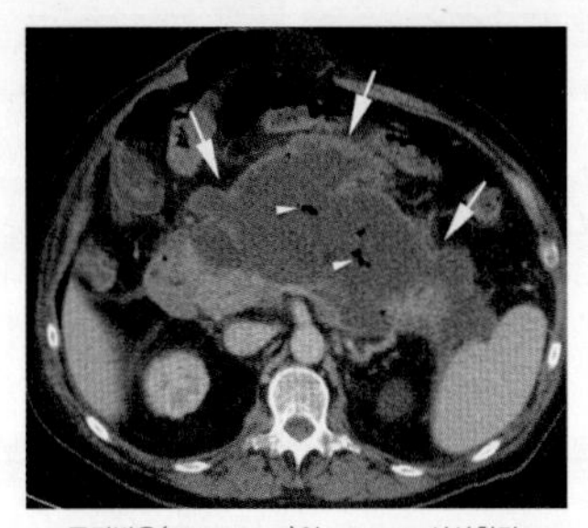

공기방울(arrow head)이 necrosis 시사한다.

2. 췌장 농양(pancreatic abscess)
3. 췌장 가성낭종(Pancreatic pseudocyst)

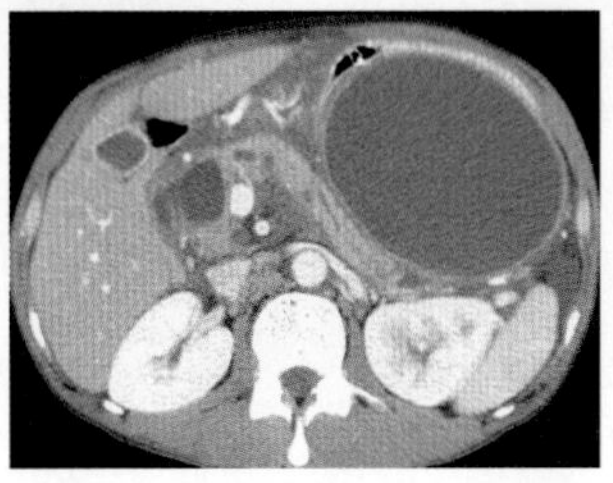

Pancreas body-tail 앞부분에 huge cyst가 있다.

4. 가성동맥류(Pseudoaneurysm)

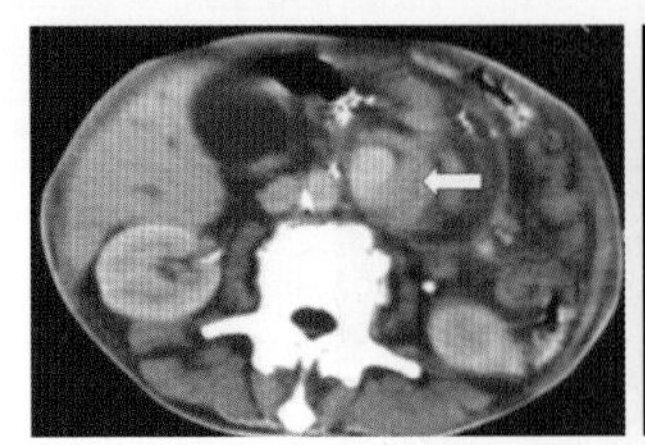

급성 췌장염의 pseudoaneurysm

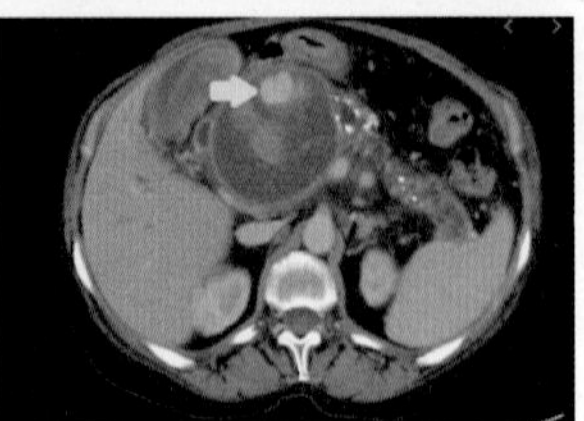

만성 췌장염의 pseudoaneurysm

11 만성 췌장염/이자염

Plain X-ray와 CT로 진단이 가능하다.

Plain x-ray에서는 선모양의 calcific nodule이 T12-L1 vertebra에 우상향 사선으로 보인다.

Abdomen CT: pancreatic parenchyma의 atrophy with pancreatic duct calcification

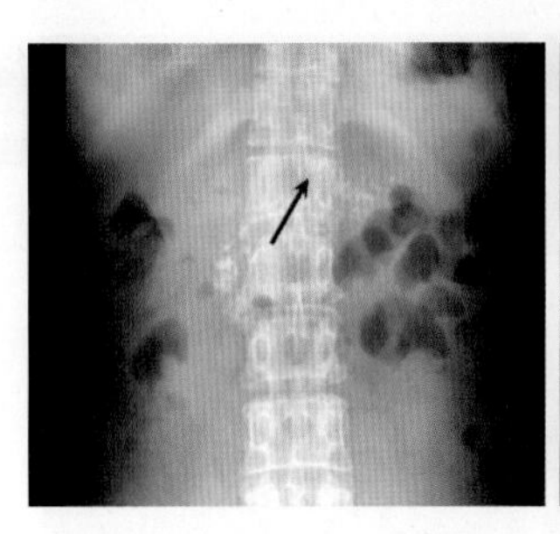

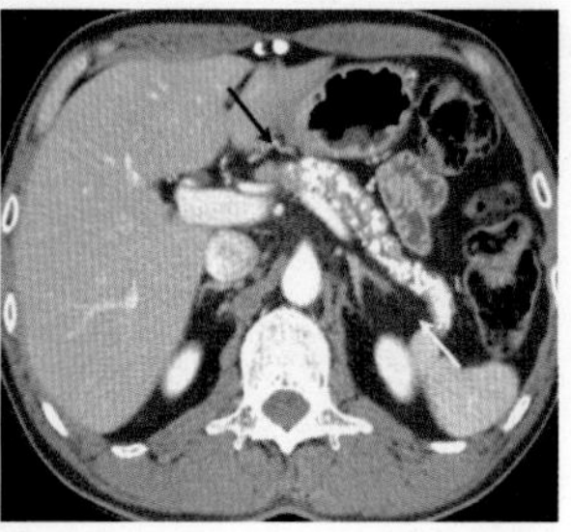

기타 드문 만성췌장염의 원인

12 췌장암

1. 영상검사

Pancreas는 초음파의 역할이 매우 제한적이다.

Pancreas cancer의 진단은 CT로 충분하다.

ERCP, MRCP는 경우에 따라 보조적으로 쓰인다.

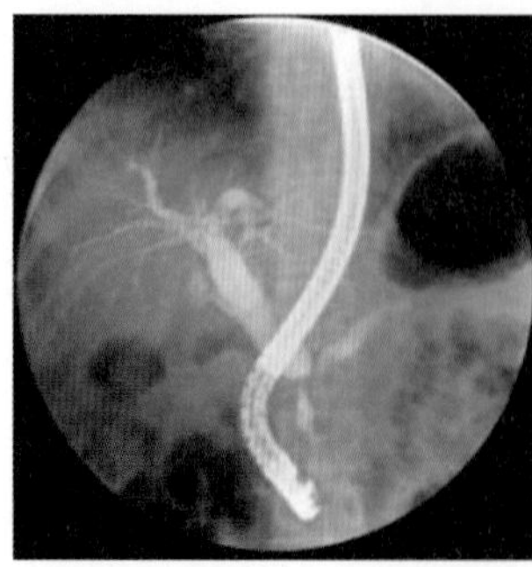

Bile duct, pancreatic duct가 모두 늘어나 있다.

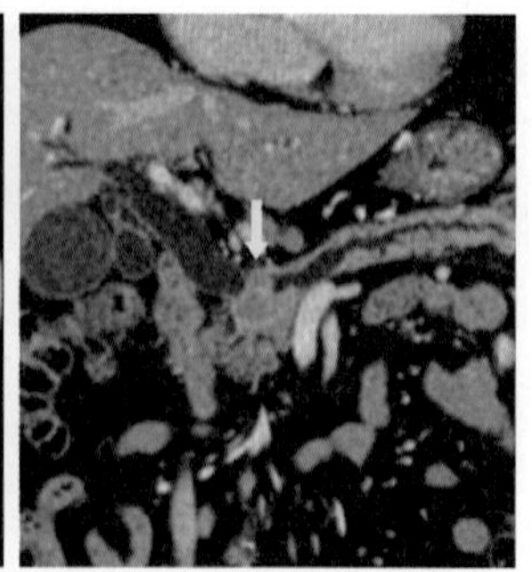

Pancreatic head cancer가 보인다(⟹).

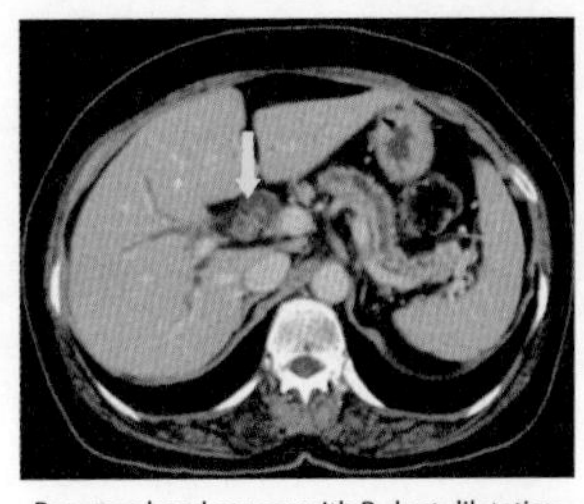
Pancreas head cancer with P-duct dilatation

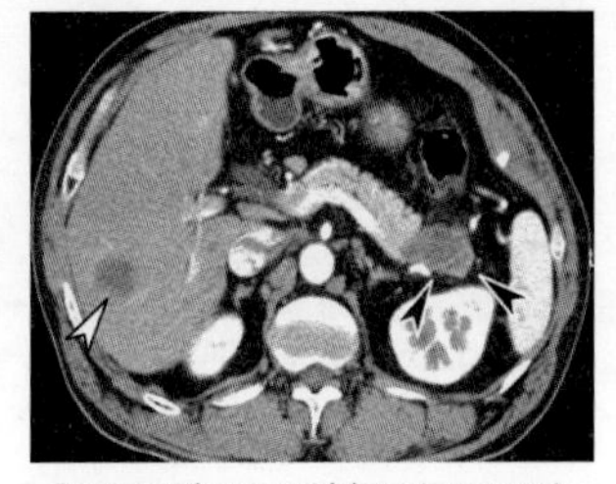
Pancreas tail cancer with hepatic metastasis

췌장 낭성종양(cystic neoplasm)

1. 췌관내 유두상 점액종양(Intraductal papillary mucinous neoplasm, IPMN)

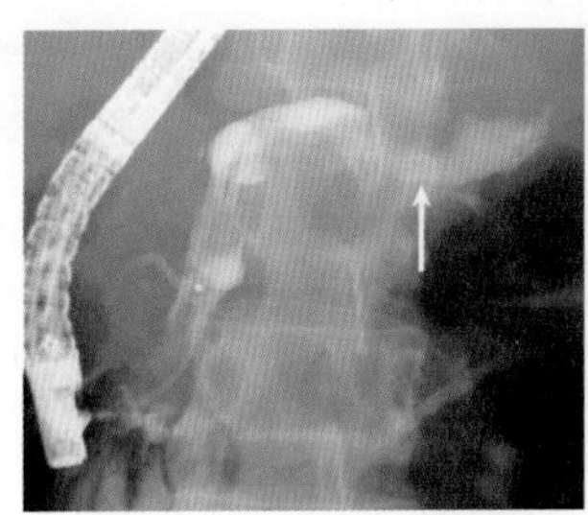

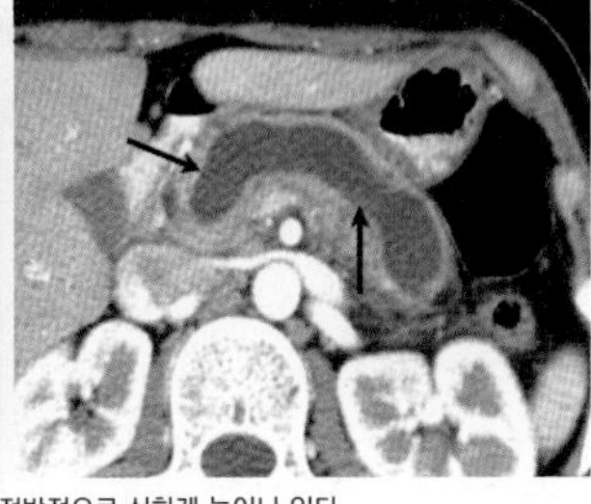

ERCP, CT: pancreatic duct가 전반적으로 심하게 늘어나 있다.

부 록

Part II 간, 담, 췌 질환에서
영상의학적 진단이 어려운 쳅터만 분류함.

03 | 급성 간염

급성 간염은 영상의학으로 진단하지 않는다.

급성 간염 진단에 영상의학 검사 방법은 도움이 안된다.

04 | 만성 간염

초음파에서 echo가 증가 한다(정상보다 밝게 보인다.)

: 지방간과 소견이 유사하다.

13 | 소화기 내분비종양

영상의학적 검사 방법으로 진단하기 어려운 영역이다.

03

호흡기 내과

부 록

01 서론

호흡기학에서 주로 쓰는 영상의학적 검사는 X-ray, CT다.

Lung의 이미지는 매우 단순해 보인다. 마치 물이 고여 있는 호수처럼.

호수의 수면에는 물만 있을 뿐 위치를 구분할 수 있는 나무, 바위 등은 보이지 않는다. Lung image도 이와 유사하다. 그냥 검은색으로 표현되는 기체(gas)만 보일 뿐이다.

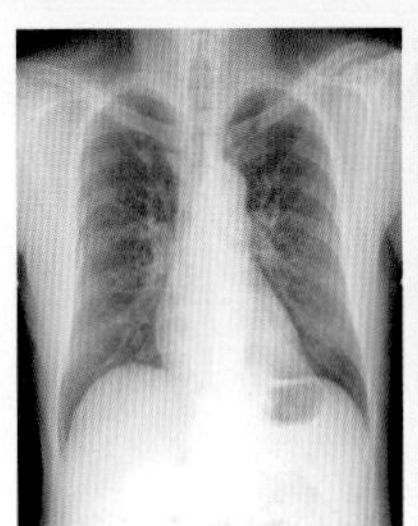

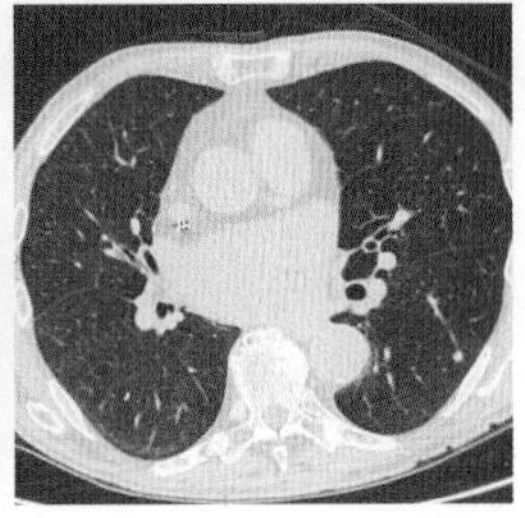

호흡기 영상의 판독에 있어서 가장 중요한 것은 [분포]다.

비슷한 양상의 소견도, '어디에 어떻게 분포되어 있느냐?'로 진단을 내리게 된다.

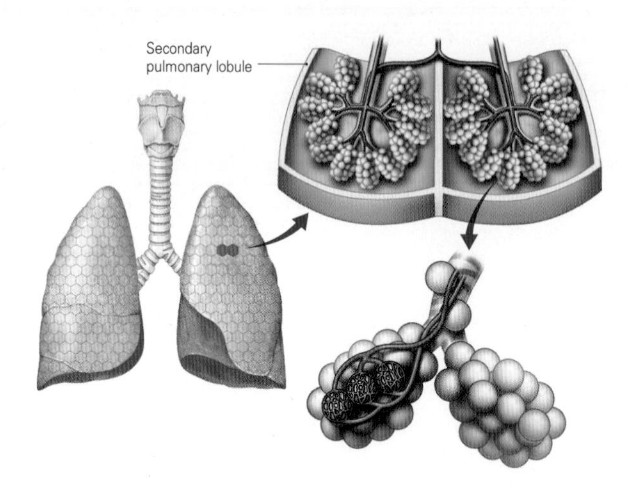

Trachea, bronchus, bronchiole, secondary lobule을 생각하며 사진을 찬찬히 보아야 한다.

병변(lesion)이 보인다면, 병변의 위치, 분포를 생각하며 사진을 분석해야 한다.

- 위치: upper/middle/lower
  Lung, mediastinum, pleura
  Septum/alveolar
- 분포: central VS peripheral

parenchyma/interstitium은 chest part 이외에도 우리 몸의 전 영역에서 쓰는 표현이다.
한글로는 실질(parenchyma) 간질(interstitium)이라 부른다.

- parenchyma: 실제적인 기능(function)을 하는 부위: lung에서는 alveolar에 해당
- interstitium: parenchyma을 보호, 지지해 주는 부위: lung에서는 alveolar를 싸고 있는 septum

** **Chest 영역 이미지 판독에 있어서는**

Lung, mediastinum, pleura 중 어디의 병변이냐?

Lung 병변이라면

- alveolar vs septum
- central vs peripheral area

로 나누어 생각하면 좋다. 그러면 비교적 쉽고 정확하게 진단할 수 있을 것이다.

Chest 영상은 기체(gas)를 보는 것이 전부다.

- 일반 x-ray, CT가 대부분 쓰인다(99% 정도).
- US, MRI, RI 등은 거의 유용성이 떨어진다(10% 미만).
  - US: 소량의 pleural effusion 찾기, aspiration 시 guide
  - MRI: great vessel 보기, lipid 조직 확인 등
  - RI: ventilation scan(거의 안 쓰임)

Chest CT의 이해

- Chest CT를 보여 줄 때 2가지 서로 다른 모습의 CT image가 제공된다.

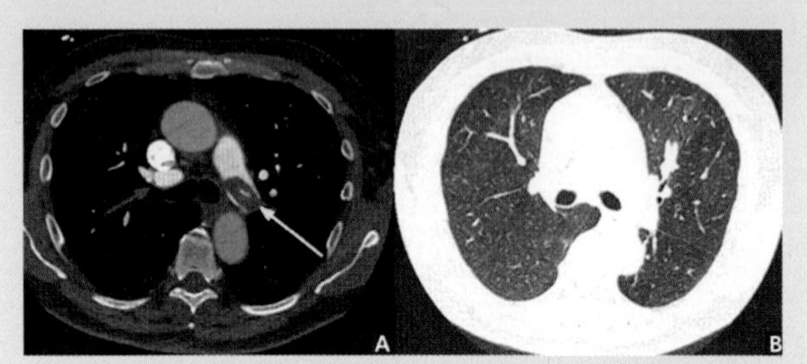

Mediastinal setting　　　　Lung setting

- Thoracic cage에서 lung은 나머지 조직(vessels, soft tissue 등)과 비교하여 밀도(denstity)가 낮다. 밀도(density) 차이가 일정 수준을 넘는 물체를 동일한 촬영조건에서 한 장의 이미지로 표현하는 것은 불가능 하다(사진 촬영 시 앞뒤로 떨어져 있는 두 사람의 얼굴을 동시에 선명하게 촬영하기 불가능한 것과 같은 원리다).
- Chest CT = lung setting + mediastinum setting
- 각기 다른 촬영조건으로 두 번 촬영하여 Mediastinal setting: lung을 제외한 모든 것을 볼 수 있다. 혈관, soft tissue 등이 들어가 조영제(contrast) 추가 후 얻는 조영증강 후 이미지는 mediastinum setting에만 해당된다.
  - Bone setting: mediastinum setting에서 bone만을 남기고 모두 제거한 영상. Rib fracutre 등을 볼 때 유용하며, 실제 rib CT는 같은 촬영기법으로 이미지를 만든다.
  - Lung setting: 공기(gas)가 가득 차 있는 airway 이미지만 얻을 수 있다. 조영증강 이미지에는 해당 되지 않는다.

** **Lung setting은 두 명의 동생이 있다.**

1. HRCT (high resolution CT: 고해상도 폐 CT
   더 세밀한 lung parenchhyma image, secondary lobule level까지 촬영

2. Low dose CT (저 선량 CT)
   건강검진 등의 screening 목적으로 해상도를 증가시킨 것.
   기존의 lung seeting보다는 높고, HRCT보다는 낮은 해상도를 갖는다.

Chest CT = mediastinum setting + lung setting

- Mediastinum setting (조영증강 전 CT: precontrast CT)
  - Contrast CT (조영증강 후 CT)
  - Bone setting CT = rib CT
- Lung setting CT
  - HRCT
  - Low dose CT

기침

만성기침(chronic cough) 기대할 소견

- **Chest PA**

  눈에 뜨이는 하얗게 보이는 부분이 있는지만 확인한다.

  (Cancer, pneumonia, pleural effusion 등이 있지는 않은지.)

  특별한 이상이 없이 기침이 계속 된다면, Chest CT를 고려해 본다.

  이때는 HRCT를 진행한다.

  Clinic: chest CT order 낼 때 꼭 HRCT를 표시한다.

- **Chest CT (HRCT)**

  COPD, IPF (diffuse ILD), 소량의 출혈 외 기타 질환을 볼 수 있다.

객혈

1. 진단

1) Chest PA에서 정상이고 bronchitis 병력이 있으면 경과를 관찰한다.
2) Chest PA가 정상이고 bronchitis 병력이 없다면 추가 검사를 고려한다.
   Chest CT 중 HRCT를 진행, small lung lesion을 찾는다.
3) Chest PA에서 mass가 아닌 다른 병변이 보인다면 HRCT를 진행한다.
   *** 대량 출혈이 보인다면 HRCT 진행할 필요는 없다.*
4) Chest PA에서 mass가 보인다면,
   SPN work up guideline을 따르면 된다.
   *** SPN work up guideline (solitary pulmonary nodule)*
   ① Nodule이 peripheral ➜ contrast chest CT + NAB
   ② Nodule이 central ➜ contrast chest CT + bronchoscopy
5) bronchoscopy
   출혈 부위 파악에 사용되며, 소량 출혈의 경우 지혈도 가능하다.
6) Angiography
   출혈 부위가 확진 후, bronchoscopy로는 지혈이 어려울 만큼 출혈량이 많을 때 사용된다.

02 흉부 진단 위한 검사

1. 단순 흉부 X-선 : Chest PA, lateral chest 등이 여기에 해당된다.
2. 전산화 단층촬영(CT)
   1) 고해상도 CT : HRCT
   2) 나선형 CT : spiral CT
   3) 조영증강 CE (contrast enhancement): mediastinal setting에 해당
3. MRI– 거의 사용 안함
4. 전자 방출단층촬영(PET)– metastasis, 건강검진(screening용)
5. 기관지 내시경 – 매우 유용하며, 조직검사 및 지혈 등에 사용된다.
6. Video–assisted thoracic surgery (VATS), thoracoscopy
7. NAB : needle aspiration biopsy

1. 단순 흉부 X-선

이상소견은

1) 하얀 것

① 완전 하얀 것(경화: consolidation)

② 뿌연 하얀 것(간질성 음영 증가: GGO, ground glass opacity)

2) 까만 것

기존 X-ray에 보이는 검은색보다 더 까맣게 된 것,

공기의 양이 늘어난 것임

하얀 것 또는 검은 것이 부분적(focally) 또는 전반적(diffusely)으로 분포된 것을 보고, 진단 내리게 된다.

- 하얀 것이 부분적으로 외곽이 선명 - mass, granuloma
- 하얀 것이 부분적으로 외곽이 불분명 - pneumonia
- 하얀 것이 전반적으로 분포 - fluid (pul.edema, or hemorrhage), ARDS
- 뿌연 것이 전반적으로 분포 - IPF 류의 interstitial lung disease
  PCP 같은 viral infection pneumonia
  pul.edema (interstitial type)
  Interstitial metastasis
- 까만 것이 부분적으로 - bullar, lung cyst, pneumothorax
- 까만 것이 전반적으로 - COPD, emphysematous lung change

2. 전산화 단층촬영(CT)

1) 해상도 CT (High-resolution CT, HRCT)

- 1~2 mm의 절편 두께로 촬영(일반 CT는 대개 7~10 mm 두께)
- 폐실질 및 기도를 미세하게 관찰하는 데 유용
- 제2 소엽(secondary pul. lobule)까지의 병변을 파악 가능
  (e.g., bronchiectasis, emphysema, diffuse parenchymal dz., ILD 등)

2) 나선형 CT (Helical/Spiral CT)

- 스캔하는 동안 환자 테이블을 연속적으로 움직이면서 영상을 얻는 방법
  (일반 CT와 같은 평면 데이터가 아닌 연속된 volume 데이터임)
- 환자가 숨을 한번 참는 동안 폐 전체를 검사 가능(→ 검사 시간 단축)
- 3차원 영상 구성이 가능(→ 기도협착, 혈관질환 진단에 유용)

* MDCT (multi-detector CT): 스캔 시간 더욱 단축(더 세밀한 촬영 가능)
  - 매우 우수한 3차원 영상을 얻을 수 있음(e.g., virtual bronchoscopy)
  - CT angiography, 심장 검사 등에도 유용

* LDCT (low-dose spiral CT): 폐암(폐결절)의 screening에 유용
(sensitivity ↑)
  - 장점; 방사선 노출량이 적음/단점; 위양성

3) 조영증강(Contrast enhancement, CE)

- 혈류가 많은 조직을 혈류가 적은 조직으로부터 구분하기 위해 시행
- 이용: 폐결절의 악성/양성 감별, 대동맥/폐동맥 질환의 진단
  (e.g., aortic dissection, Pulmonary thromboembolism)

3. 자기공명영상(MRI)

- 폐실질 질환의 발견에는 CT보다 해상도 떨어짐
- 조직 종류에 따라 음영 차이를 보임(CT는 밀도에 따라) →lung apex, mediastinum, spine, thoracoabdominal junction 주변의 병변 관찰에 유리, 특별한 조영제 사용 없이 혈관과 비혈관 조직 구별 가능

4. 양전자방출단층촬영(PET)

- ^{18}F−fluoro−2−deoxyglucose(FDG)가 대사가 활발한 악성세포에 의해 섭취된 뒤 방출하는 양전자를 검출하여 영상을 얻는 검사법
- 이용; 고립성 폐결절(SPN)의 악성/양성 감별, 폐암의 병기 결정(N 병기 결정에 CT보다 유용), 치료 후 반응의 평가
- SPN의 진단 예민도 95%, 특이도 80%(but, 결핵성 육아종도 양성)

5. 기관지내시경(Bronchoscopy)

1) 종류

① Flexible bronchoscopy(대부분)

- 조작 및 사용이 간편, 얕은 진정/국소마취 하에 신속한 검사 가능
- subsegmental bronchi까지의 거의 모든 기도를 관찰 가능

② Rigid bronchoscopy

- 장점; 넓은 직경을 통해 대량의 suction or 환자의 ventilation 가능
- 단점 − 수술실에서 전신마취 하에 시행
  − segmental bronchus 이하 부위는 관찰하기 어려움

- 인공호흡기 사용 환자, 두개/척추 손상 환자에서는 시행 곤란

- 이용 – trachea나 mainstem bronchus tumors의 biopsy
  - 대량 출혈 또는 분비물의 suction
  - 기도 폐쇄의 치료(e.g., 이물, 종양, 혈전, broncholiths)
    → laser therapy, cryotherapy, electrocautery, stent placement.

04 폐렴

진단

1. 영상(chest X-ray) 소견

– 의미없음 파워내과 표 외우지 마세요

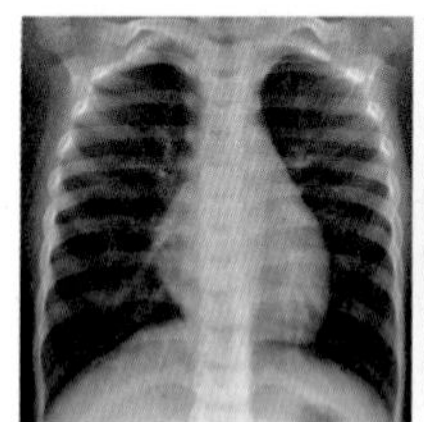
Normal

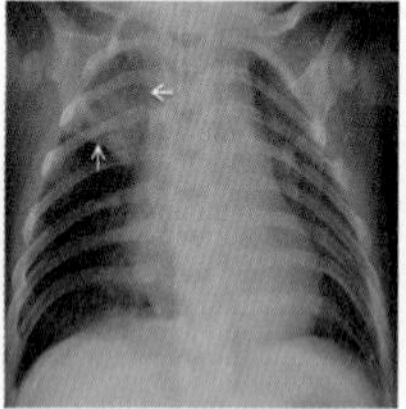
Bacterial Pneumonia

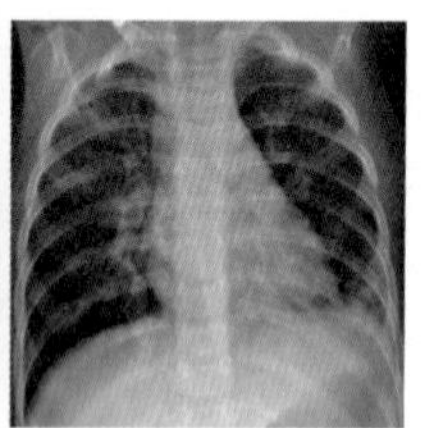
Viral Pneumonia

Bacterial pneumonia인지 viral pneumonia인지만 구분하면 됨.

Bacteral pneumonia: 하얀 것이 부분적으로 외곽 불분명(mass에 비해)

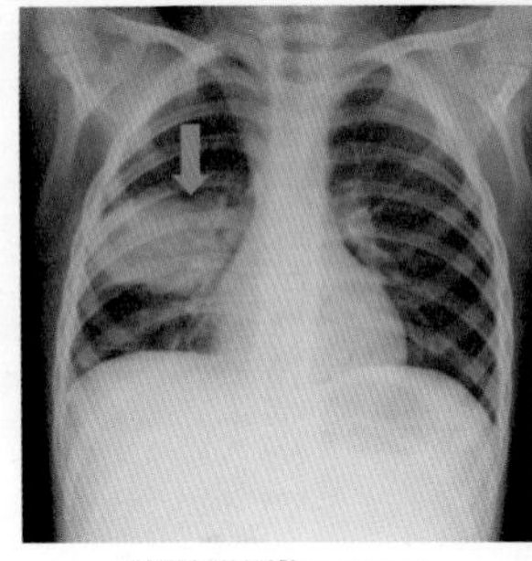

외곽이 불분명한 pneumonia

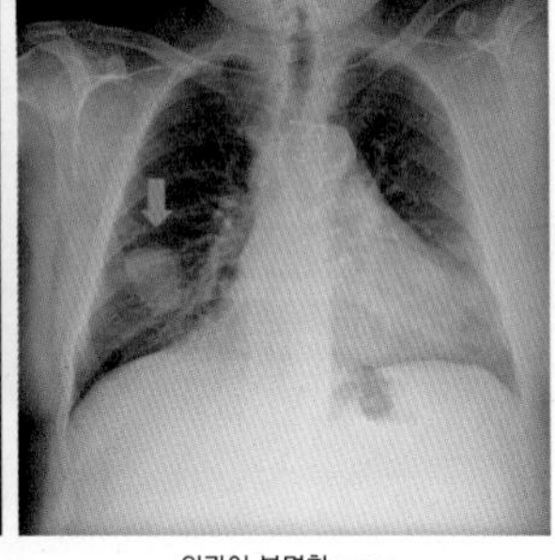

외곽이 분명한 mass

Bacterial pneumonia 중 x-ray만으로도 균주 추정이 가능한 것이 2가지가 있다. 임상에 유용함은 물론 시험에도 잘 출제 된다.

1. Pneumococcus pneumonia

Lobar consolidation을 보이는 것이 특징이다. Lobar pneumonia, Lung의 lobe에 제한적으로 오며, lobe에 따른 분명한 경계를 갖는다.

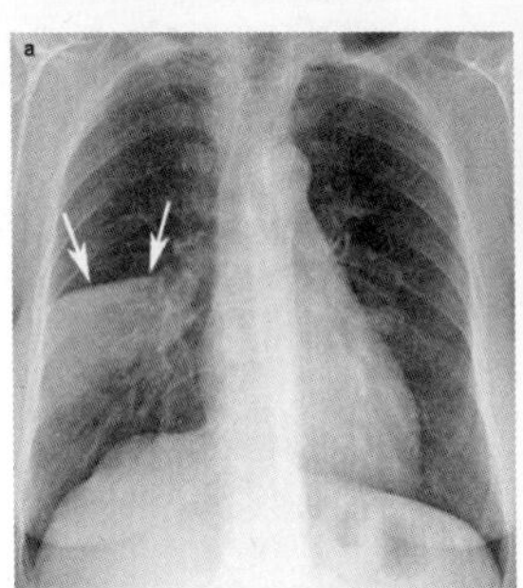

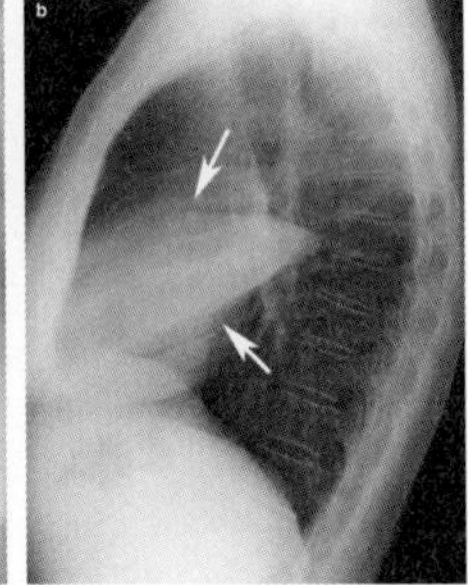

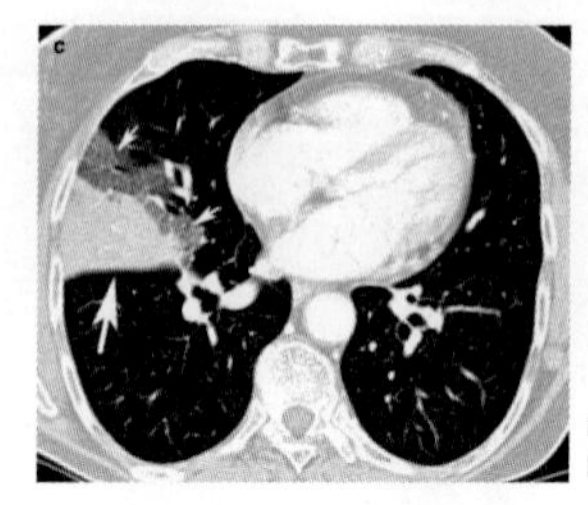

Rt. Middle lobe에 국한된
lobar consolidation

2. Klebisella pneumonia

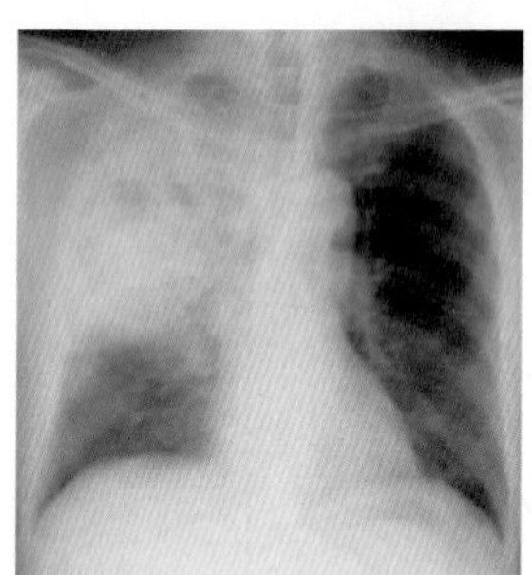

Lobar pneumonia처럼 보이나
lobe을 넘어 expansion하는 모습을
보이는 특징을 갖는다. Expansile
pneumonia라는 별칭이 있다.

*** Aspiration pneumonia

RML 그리고 Lower lobes에 호발한다. Bed ridden, old age, swallowing difficulty 등의 특별한 clinical setting이 있다.

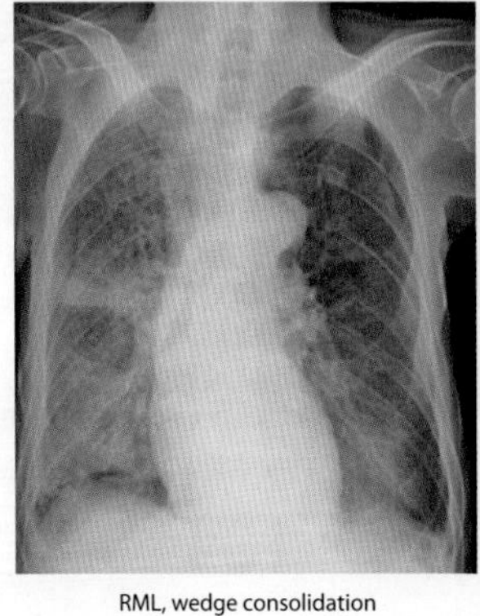
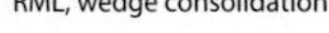
RML, wedge consolidation

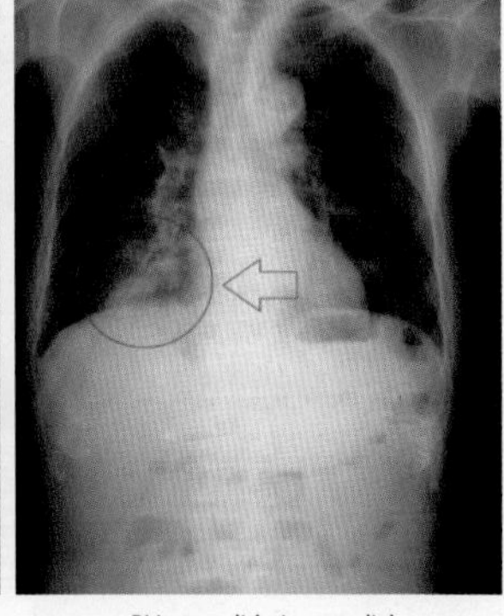
RLL consolidation, medial

05 폐농양 (Lung abscess)

진단: X-ray

Air-fluid level 등을 통해 X-ray만으로도 비교적 쉽게 진단된다.

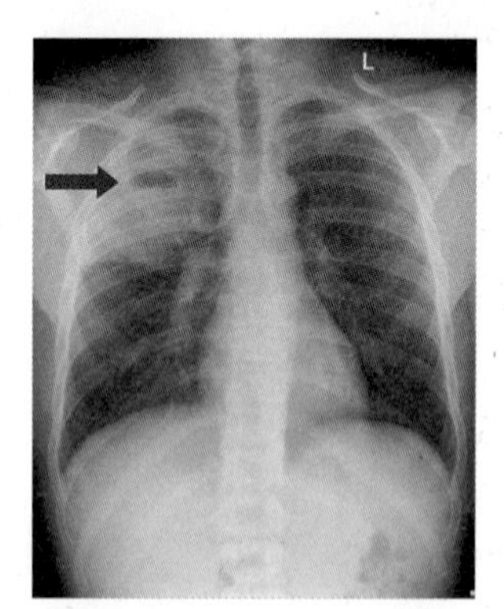

RUL에 air-fluid level 보이는 abscess가 있다.

- 영상 주고 치료를 묻는 문제가 자주 출제된다.
- 항생제 / 또는 정확한 항생제 이름 / chest tube 사용 등을 고르게 된다.

Lung abscess vs Lung empyema의 구별

Lung abscess	Lung empyema
Lung parenchyma의 병변	Pleural space 사이의 병변
Split pleural sign - No	Split pleural sign - Yes
Wall의 margin이 irregular	Wall의 margin이 smooth
Wall의 두께가 두껍고 불규칙	Wall의 두께가 얇고 균일

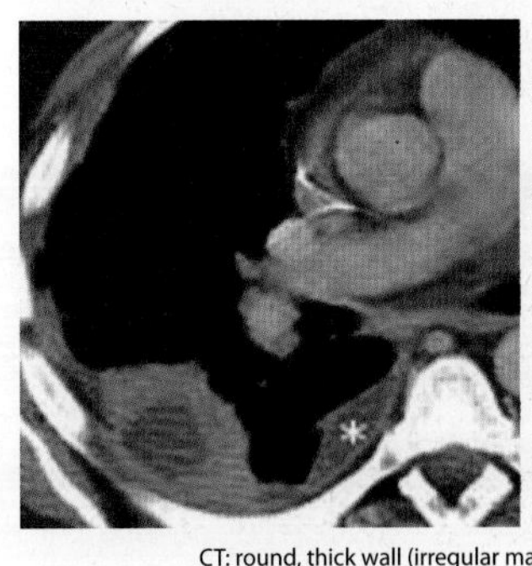

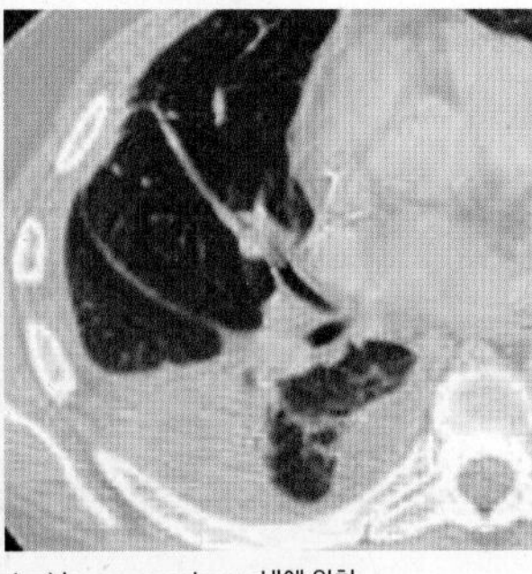

CT: round, thick wall (irregular maring) lung parenchyma 내에 위치
air-fluid level을 동반한 경우 empyema cavity와의 감별에 유용

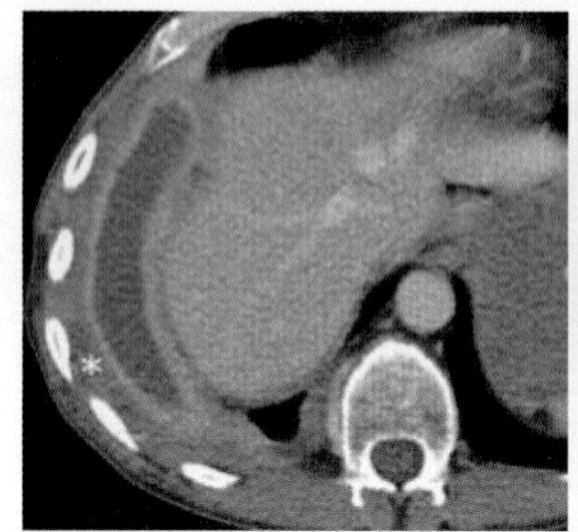
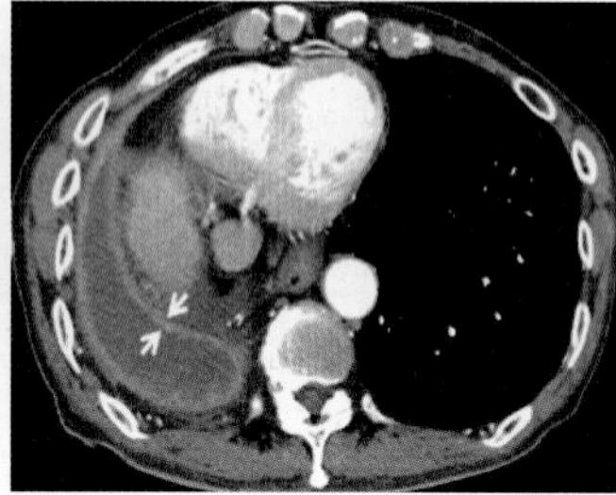

CT: wall 두께가 얇고 일정한 empyema가 있다

** 병변의 위치가 lung안에 있는가? Pleural space에 있는가의 문제다.

폐격리증(pulmonary sequestration)

- chest PA 소견이나 clinical Sx.이 특이점이 없다.
- intralobar/extralobar의 차이를 알고, 동반기형이 있을 수 있다는 것만 알면 됨
  - chest x-ray: 폐종괴 및 폐침윤, 반복적인 감염
  - CT/MRI: 종종 영양혈관(feeding vessel) 확인 가능 ⬅ 유일한 확진방법
  - angiography(확진): 영양혈관 및 배액되는 혈관을 확인

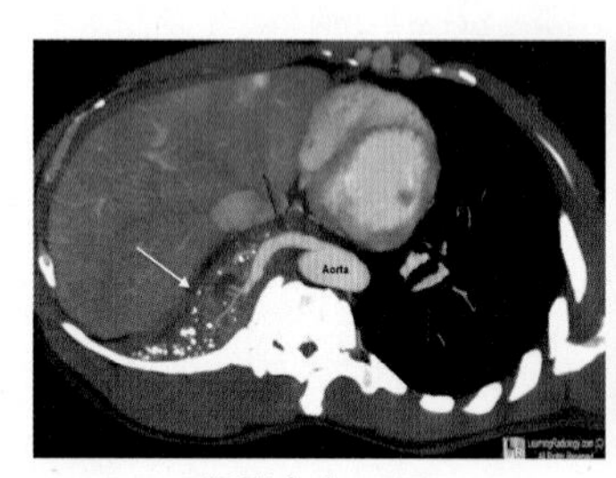

CT: RLL feeding artery

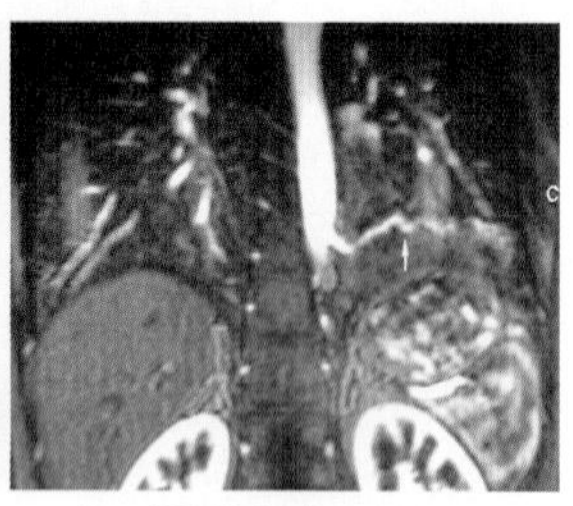

MRI: LLL feeding artery

06 결핵

- 한국에서 유병율이 높은 질환이다.
- 매년 출제 출제되는 중요한 질환이다. CT보다는 X-ray에 익숙해지는 것이 더 중요하다.

결핵의 종류

결핵(tuberculosis)은 몸 전체에 감염을 일으킬 수 있는 전신 감염 질환이다.
결핵은 폐에 50%, 폐 이외의 장기에 50% 발병한다.
결핵은 폐 결핵(pulmonary tbc)과 폐외결핵(extrapulmonary tbc)으로 나누고 폐결핵(pul, tbc)은 1차 결핵(primary tbc)과 2차 결핵(secondary tbc)으로 다시 나누게 된다.

폐결핵의 종류

1차 결핵: primary tuberculosis

2차 결핵: secondary tuberculosis

진단

1) chest X-ray

screening, 기존 결핵환자의 추적관찰에 사용된다.

2) HRCT

Chest x-ray만으로는 **활동성 여부**를 알기 어려울 때,

Endobronchial tuberculosis가 의심될 때 사용한다.

- Chest PA: 결핵의 영상의학 소견은 천 개의 얼굴을 갖는다고 할만큼 다양한 소견을 보인다. 따라서 폐렴, 암, 간질성 폐렴 등 확실히 아는 질환 아니면 일단 결핵을 먼저 의심하는 것이 좋다.
- 결핵은 1차 결핵이냐, 2차 결핵이냐 또 감염 위치 등에 따라서 다른 영상의학적 소견을 갖는다.

1차 결핵(primary tuberculosis)

생애 처음 결핵균에 감염되는 것. 결핵 환자와 함께 사는 소아에 많다.

무증상에서 감기, 가벼운 폐렴 증상 등을 보이며 일과성으로 지나간다.

좁쌀결핵(속립성 결핵, miliary tbc)
기관지 결핵(endobronchial tbc)
등이 1차 결핵에 속한다.

1차 결핵의 영상의학 소견

- 양측 또는 한쪽만의 폐문 임파절 비대를 볼 수 있다.
- 무기폐(atelectasis)또는 정상으로 보일 수 있다.: endobrochial tbc일 때
- pleural effusion (tbc effusion, 결핵성 늑막염)

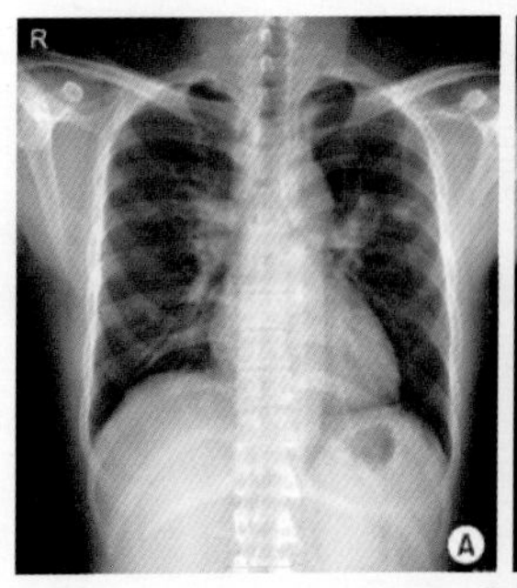

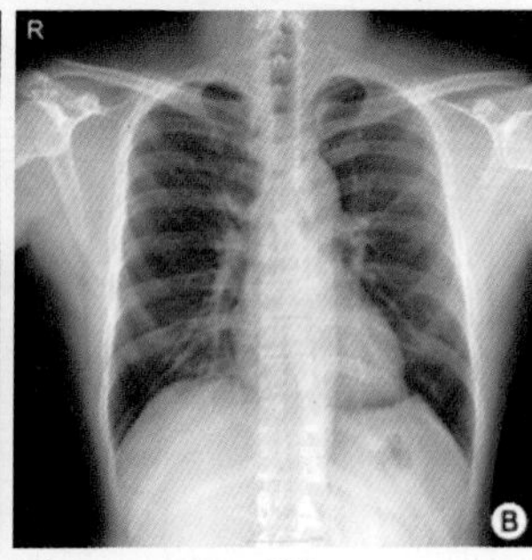

A. Bilateral hilar lymph node enlargement를 보여 antitbc medication진행.
B. 결핵치료 18개월 후 얻은 정상 chest PA. 폐문비대가 보이지 않는다.

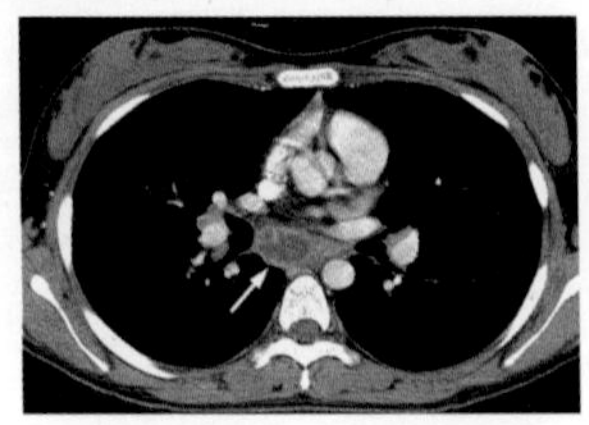

폐문 쪽이 아닌 central LN adenopathy:
1차 결핵 소견 중 하나

** chest PA에서 hilum 확인하기

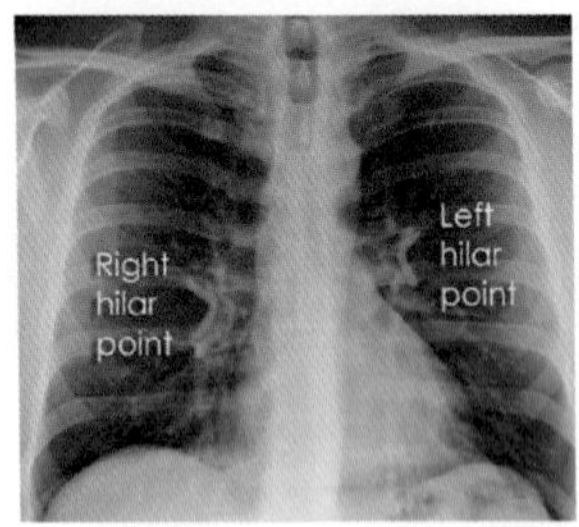

- Pulmonary artery: heart border부터 하늘색 부등호까지
- Hilar point: 하늘색 부등호의 외측 부분 (lateral)

- Hilum은 입구라는 뜻을 갖는다.
- Liver의 porta hepatis의 porta도 문, 입구라는 뜻이다.
  네이버, 다음 등을 포털 사이트라 하는데, 여기서 포털은 portal, porta hepatis의 porta와 같은 어원을 갖는다.

기관지 결핵(endobronchial tbc)

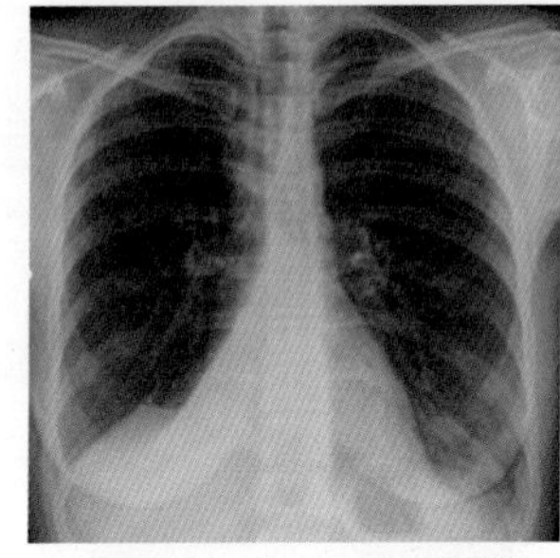

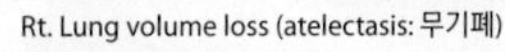

Rt. Lung volume loss (atelectasis: 무기폐)

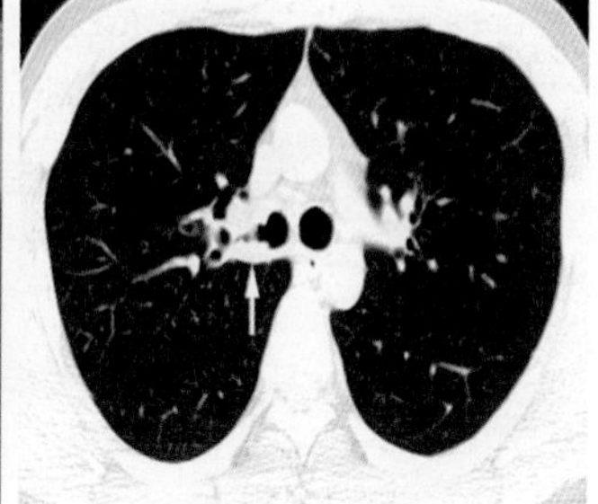

CT에서 우측 주기관지에 협착이 보인다.

결핵성 늑막염(tbc pleurisy)

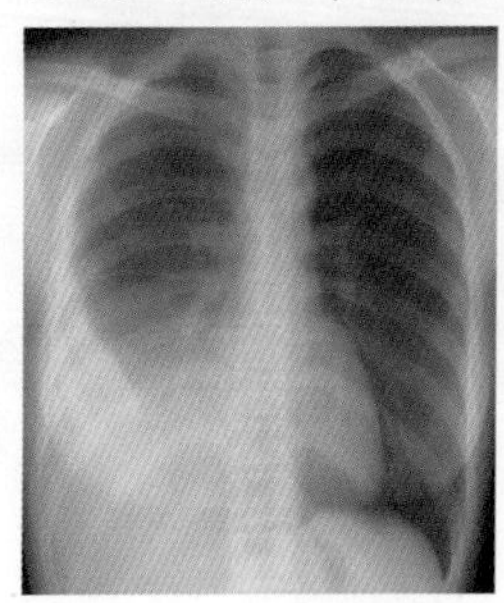

Rt. Side pleural effusion이 보인다.

Pleural effusion만으로 결핵진단은 불가하다.

Effusion analysis를 통해야만 결핵진단 가능하며 포도당, 단백질, ADA 수치를 분석한다.

좁쌀 결핵(속립성 결핵: miliary tbc)

작은 결절(nodule)이 눈이 온 것처럼 전반적으로 뿌려져 있음(scattered)

다른 암의 폐전이 소견과의 감별은 결절의 크기가 일정하다는 것이다(좁쌀 결핵).

• 임상적 의의: 진행형 결핵이다(전염력이 있다).
  ARDS로 진행할 가능성이 높다. 각별한 대비가 필요하다.

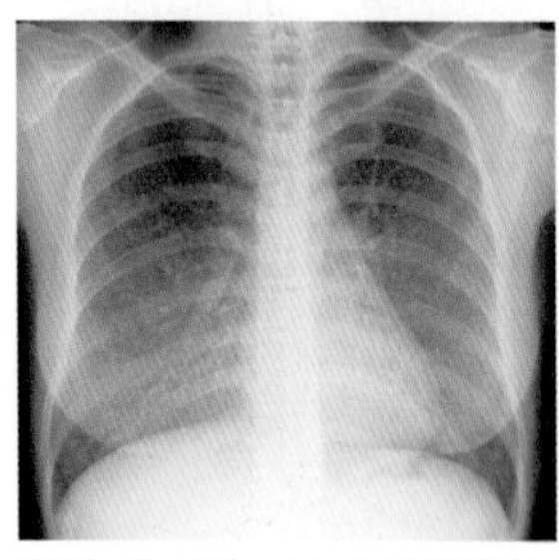

비교적 고른 크기의 nodules가 고루 퍼져있다.

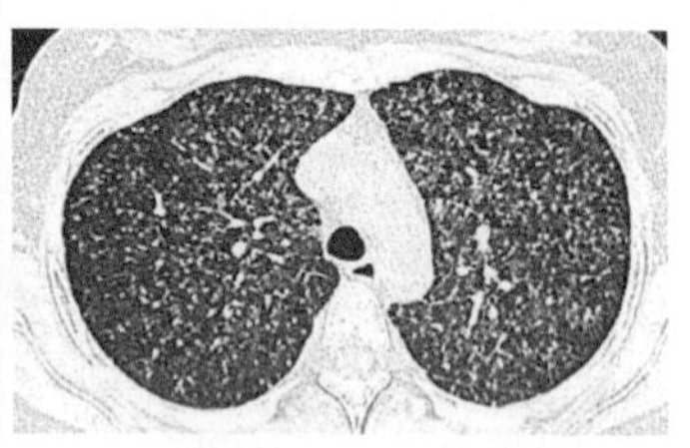

비교적 고른 크기의 nodules가 고루 퍼져있다.

2차 결핵(secondary tuberculosis)

임상에서 경험하는 폐결핵의 대부분

1차 결핵 감염 후 증상이 소멸되고, 재감염이 일어난 상태를 지칭함

2차 결핵 소견(secondary tuberculosis findings)

Chest PA상 upper hilum 상부에 consolidation, scar 또는 석회화가 보인다.

- 특징적 소견
  Upper hilum 상부: 상엽의 apical & post. segment, 하엽의 superior segment에 involve.

이유는

- 1. 상부의 공기분압이 하부와 달라, 결핵균이 살기에 좋다.
- 2. Lymphatic drainage가 약해서 결핵균이 쉽게 제거되지 않는다.

    공동(cavitary lesion)이 쉽게 호발한다.

Pleural effusion 및 LN enlargement 등은 1차 결핵에 비해 적게 보인다.

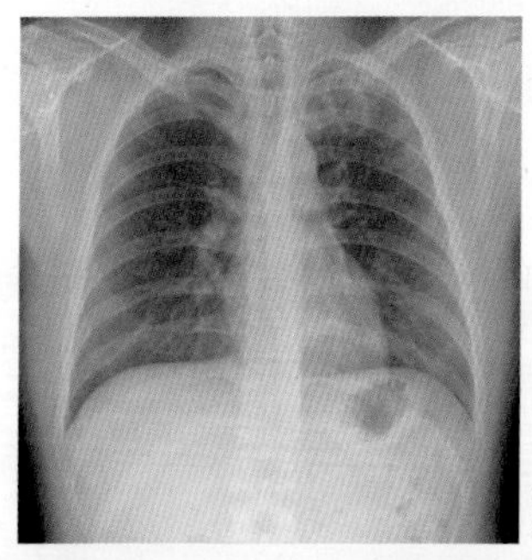

LUL에 cavitary lesion을 보이는
전형적인 2차 결핵 소견

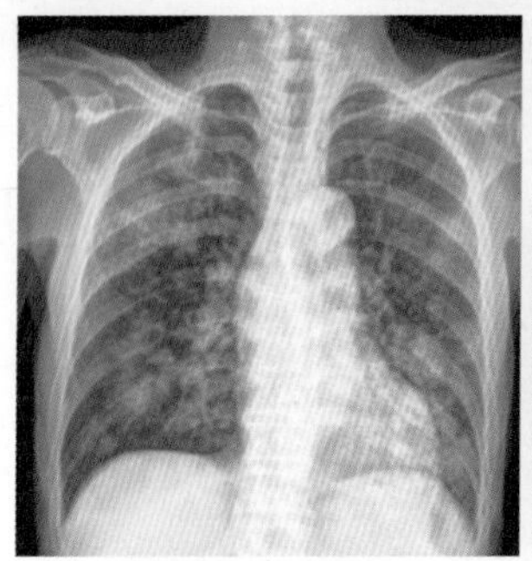

RUL scar 보이는 2차 결핵

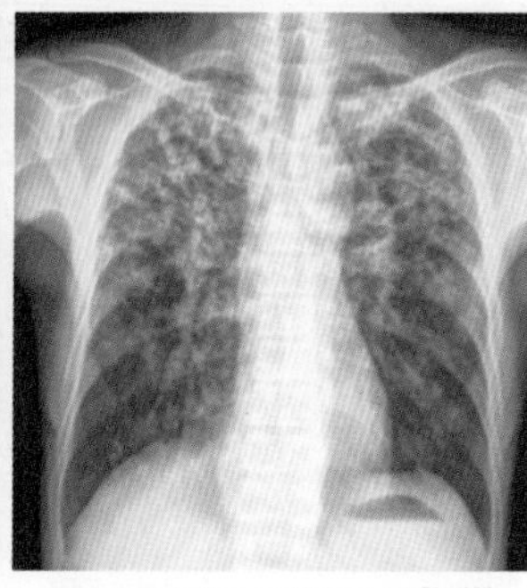

both upper lobes, multiple scar: 2차 결핵

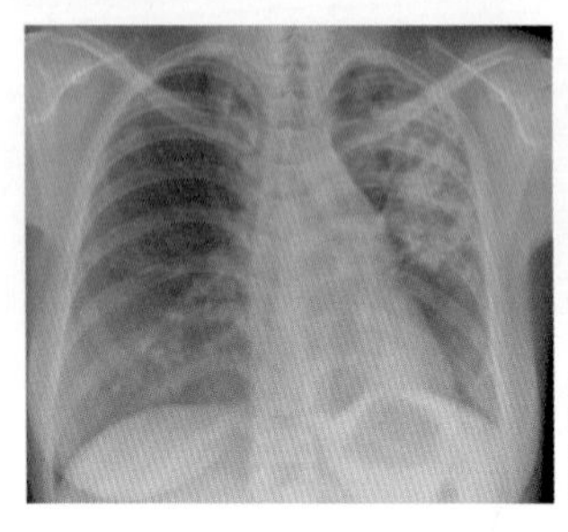

LUL에 huge consolidation이 보인다. Pneumonia도 생각할 수 있으나 결핵으로 판명된 case. 2차 결핵은 천 가지의 얼굴을 갖는다는 말처럼 2차 결핵 소견은 다양하다.

주변과의 경계가 명확하지 않아 active tbc lesion 가능성을 의심해야 한다. 객담검사(sputum study)가 필요해 보인다(2018 의사국시 문제 사진).

활성화를 시사하는 소견	비활동성을 시사하는 소견
새로 생긴 병변	전부터 있던 병변
추적 검사상 사진변화	추적 사진상 변화 없음
희미한 윤곽의 opacity	명확한 윤곽
cavity	섬유화성 병변

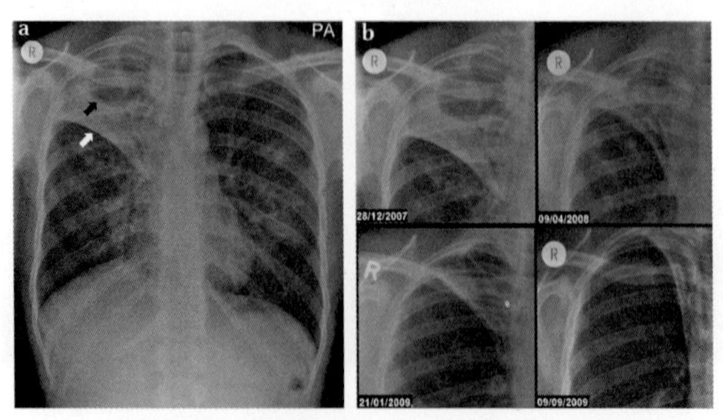

RUL의 공동(cavity)를 동반한 pul. Tbc 그리고 투여 후 healing process

폐결핵의 합병증에서 영상으로 볼 수 있는 것-7가지

1. 객혈

: 사진만으로 진단할 수 있는 특징적인(pathognomonic) 소견은 없다.

2. 개방성 공동(open cavity)

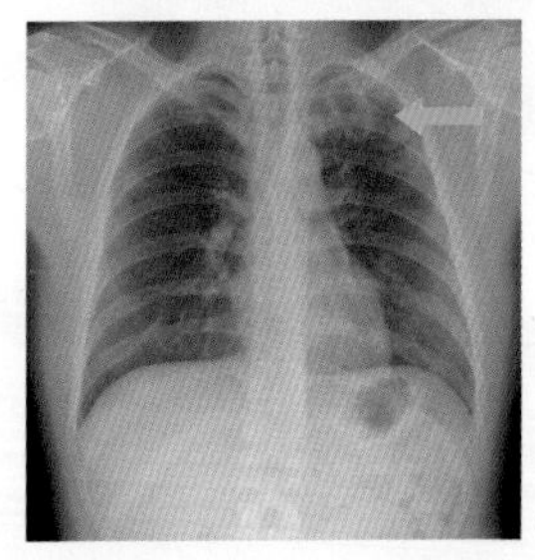

Ring모양의 cavity가 있다.

3. 진균종(aspegilloma, fungus ball, mycetoma)

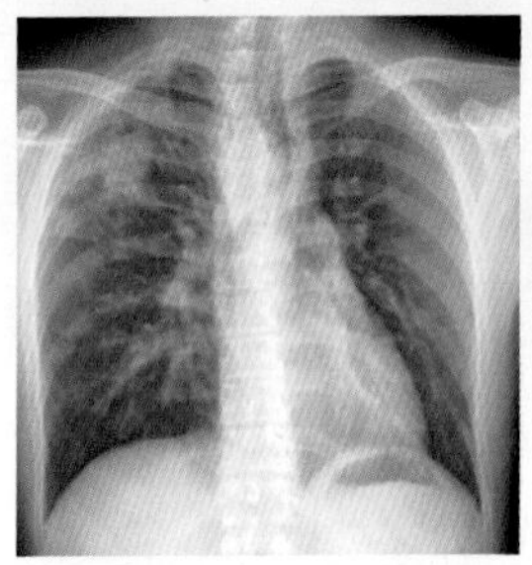

RUL에 round consolidation이 보인다.

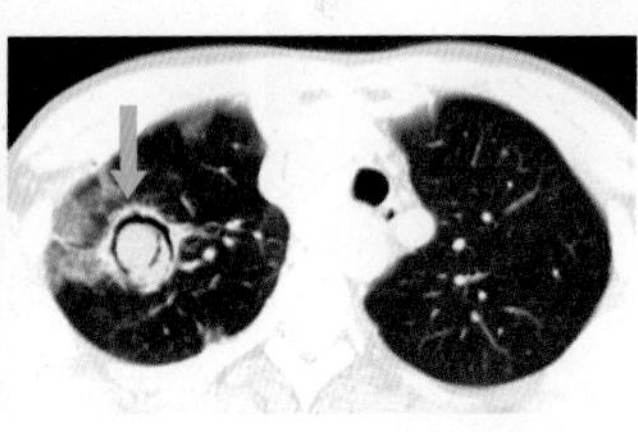

CT에서 선명한 air -crescent sing이 보인다.

4. 기관지 확장증

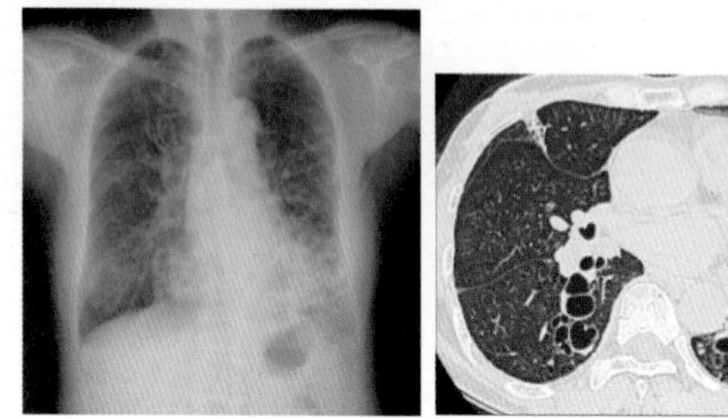

2019 의사국가고시 출제 사진

5. 기관지흉막루(bronchopleural fistular)

6. 호흡부전(Acute respiratory distress syndrome)

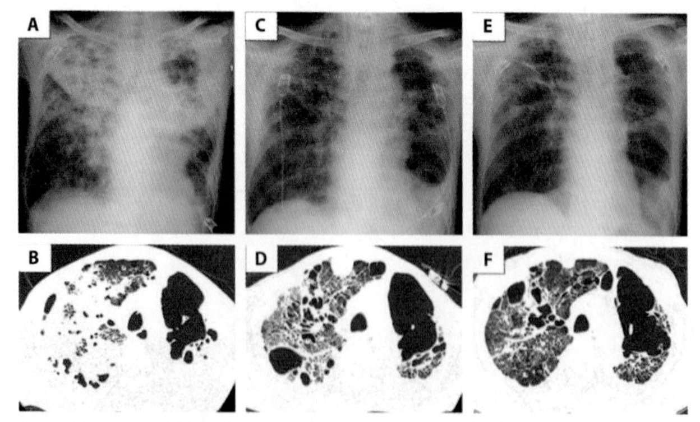

RUL에 lung parenchyma destruction이 보인다. Tbc의 sequale로 tbc 환자였음을 알 수 있다. LUL의 huge bullar는 tbc와는 무관한 소견이다(A.B 사진이 ARDS 이미지다).
검은 부분(폐의 공기)이 감소하고 흰 부분이 늘어날수록 숨을 쉬기 어려워진다.

7. 폐암

Pulmonary tbc와 lung cancer와의 직접적인 상관관계는 없다.

Pulmonary tbc가 lung cancer의 precancerous lesion은 아니다.

하지만 pul.tbc 환자에서 lung distorsion이 심하면서 lung cancer가 생기는 경우에 tuberculosis에 의한 scar change인지 새로 생긴 neoplasm인지 감별은 어렵다.

40세 이상 pul.tbc 환자의 chest PA 추적관찰할 때, 새로 생긴 lesion이 lung cancer 일수도 있다는 가능성을 떠올리며 사진을 찬찬히 보아야 한다.

이전 x-ray와의 비교판독은 매우 중요하며 필수적이다.

Pulmonary tbc 환자에 lung cancer는 squamous cell ca.보다 adenocarcinoma가 더 흔하다는 보고가 있다. Peripheral(변연부)를 눈여겨 보자.

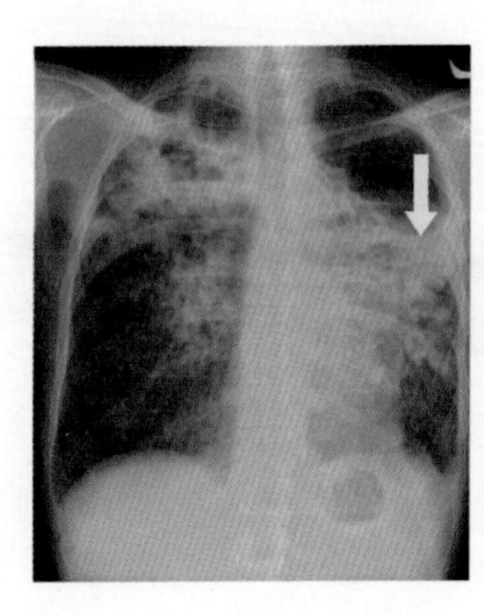

RUL에 scar가 보이는 pulmonary tbc 환자.

추적관찰(follow up) 중 Left lung에 새로 생긴 consolidation이 보임(⟹)
조직검사 통해 adenocarcinoma로 진단된 case.

폐외 결핵(Extrapulmonary tuberculosis)

1. 림프절 결핵

폐결핵을 lung parenchyma로 보고 나눈 기준.

폐의 종격동의 림프절에 생긴 lymphadeonopathy이다.

앞쪽의 폐결핵의 1차 결핵 부분에 설명되었으며 이미지도 함께 볼 수 있다.

- 흉부 이외의 복부 등의 림프절에서도 림프절 결핵을 볼 수 있다.
  (central necrosis를 동반하는 LN adenopathy를 보면 감별해야 한다.)

2. 흉막 결핵, 결핵성 흉막염/가슴막염

* 결핵성 농흉(TB empyema)

3. 기관지 결핵(Endobronchial tuberculosis, EBTB)

4. 파종성(Disseminated)/좁쌀(속립성, miliary) 결핵

폐결핵을 lung parenchyma로 보고 나눈 기준(mediastinum, pleura 아닌).

앞쪽의 폐결핵의 1차 결핵 부분에 설명되었으며 이미지도 함께 볼 수 있다.

5. CNS 결핵

결핵균이 뇌로 가면 뇌 실질에 결핵종(tuberculoma)이나 결핵성 뇌수막염 (tuberculosis meningitis)을 일으키게 된다. 진단은 Brain MRI를 이용한다.

- 결핵성 뇌 수막염–Brain MRI

  Meningis에 염증이 생기는데, obstructive hydrocephalus를 일으키게 된다.

  – thickening of meninges

  – obstructive hydrocephalus

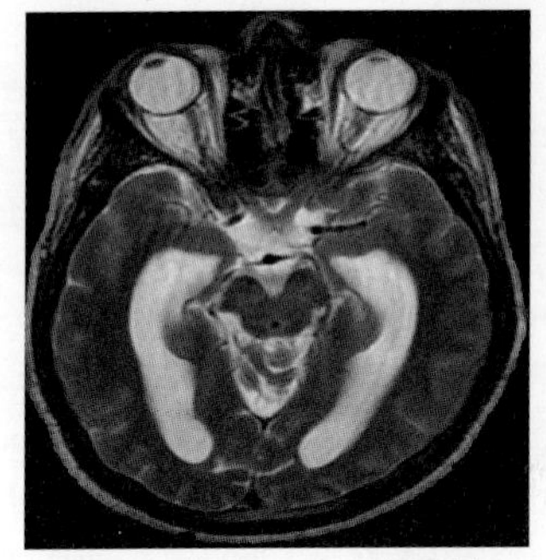

늘어난 ventricle이 high SI로 양쪽에 보인다.

- 결핵종(Tuberculoma) – Brain MRI

  수막 부근의 뇌실질에 결핵균이 침범, 결절(tubercle 형성)

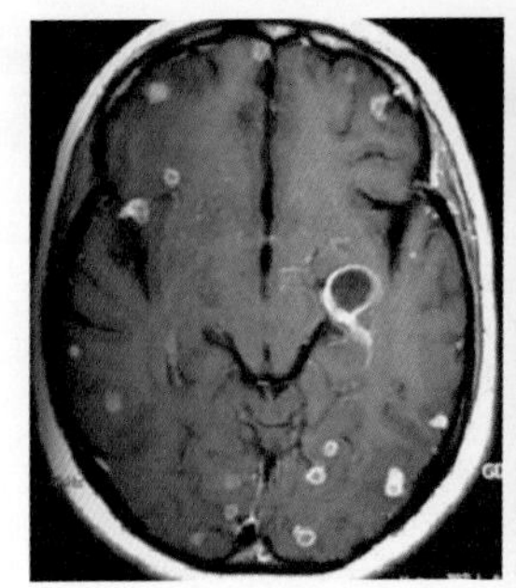

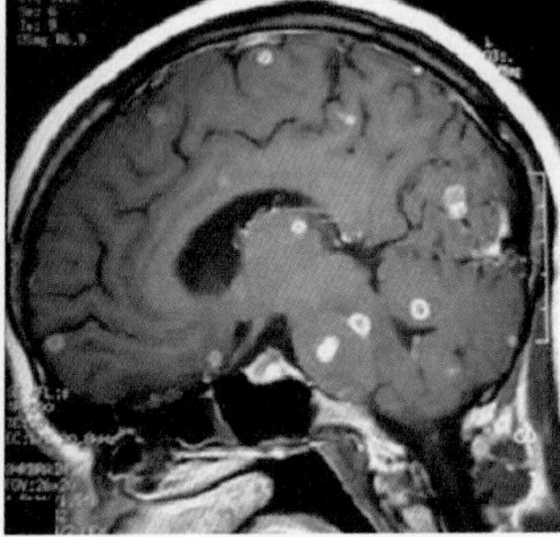

Cerebral cortex에 small, multiple noduels가 보인다.

6. 복부 결핵(Abdominal tuberculosis)

소화기계에도 결핵이 감염된다. 폐 외 결핵 중에 사망에 이르는 경우는 복부 결핵 환자가 압도적으로 많다. 장 결핵의 형태로 점막에 오기도 하고, 복막염의 모양으로 오기도 한다.

(1) 장결핵(intestinal tbc)

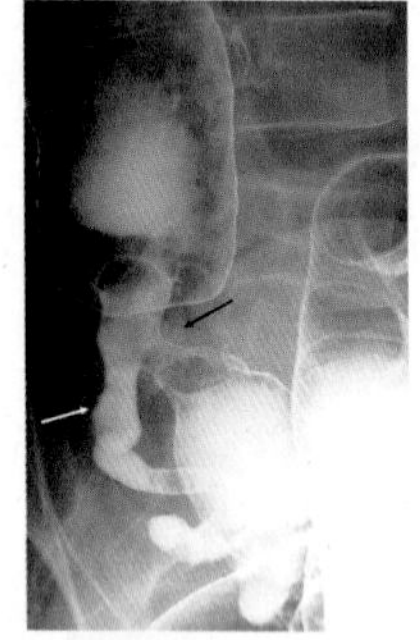

회장의 말단부와 맹장의 변형이 보인다.

Crohn, UC, Bechet 장 질환과 함께 염증성 소화관 질환(inflammatory bowel disease)을 이룬다. 이 중 장결핵(intestinal tbc)은 주로 terminal ileum에 호발하고 나름 모양의 특성을 갖지만, 대장조영술만으로는 완전한 진단은 불가능하다. 대장 조영술 등을 통해 진단의 폭을 좁히고 biopsy를 통해 확진한다. 이는 나머지 IBD에 속하는 Crohn, UC, Bechet 장 질환과 동일하다.

(2) 결핵성 복막염(tuberculosis peritonitis)

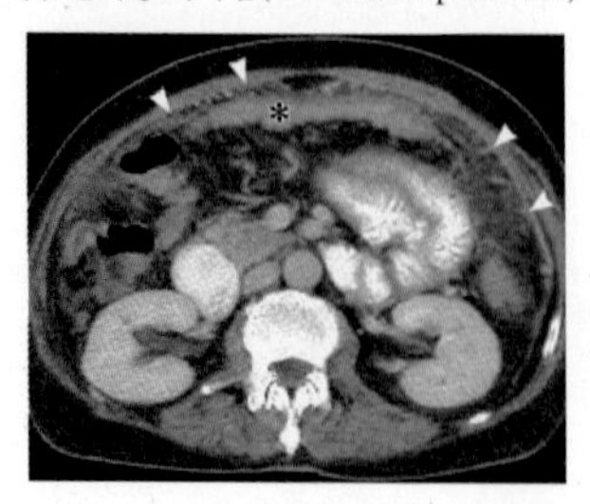

- Omental thickening과 omentum 주변의 fatty infiltraion이 보인다.
- 많은 경우 복수를 동반하기도 한다. 이 경우 malignant mesothelioma, GI tract의 carcinomatosis와 감별해야 하는데 감별이 쉽지 않다.

07 기관지 확장증

기관지확장증이란 지름 2 mm보다 큰 기관지벽의 근육 및 탄력 성분의 파괴로 인해 Proximal bronchi가 permanent, irriversible change로 늘어난 상태.
chest x-ray와 HRCT를 사용하여 진단한다.

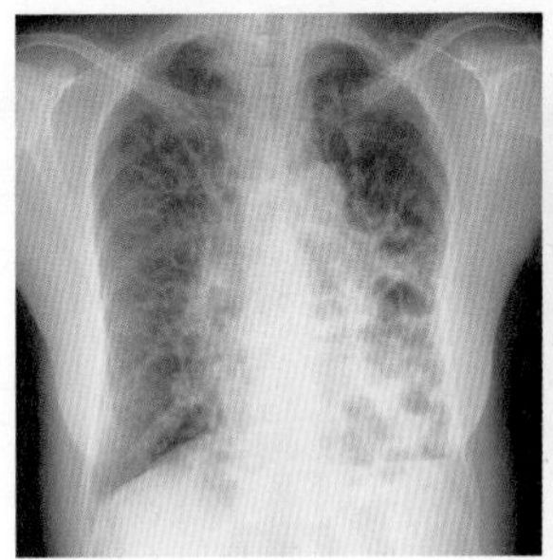
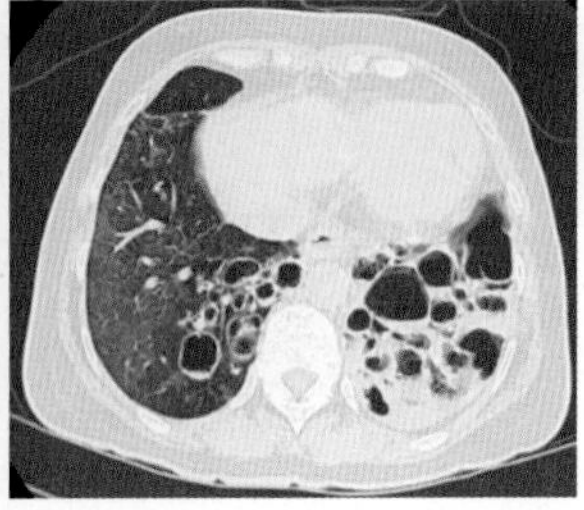

Both lower lobes에 uneven size의 dilated bronchi가 보인다.

- chest X-ray: 전형적인 사진이 출제되므로 꼭 알아야 한다.
  - 기관지 벽의 비후 및 확장
  - tram tract(기차길 모양, 파이프의 구조가 옆(longitudinal)으로 잘리면) ring, cystic shadows(도넛 모양, 파이브의 구조가 앞(transverse)으로 잘리면 가능)
  - 확장된 기도내에 분비물이 차서 dense하게 보일 수도 있음
  - 심한 경우 honeycomb appearance(벌집 모양)으로 보일 수 있음
    IPF와 감별해야 하지만 IPF가 벌집의 크기가 더 작고 불규칙하다.

- HRCT
  - 전형적인 사진이 출제되므로 꼭 알아야 한다.
  - 기관지 내경의 확장: 인접 혈관의 1.5배 이상
  - thickened bronchial wall "signet ring"(약혼반지): 반지의 알이 혈관이 되고, 손가락에 끼우는 고리 부위가 확장된 기관지가 된다.

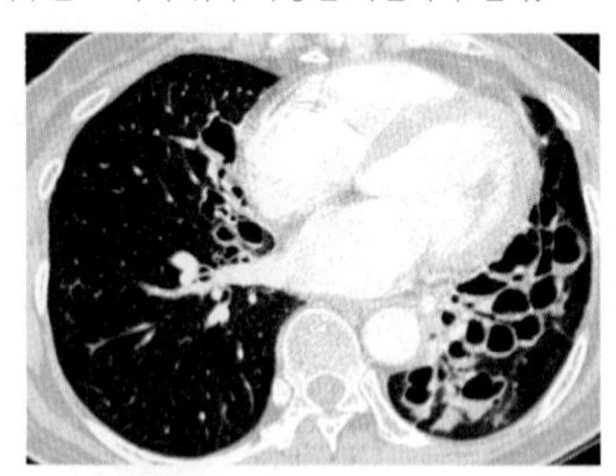

08 만성폐쇄성 폐질환 (COPD)

폐기종(Emphysema)

Alevolar에 들어간 공기(air)가 모두 빠져나오지 못하고 남아 있는 상태.
Normal lung에 비해 alveolar에 공기가 많아 x-ray, CT상 lower density를 보게 된다(정상 chest x-ray, HRCT에 비해 더 까맣게 보인다).

언뜻 보아 하얀색이 보이지 않는데, 환자가 호흡곤란을 호소한다면, 폐기종에 의한 COPD를 의심하는 습관을 갖는다.
그리고 사진의 검은 부분(air)이 더 검게 보이지 않는지(radiolucency) 확인한다.

Chest X-ray만으로 진단이 가능한 경우가 많다.

영상의학적 소견은

- Radiolucency(정상 소견보다 전반적으로 음영이 검게 보임)
- vertical heart(폐가 medial side로 확장되어 심장이 작게, 그리고 서있는 것처럼 보임) "수직 심장"이라고도 한다.
- diaphragm flattening(폐 내부 공기분압이 높아져 횡경막이 펴짐)

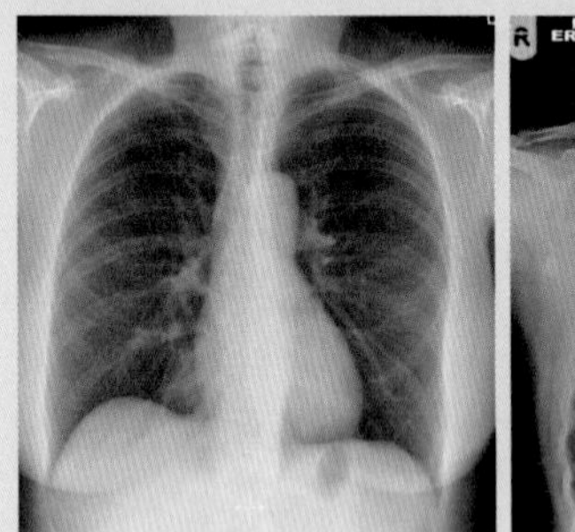

Normal chest PA

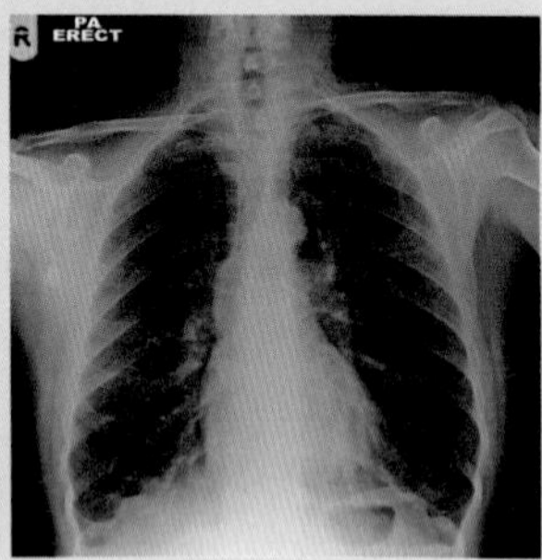

COPD

- Emphysema를 보려면 HRCT를 진행한다.

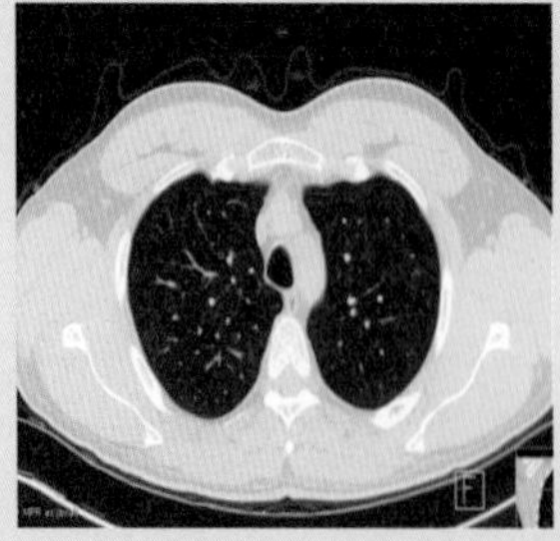

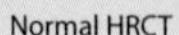

Normal HRCT

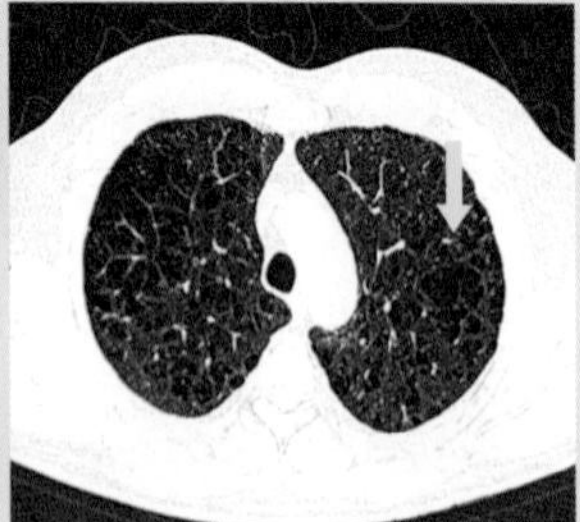

Alveolar wall이 깨지고 alveolar가 모여있다.

- Emphysema
  - empyema와 헷갈리지 않는 것이 중요(spelling 유의)
  - ternimal bronchioles 이하의 alveolar wall 파괴 및 air space distension이 주된 patholoy임.
  - 임상적 의의는 크지 않음

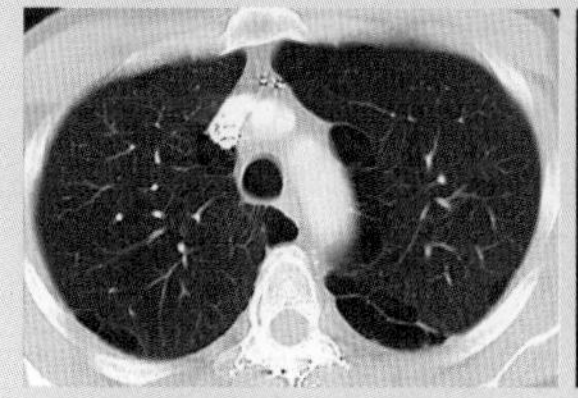

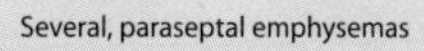

Several, paraseptal emphysemas

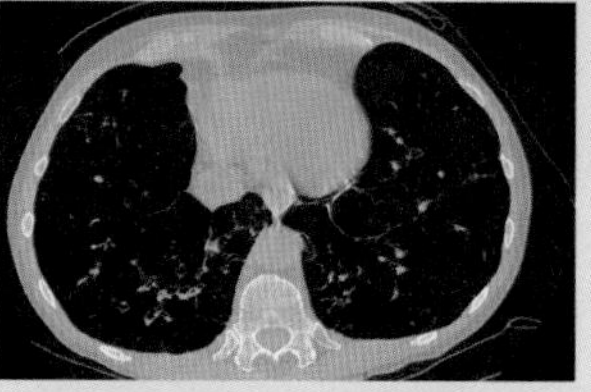

severe, emphysematous change

간질성 폐질환

Chest PA에서는 ground glass opacity (GGO) 음영을 보인다.

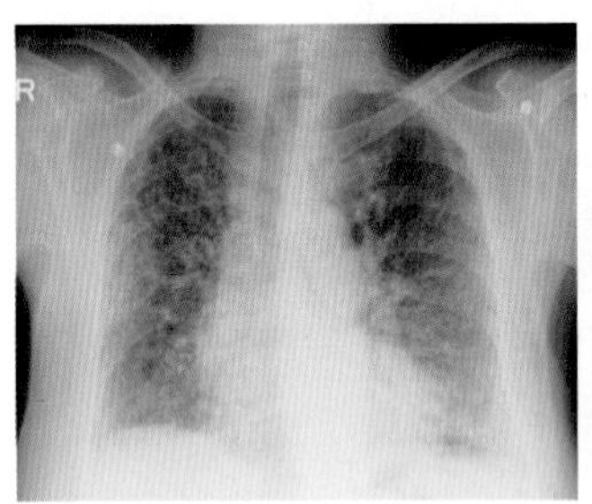

GGO 보이는 IPF chest

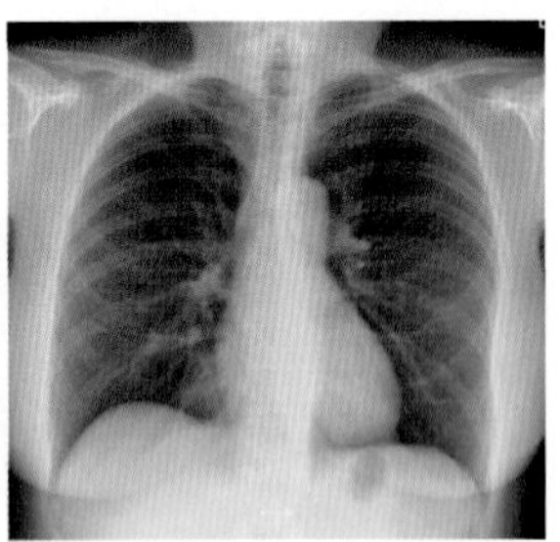

Normal chest

- 간질(interstitium): 실제 기능하는 것을 보호하고 지지해 주는 구조물
- 실질(parenchyma): 실제 기능하는 구조물
- lung에서 실제로 function하는 것은 alveolar(벌집 기준으로 벌집 자체가 된다.) −parenchyma

- alveolar를 둘러싸고 지지해 주는 벌집 사이의 벽이 interstitium이 된다. Interstitium의 pathology가 chest PA, CT에서 GGO로 보이게 된다.
  - interstitial pneumonia(간질성 폐렴)과 바이러스에 의한 폐렴이다.
- chest PA: 비특이적이며, 증상 및 병리소견과의 관련성도 부족
- HRCT: activity와 extention&distribution 동시에 판정, 원인을 찾는 데도 유용하다. biopsy할 부위를 결정하는 데도 유용(사진)
- IPF (=UIP), Nonspecific interstitial pneumonia (NSIP), Acute interstitial pneumonia (AIP, Haman-Rich syndrome), Cryptogenic organizing pneumonia (COP=idiopathic BOOP, bronchioloitis obliterans with organizing pneumonia) 등이 여기에 포함된다. 사진은 제각각 다르지만 시험에는 주로 IPF만 사진이 나오므로 IPF만 공부하면 된다. 사진만으로 나머지 질환 사이를 감별하는 것은 매우 어렵기도 하다(절대 하지 마세요).
- Interstitial disease, Alveolar disease pattern만 익히면 된다.

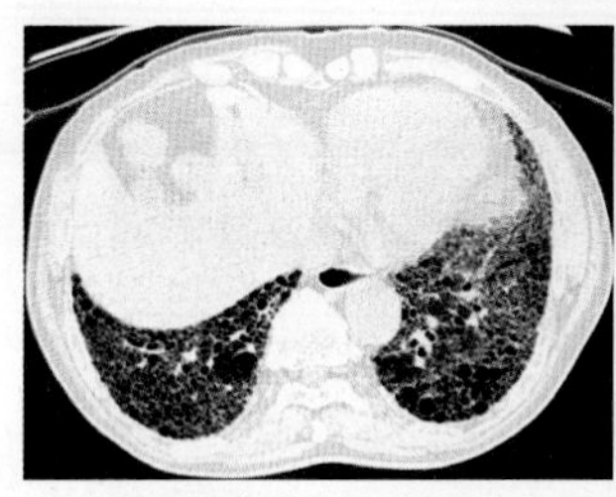
Alveolar pattern

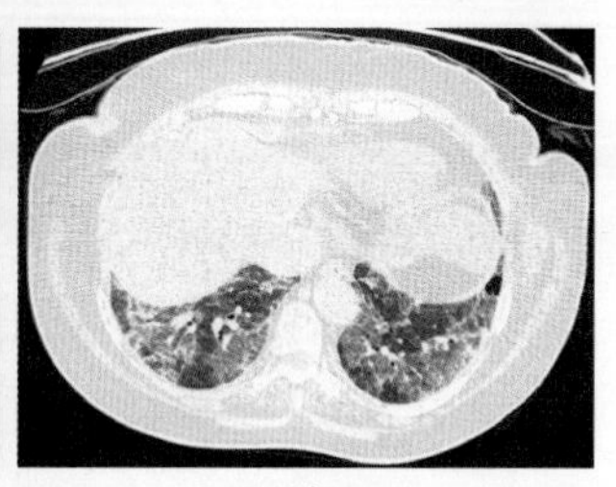
Interstitial pattern

Both lower lobes에 GGO 음영이 보임, 주로 변연부에 보인다.

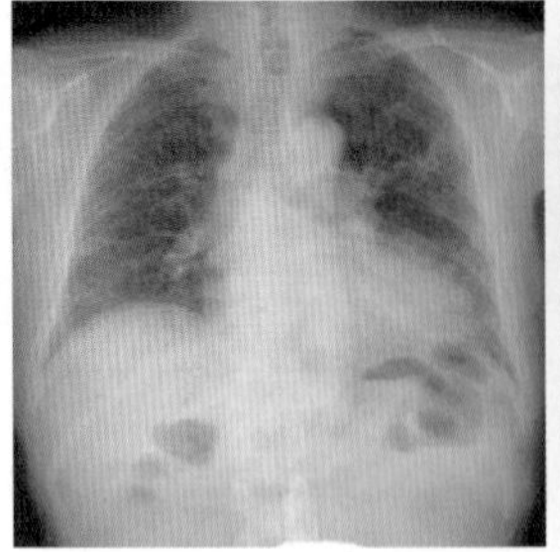
GGO pattern이 변연부에 보인다.

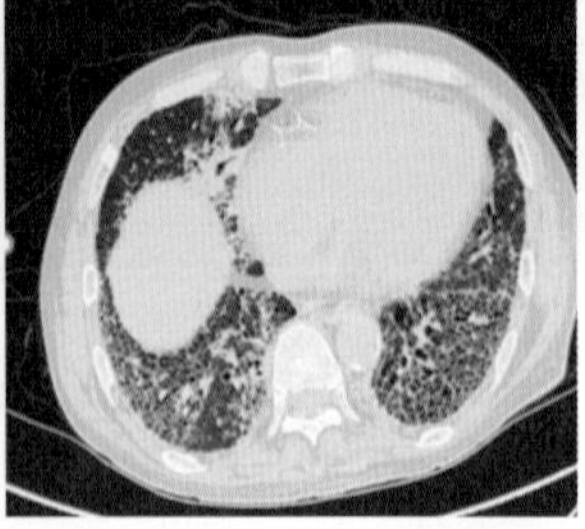
Both lower lobes에 honey-comb 모양이 보인다.

Note

IPF는 주로 peripheral, lower portion에 호발한다.

벌집모양(honey-comb appreance)은 fibrosis에 의한 음영이며 많이 진행된 상태임을 뜻한다.

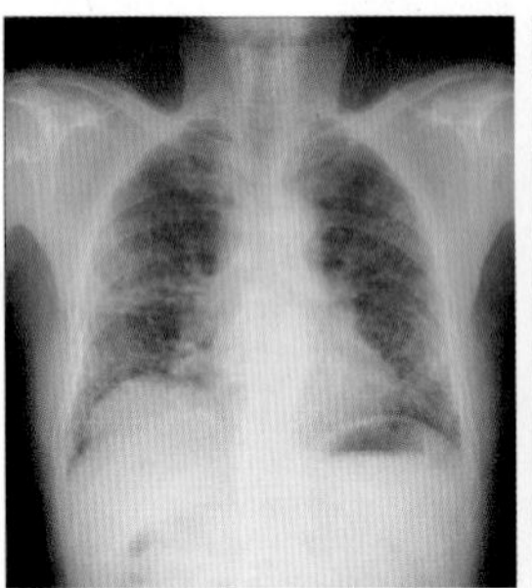
갑자기 악화되어 ARDS로 진행,
사망에 이르기도 한다.

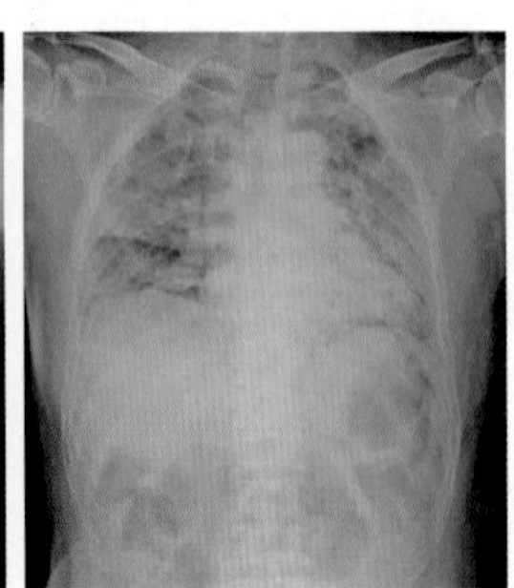
(6개월 사이에 나빠진 사진)

과민성 폐장염(Hypersensitivity pneumonia)

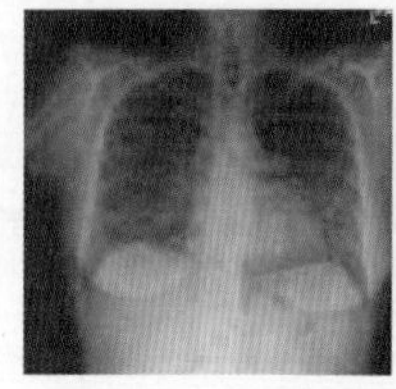
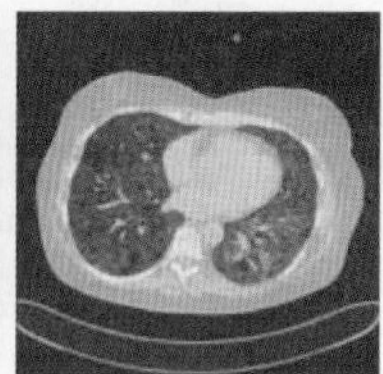

- 조류 사육, 건초작업 등의 항원에 노출된 **경력**+interstitial lung disease 영상 소견을 보이는 경우 진단 가능하다.
- 폐실질(parenchyma)은 유지되는 간질성 폐렴(interstitial pneumonia) group에 속하며 항원에 대한 노출이 반드시 예문에 나온다: 비닐하우스 농사, 버섯재배, 비둘기 키우기 등

Allergic Bronchopulmonary Aspergillosis (ABPA)

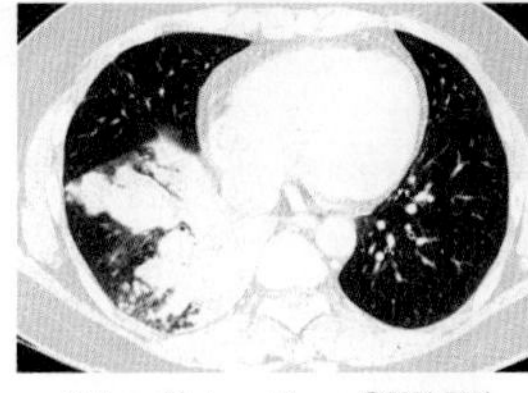
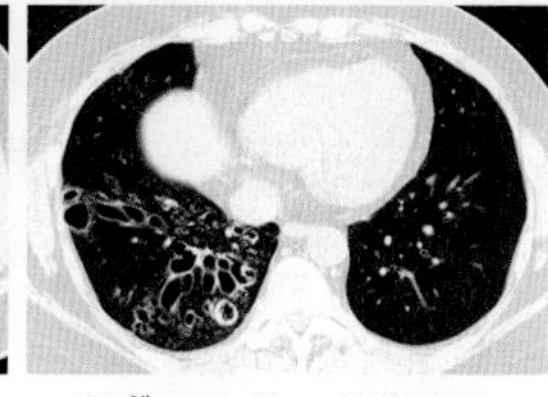

Rt. Lung의 gloved finger 음영이 특징

RLL에 proximal bronchi dilatation

근위부기관지 확장, 확장된 기관지 내에 impaction된 점액 플러그로 인한 장갑 낀 손가락 gloved finger 모양의 음영, 기관지폐쇄로 인한 무기폐(atelectasis)를 볼 수 있다.

Pulmonary lymphoangioleiomyomatosis (LAM)

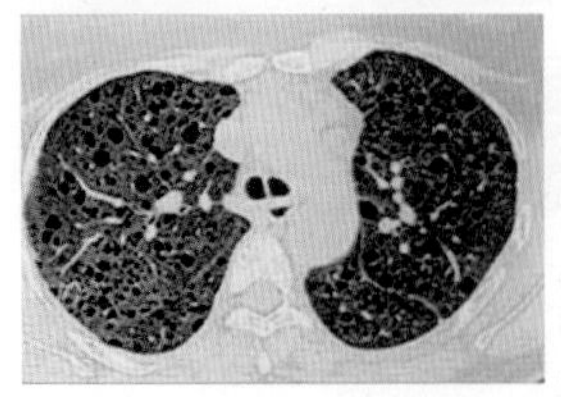

HRCT에서 양측 상엽에 불규칙한 모양을 보이는 낭성병변(cystic lesion)과 작은 결절(small nodules)이 보인다.

유육종증/사르코이드증(Sarcoidosis)

Carina level peribronchus LN의 multiple enlargement가 gross pathology다.

Chest PA에서는 bilateral hilar prominency

Chest CT (mediastinal setting)에서는 multinodular LN enlargement를 보인다.

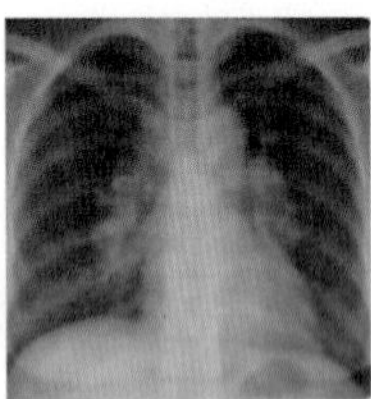

양측폐의 폐문 비대가 보인다.

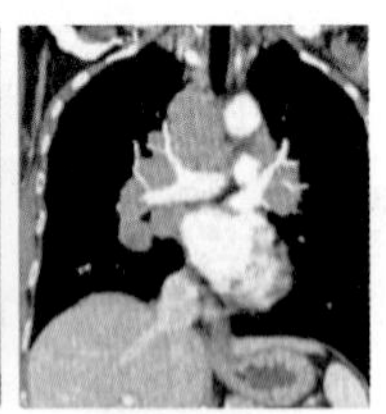

Bronchus 주변으로 여러 개의 림프절비대

DPB (diffuse panbronchiollitis)

Chest PA: 비특이적 소견이라 도움이 되지 않는다.

HRCT: small nodules, bronchiolar dilatation

"tree– in bud" appearance

Endobronchial tbc.와 유사소견이므로 감별 요함

치료: amphotericin B

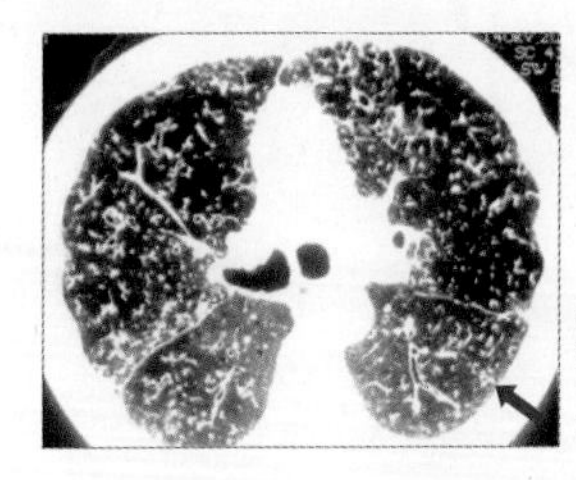

HRCT: 전반적인 small airway wall thickness, nodular infiltration 그리고 bronchiectasis가 보인다(⟶).

유지질 폐렴(Lipoid pneumonia)

Old age, neuromuscular disease, swallowing abnormality 등의 condition과 Oil aspiration이 있을 때 주로 생긴다(스쿠알렌 비강흡인 포함).

균질한(homogenous), segmental GGO를 CT에서 볼 수 있다.

** MRI T1이미지에서 high SI를 보이는 것으로 쉽게 진단하기도 한다.

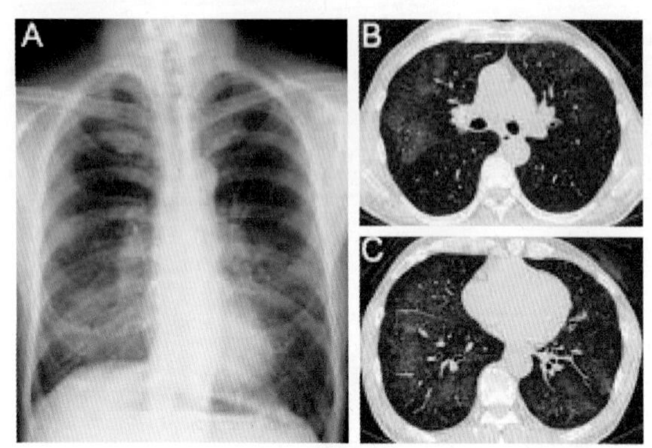

A: chest PA finding은 nonspecific 하다.
B, C: CT에서 segmental GGO 소견을 보인다.

11 직업성 폐질환

석면증, 규소폐증, 탄광부 폐증 pneumoconiosis으로 나누어 진다.
석면증은 흉막(pleura)의 질환이며 pleural calcification을 찾으면 진단이 끝난다.

규소폐증은 폐(lung)의 질환이다. 초기에는 규소(silica)의 폐 침착으로 폐의 중심부와상부에 1~2 mmm의 작고 경계가 분명한 원형의 결절이 대칭적으로 분포한다. 단순 규폐증이라 부른다.
폐의 결절들이 1cm 이상으로 커지면서 서로 합쳐지는 현상을 보이면 진행성 광범위 섬유화 progressive massive fibrosis라 한다. 이것이 보통 대칭적으로 폐문과 폐문 상부에 분포하여 천사 날개 모양 angel's wing appearance로 보인다. 폐문 주위의 림프절이 커지게 되고, 달걀 껍질모양의 석회화 egg-shell calcification가 일어나는데, 이는 규폐증을 강력히 시사하는 중요한 소견이다. 탄광부폐증(pneumoconiosis)은 silica 성분이 없는 (silicafree) dust가 만드는 lung disease다(pleura가 아니라는 것 중요). Pneumoconiosis에서 1 cm 미만의 결절이 폐상엽에 생긴다. 규소폐증과 감별이 필요한데, 노출된 항원의 차이, 또는 결절의 크기 등으로 감별한다.

석면증(Asbestosis)

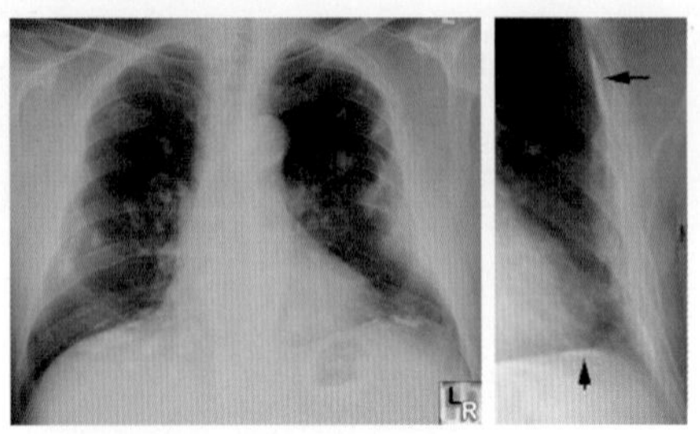

Pleura, diaphragm 석회화는 진단에 큰 도움이 된다.

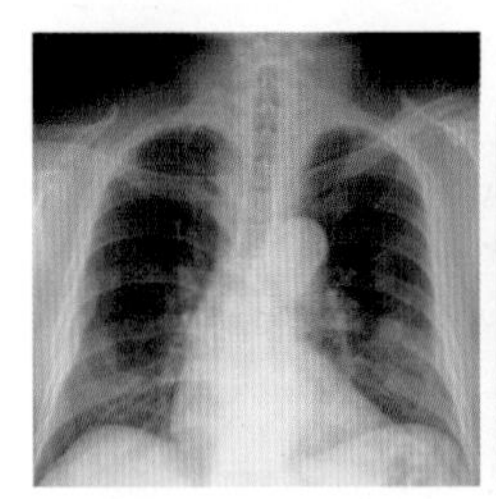

특이 소견이 보이지 않는다.

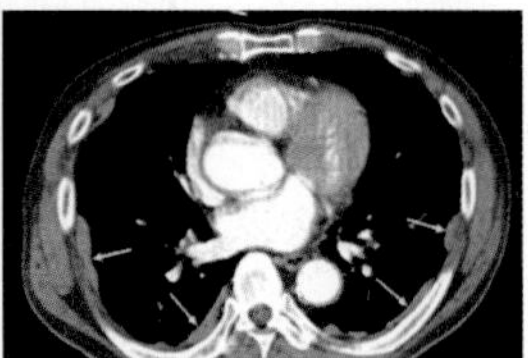

양측폐 하엽에 늑막비후가 보인다.

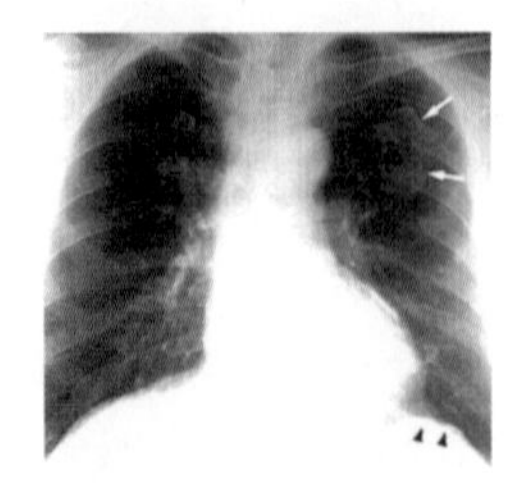

흉막의 석회화/ 좌측 diaphragm 석회화

규소폐증(silicosis)

- Chest PA: 아주 작고 많은 여러 개의 결절들(nodules)

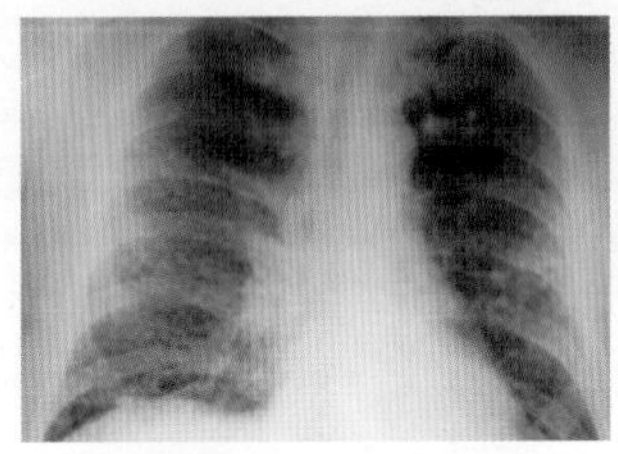
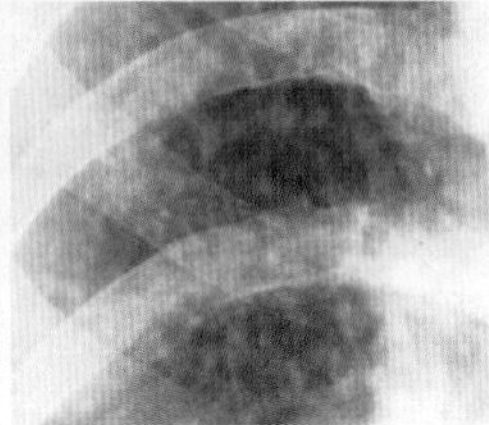

- 초기의 규소폐증 simple silicosis

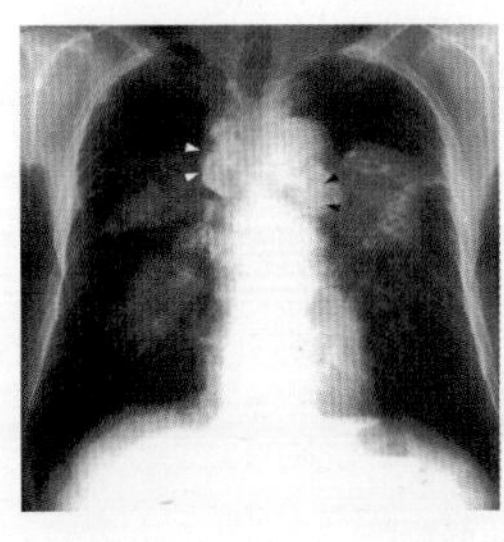

복합 규폐증:
양쪽 폐에 결절들이 융한된 진행성 섬유화의
소견, 폐문 주위의 림프절에 egg-shell
calcification(화살촉)

탄광부 진폐증(Coal worker's pneumoconiosis, CWP)

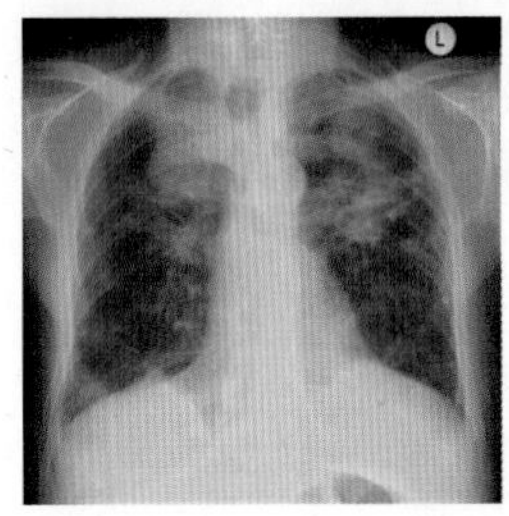

복합 규폐증과 감별이 쉽지 않다. 단 LN에
egg-shell calcification은 보이지 않는다.

폐동맥 색전증 (Pulmonary thromboembolism)

1) Chest PA: 정상 소견부터 부분적 consolidation 등 다양하다.
nonspecific해서 도움되지 않는다.

2) Chest CT: enhancement CT에서 pulmonary artery내의 thrombus를 찾으면 확진 가능하다. – 확진 검사

3) RI scan(핵의학검사) – 이전의 검사, 지금은 거의 하지 않는다.
PTE는 artery의 질환, airway는 정상이다.
Artery 상태를 보는 perfusion scan 시행하고,
ventilation 상태를 보는 ventilation scan 시행.
Perfusion scan에서 이상을 보이나 ventilation scan에서 정상일 때 진단.
Perfusion /ventilation scan= V/Q mismatch.

4) Angiography – pulmonary artery의 막힌 부분을 찾아 진단한다.
Chest CT를 통해 확진이 가능, 지금은 사용하지 않는다.

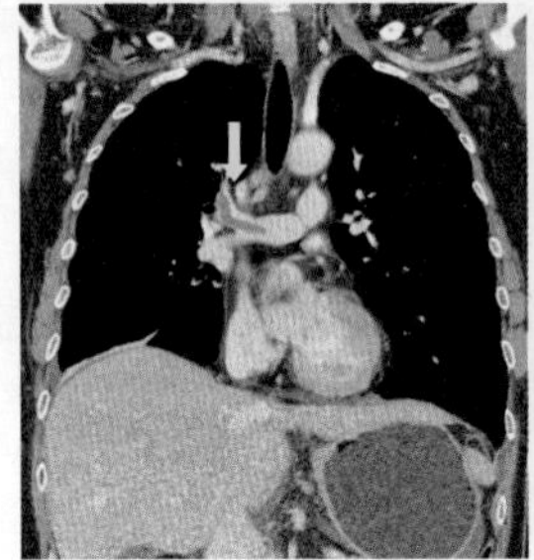

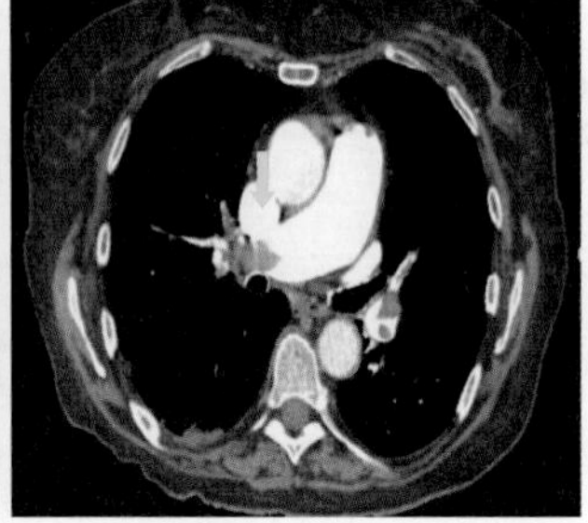

Rt. Pulmonary artery 안에 low density의 thrombus가 보인다.

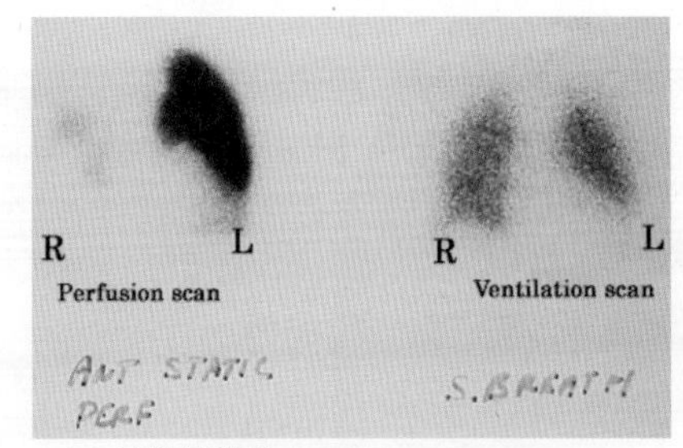

Rt. Lung이 보이지 않는다.

Rt. Lt. lung 모두 정상소견

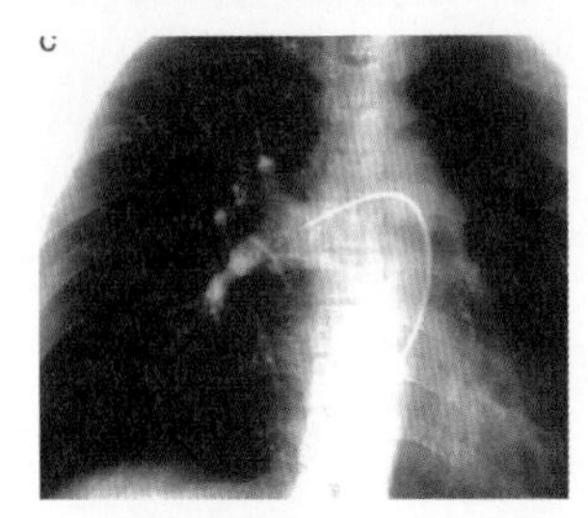

Pulmonary artery angiogram

16 급성 호흡곤란 /호흡부전

ARDS (Acute Respiratory Distress Syndrome)

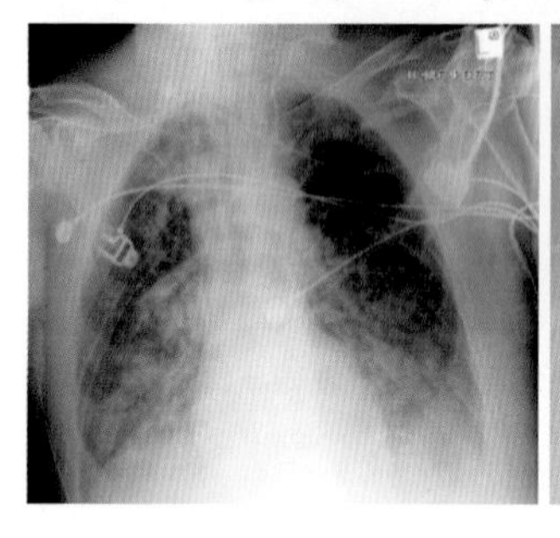

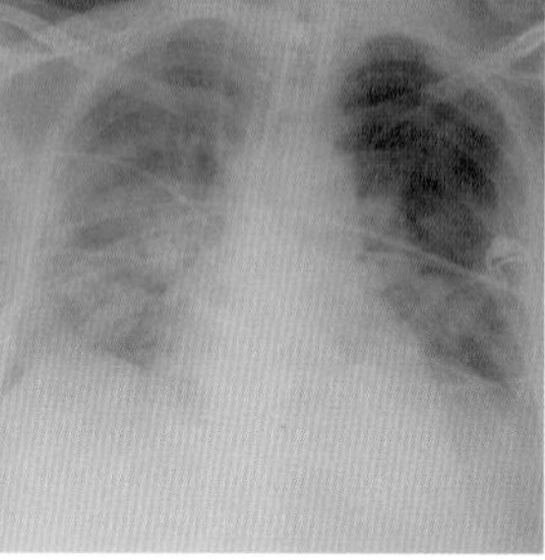

18 폐암

1) 비소폐포 폐암(non small cell lung cancer)

(1) 편평상피세포암(squamous cell carcinoma, SCC)

- central airway에서 발생 ⇨ 조직검사 시 bronchoscopy로 접근
- cavity 형성 가능(cavitary forming tumor의 95%); wall이 두껍고 불규칙

  (c.f., SCC와 large-cell ca.의 10~20%에서 cavity 형성)
- SCLC보다 천천히 자라며 전이를 늦게 함

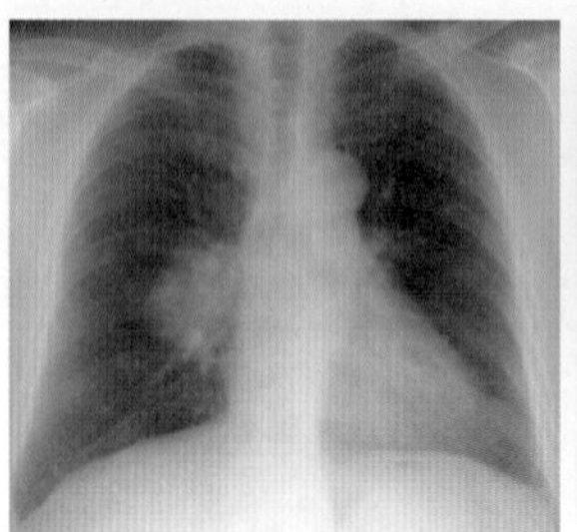

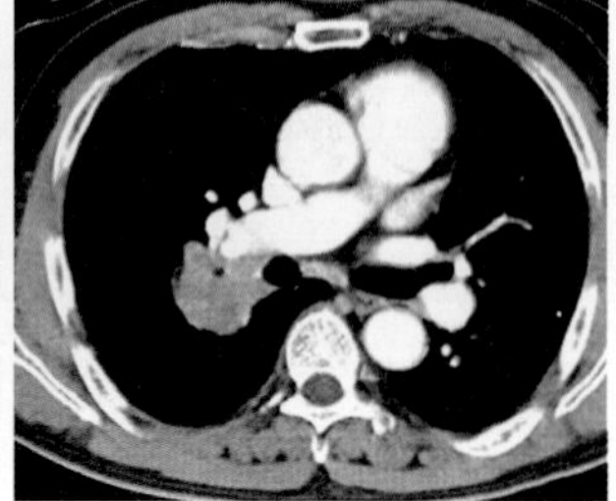

Squamous cell carcinoma

(2) 선암(adenocarcinoma)

- periphery에서 발생, 증상이 없는 경우가 많음, 원격전이가 흔함
  ⇨ 조직검사 시 NAB로 접근한다.
- 고립성 폐결절(SPN) 형태로 발견된 폐암의 약 60% 차지

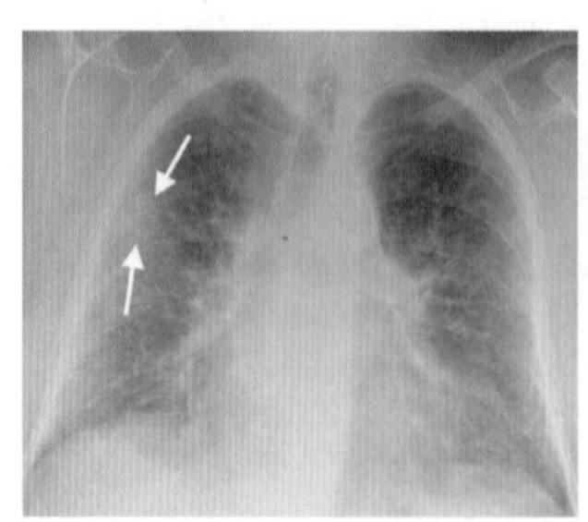

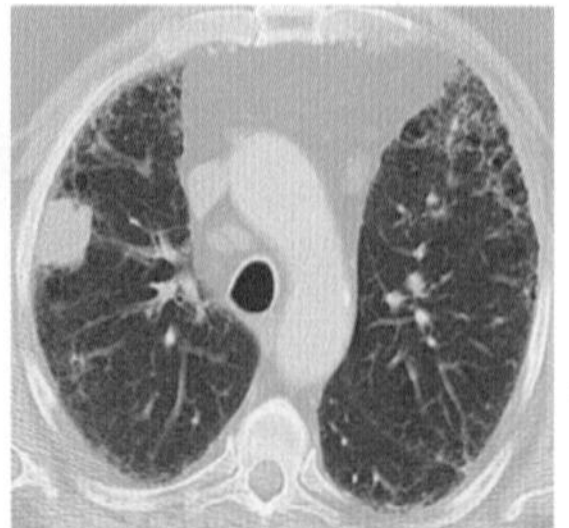

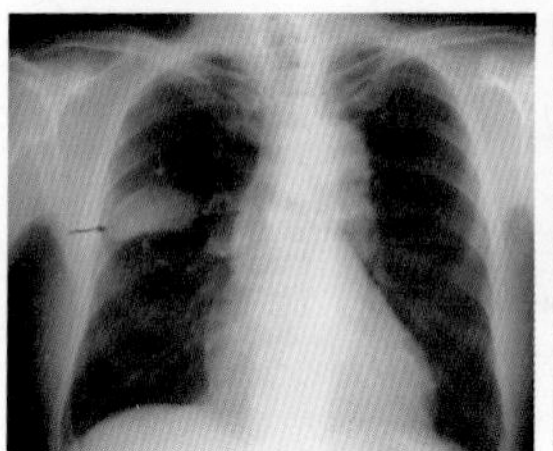

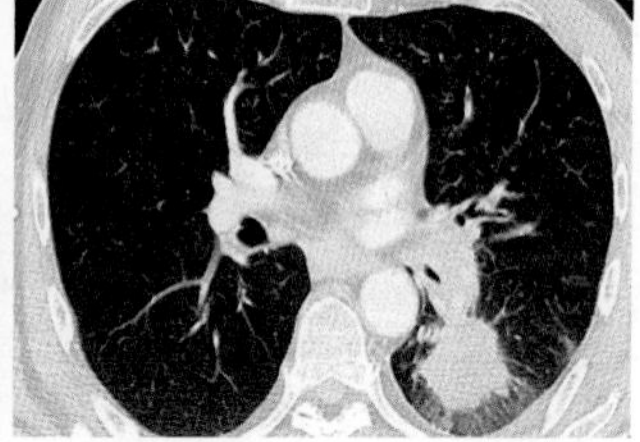

Adenocarcinoma

(3) 세기관지폐포암(bronchioloalveolar carcinoma, BAC)

- adenocarcinoma의 subtype (lepidic pattern),
  현재는 안 쓰는 용어, adenocarcinoma에 포함됨
- 폐포 벽을 따라 증식하며 경계가 불분명, gas exchange의 장애를 일으킴
- CXR/CT; multiple small nodules or ground-glass 양상(폐렴과 비슷)

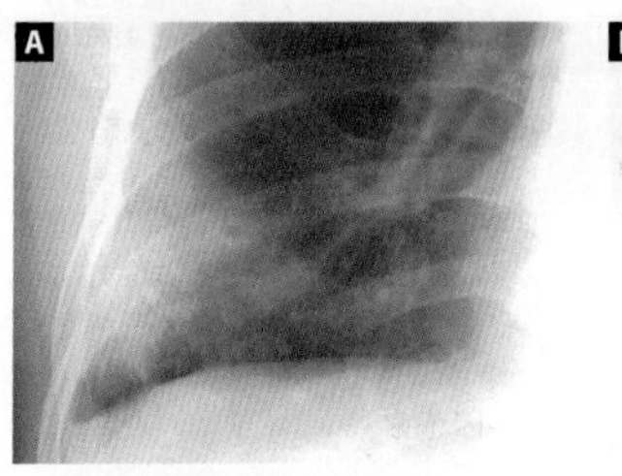

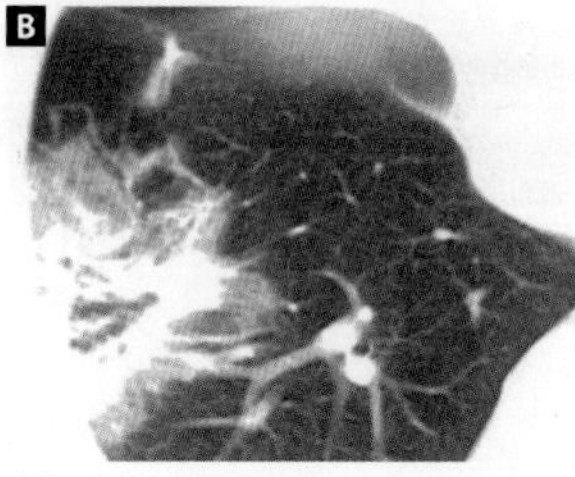

A. 우하엽에 내부에 공기-기관지 조영(air-bronchogram)을 포함한 경계가 불분명한 consolidation이 있다.
B. CT상 우하엽 내부에 불규칙하게 확장된 기관지를 포함한 consolidation이 있으며, 주위에는 ground glass 음영을 동반하고 있다.

(4) 대세포암(large-cell carcinoma)

영상의학적 특이 소견은 없다.

(5) 소세포암(small cell lung cancer)

- central airway에서 발생, obstructive pneumonia 동반 가능
- 크기가 작아 발견이 쉽지 않고 늦게 발견되는 경향이 있음
- 폐암 중 가장 악성도가 높고 증식 속도가 빠름
- 조기에 전이를 일으켜 진단 당시 약 2/3에서 흉부외 원격전이 존재 (간, 뇌, 뼈, 부신 등에 호발)

→ 다른 폐암과 달리 chemotherapy가 우선

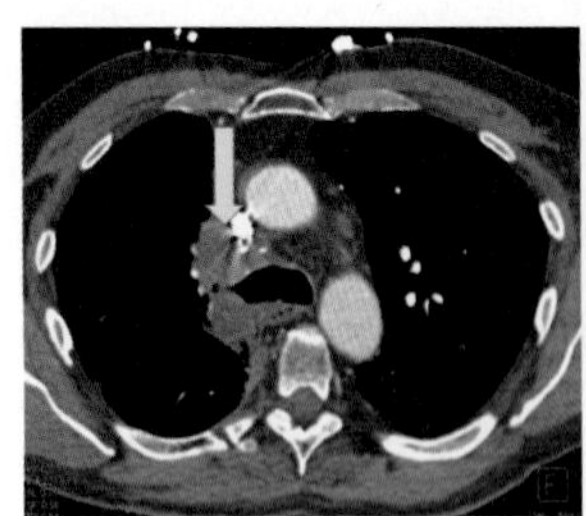

Small cell lung cancer: 발견이 쉽지 않다.

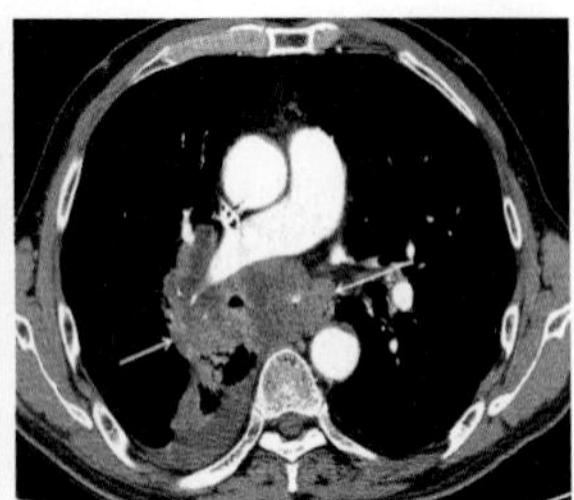

진행된 small cell lung cancer

Brain CT

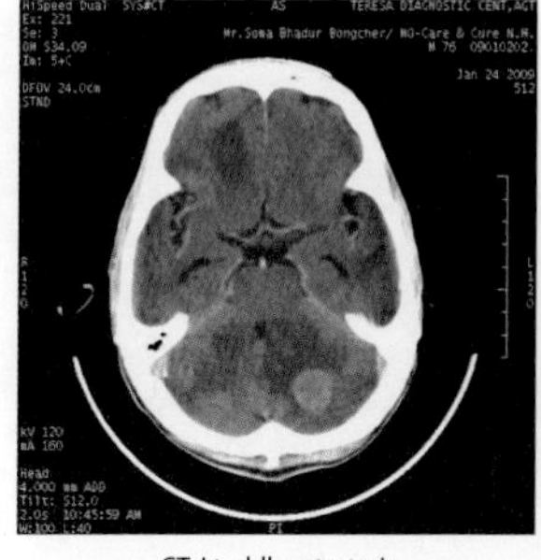

CT: Lt. cbll metastasis

Brain MRI

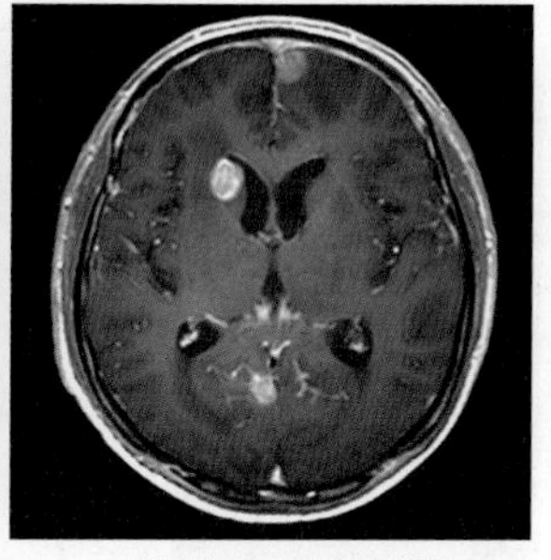

multiple brain metastasis MRI

Liver, adrenal gland –abdomen CT

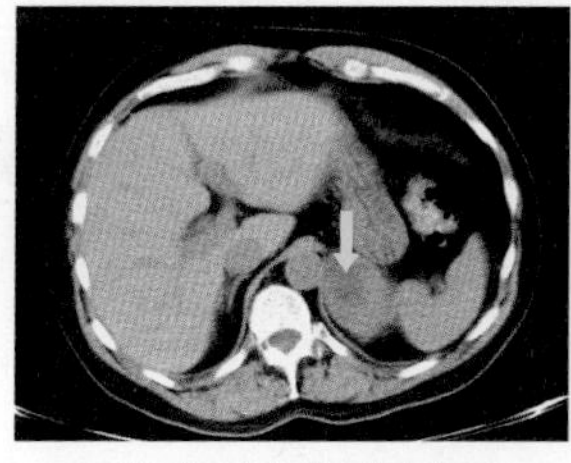

Lt. adrenal gland metastasis

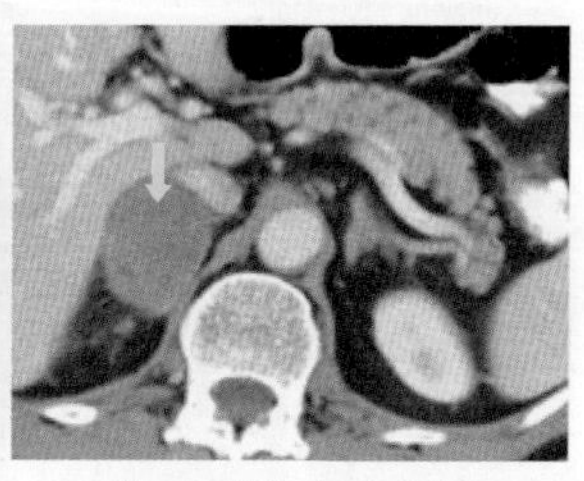

Rt. adrenal gland metastasis

Bone –bone scan

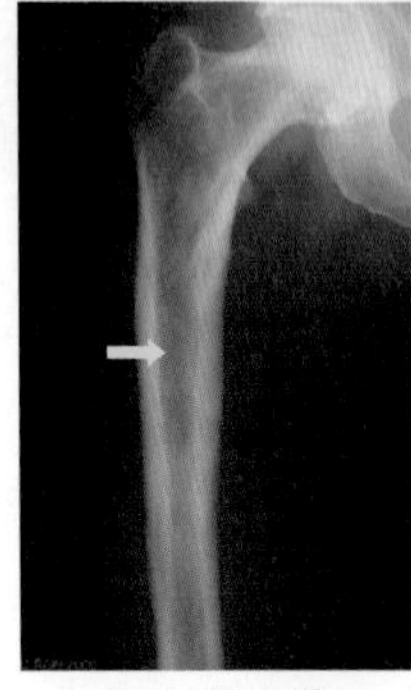

Proximal femur에
radiolucent lesion

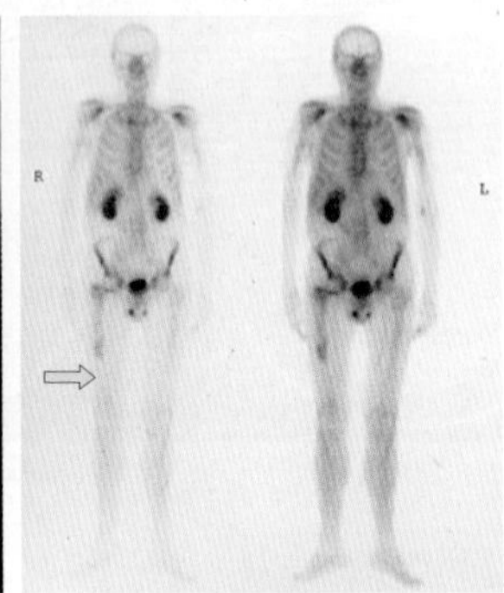

X-ray에서 이상을 보인 곳에
uptake 증가(hot uptake)

◀ Bone scan

Spinal cord –spine MRI

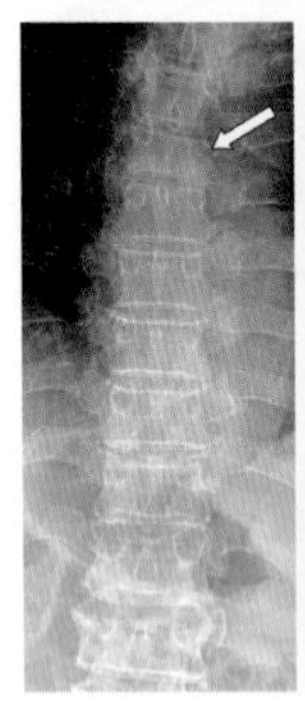

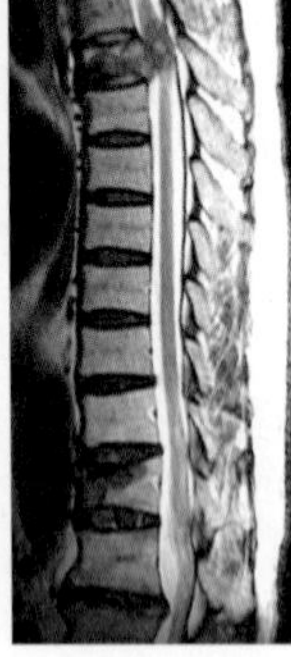

◀ Bone scan
T8 Lt. pedicle destruction

◀ Bone scan
T8 vertebral body destruction and soft tissue mass

Q

소세포암 진단 받고 항암 치료 중인 환자다. 3번째 chemo Tx 중 back pain을 호소하였다.
의심할 수 있는 질환과 진단 도구는? (spinal metastasis, spine MRI)

전이성 폐암(metastatic lung cancer)

- chest PA: sharp margin의 multiple, spherical nodules
- 대부분 직경 5 cm 이하
- 보통 bilateral, 폐 하부 또는 subpleural에 분포

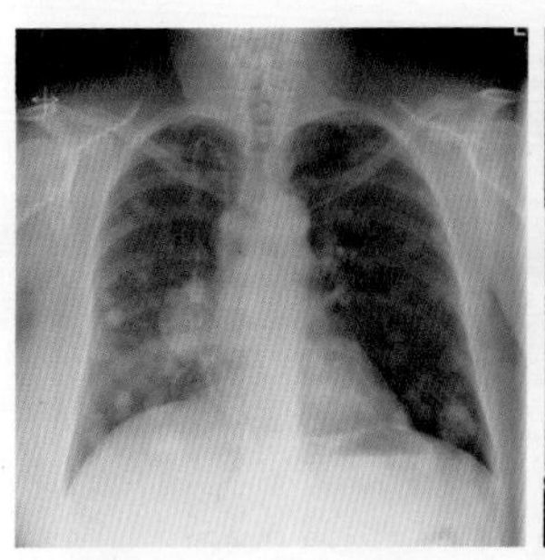

(Alveolar metastsis) Multiple nodularties

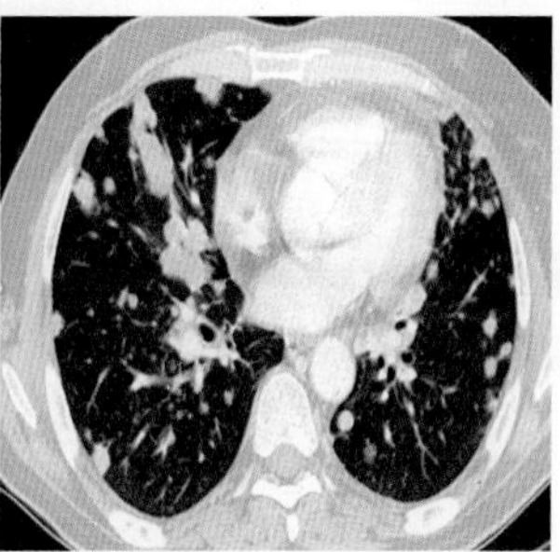

Multiple nodularties

특징적인 폐전이

1. 30%는 solitary 즉 SPN으로 온다.
   - chest PA 또는 chest CT 사진과 다른 부위 원발암의 사진을 함께 보여 주며 묻는다.

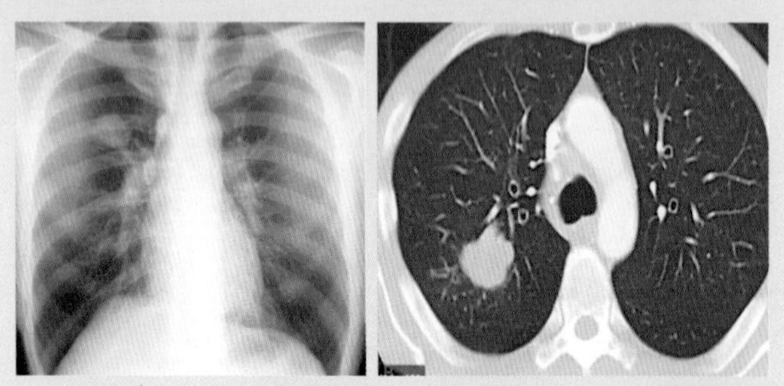

Conlon cancer 환자의 lung metastasis

2. 아주 작은 여러 개의 nodule로 와서 miliary tb와 감별을 요하는 경우가 있다.
   - thyroid cancer metastasis

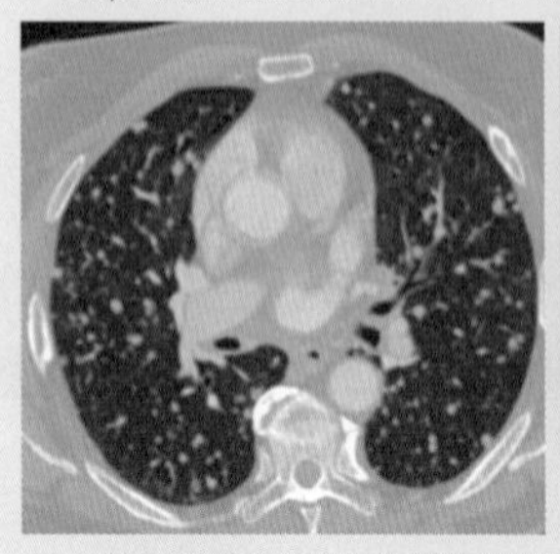

Thyroid cancer lung metastasis

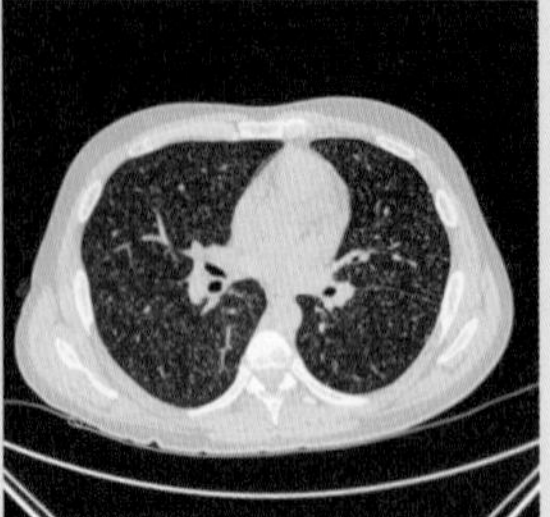

Miliary tuberculosis

3. interstitial metastasis (lymphangitic metastasis)

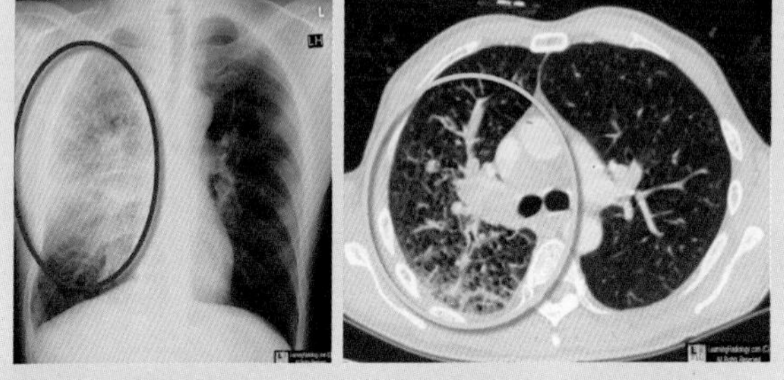
Lymphangitic metastasis

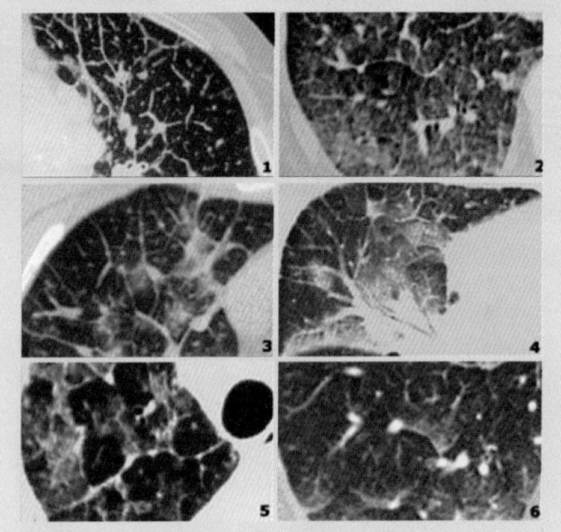

breast cancer, stomach cancer 등의 history 함께 Lung setting의 Interstitial marking abnormality 이미지를 주면 lymphangitic metastasis (=interstitial metastasis)를 의심해야 한다.

폐의 양성종양

1. 과오종(hamartoma)

병리학적으로 정상적인 조직의 과증상을 칭함. 전형적인 양성종양

결절에 석회화가 있는 경우 쉽게 진단됨.

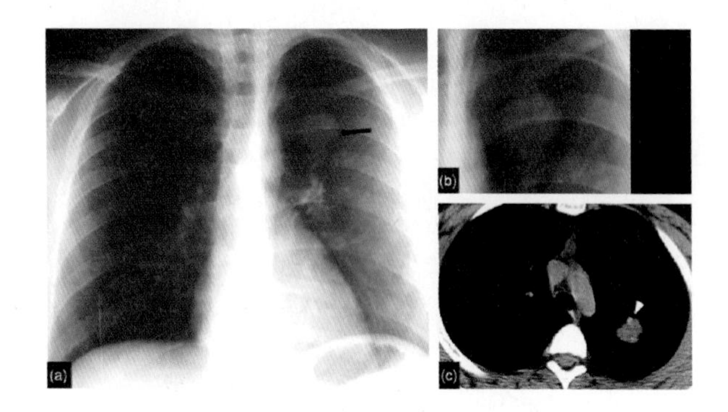

고립성 폐결절(Solitary pulmonary nodule, SPN)

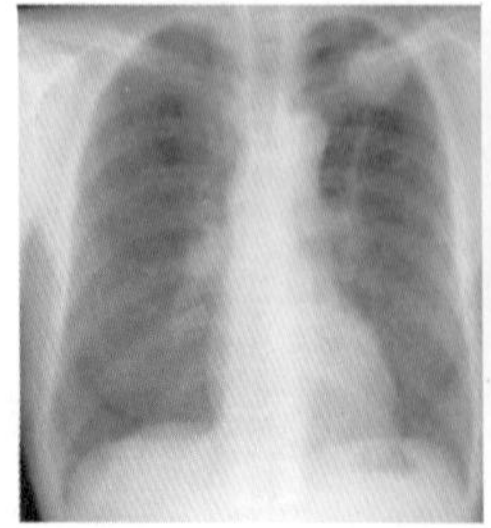

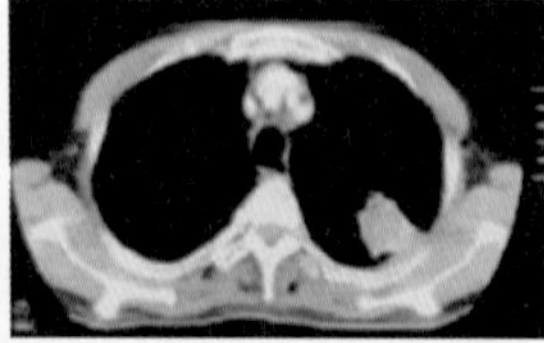

LUL, peripheral area에 lobulated contour 보이는 nodule이 있음. Malignancy 가능성 배제할 수 없어 조직검사를 해야 하며, NAB를 통해 검체를 얻는다.

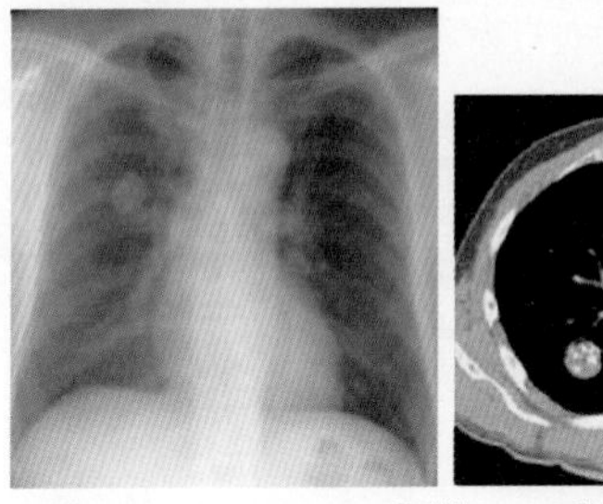
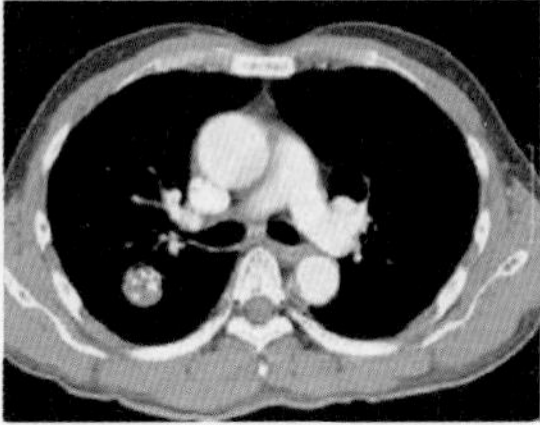

RUL에 pop-corn like calcification 포함하는 nodule이 있다. Benign이므로 추가 검사는 필요 없다.

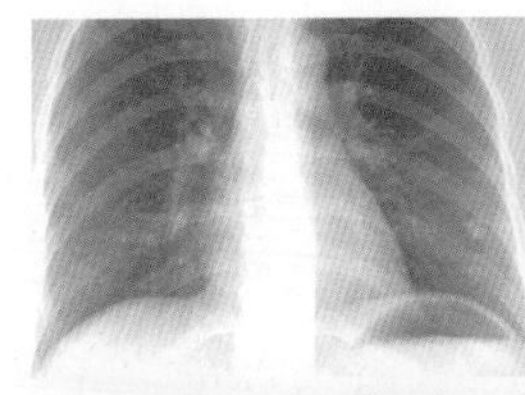
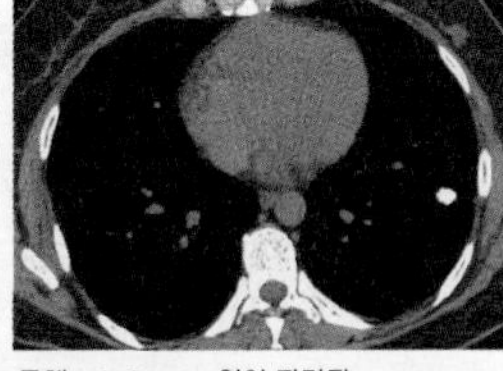

Lt. lower lobe에 small SPN, CT 통해 calcification임이 판명됨.

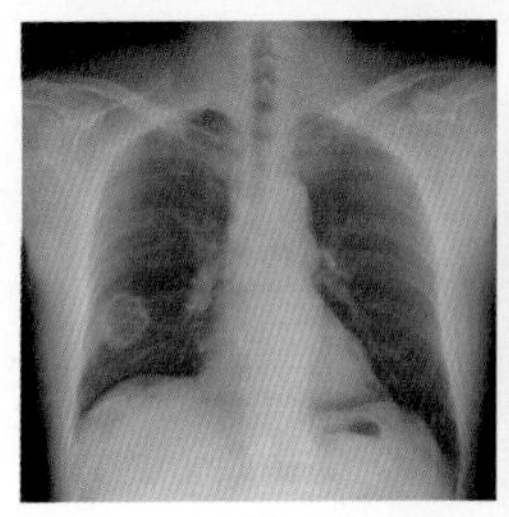
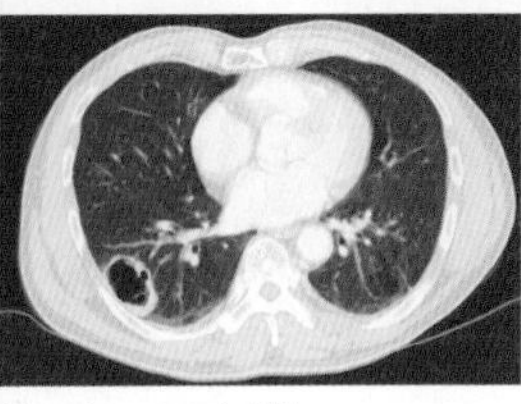

RLL, cavitary lesion, Bx.로 cystic metastasis 진단

19 흉막 및 종격동 질환

Thorax는 lung/mediastinum/pleura로 구성되어 있다.

질환의 위치가 어디인지 아는 것은 진단 및 치료에 큰 도움이 된다.

같은 fluid가 있어도 lung에 있는 경우(pul.edema)에는 kidney를 통해 fluid를 제거한다.

하지만 pleural에 있는 경우에는 chest tube를 통해서 제거한다. Thrax 영상을 공부할 때는 lung/mediastinum/pleura를 나누어 생각하는 습관을 꼭 갖는다.

흉막삼출 Pleural effusion

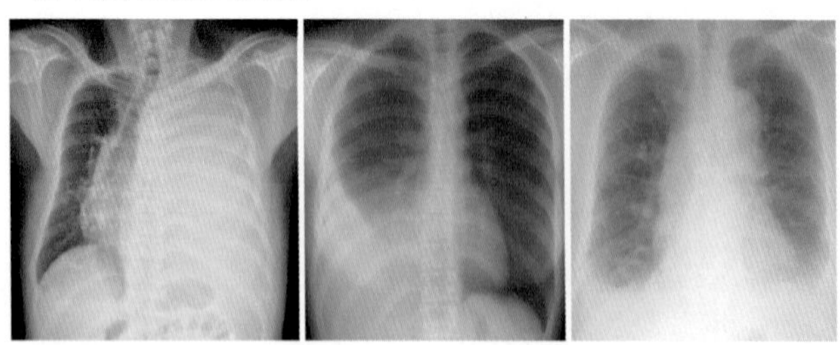

부폐렴흉수(parapneumonic effusion)

폐렴, 폐농양, 기관지확장증 등 폐 감염과 관련되어 발생한 모든 종류의 exudative fluid

- 폐렴 환자의 약 40%에서 동반, exudative pleural effusion의 m/c 원인

  - uncomplicated parapneumonic effusion
    : 폐렴의 항생제 치료만으로 호전되는 경우(대부분)
  - complicated parapneumonic effusion
    : 치료를 위해 tube thoracostomy가 필요한 경우

- diaphragm의 dome이 round하지 않고 tent친 것처럼 보임
- Diaphram의 apex가 lateral 쪽으로 더 가 있다.
- Costophrenic angle이 정상보다 얕다(shallow).

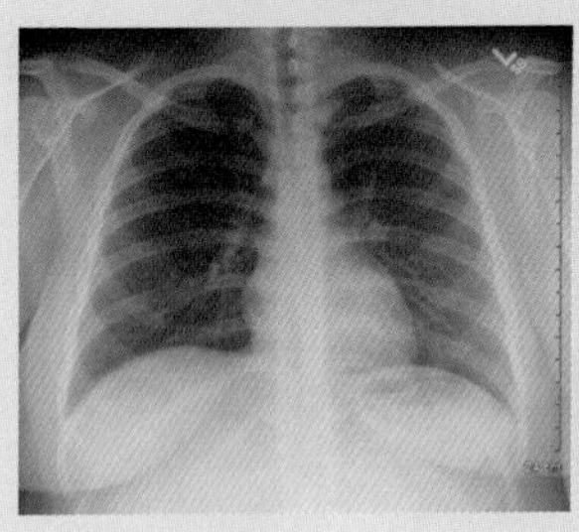

정상 흉부사진

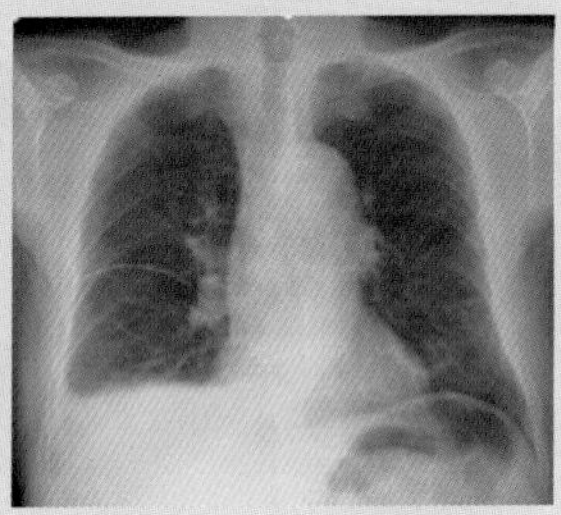

우측 CP angle thickening

기흉/공기가슴증(pneumothorax)

1. 자연/자발 기흉(spontaneous pneumothorax)

- Parietal pleura와 visceral pleura의 potential space에 air collection
- 흉막선(Visceral pleural line)을 찾아봄. 안 보일 수도 있음
- 기흉 공간은 검은색의 공기 음영과 같다.

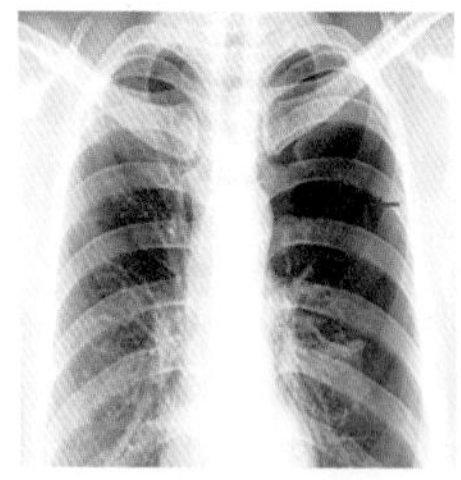

Pneumothorax line이 보임(⟶)

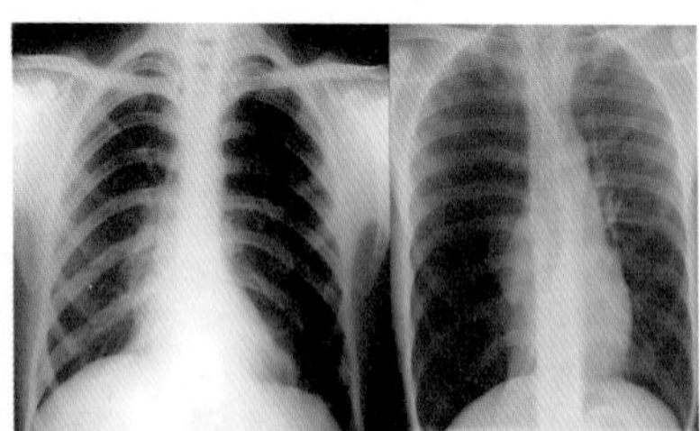

양측을 비교하여 폐혈관(가느다란 흰색 선들)이 안 보이는 곳이 병변

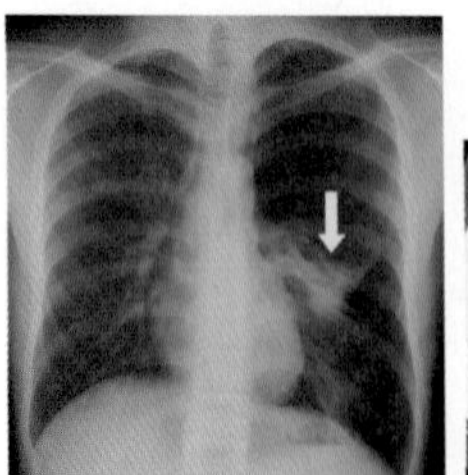

흰색 음영은
collapsed lung parenchyma

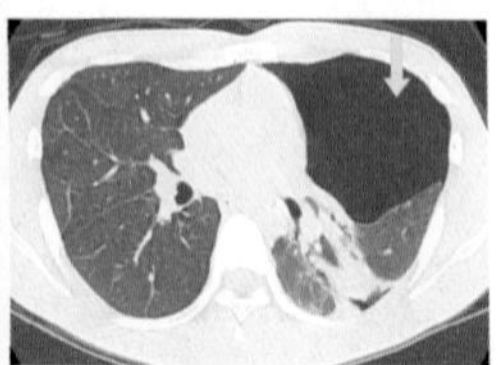

pleural space 내의 공기: pneumothorax

2. 외상성 기흉(traumatic pneumothorax)

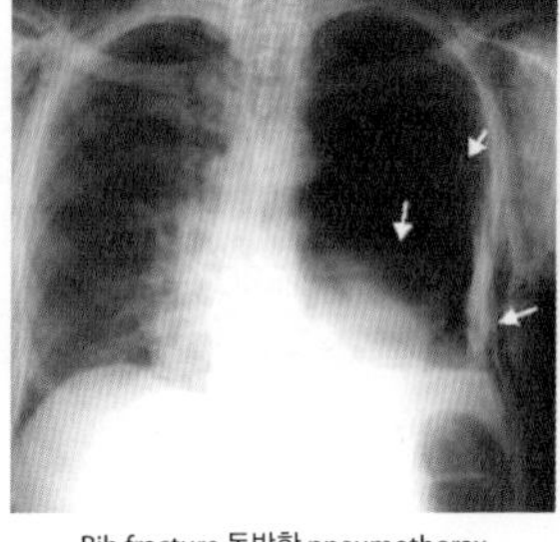

Rib fracture 동반한 pneumothorax

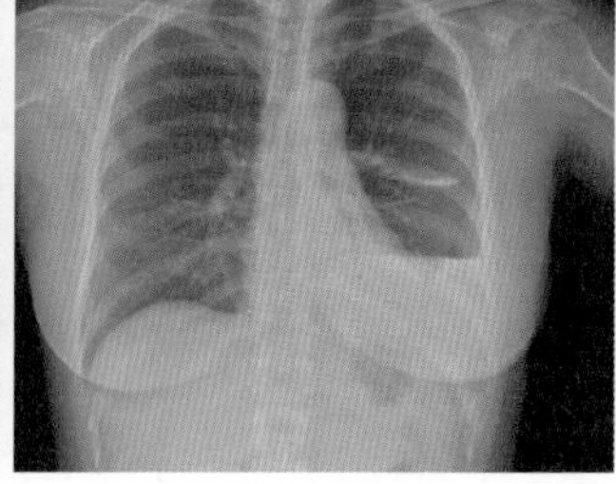

Lt. side hemothorax

긴장성 기흉(tension pnuemothorax)

어떤 원인에 의해 lung의 air가 peural space로 새어나가는 경우, lung collapse가 일어나고 주변에 pneumothorax가 생긴다.

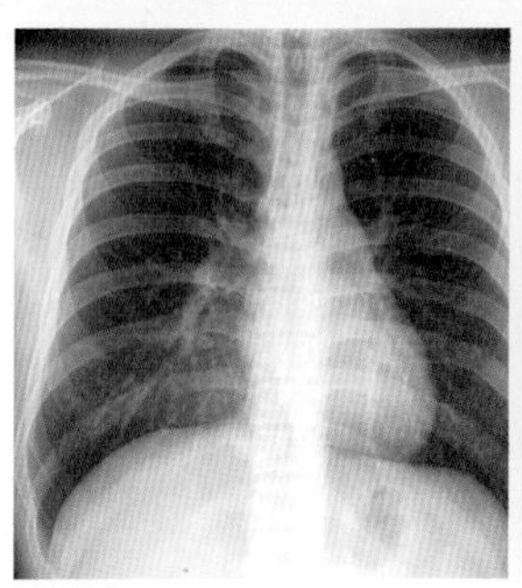

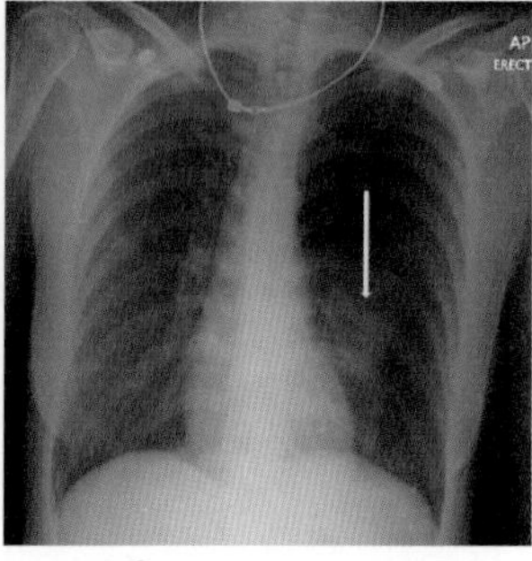

종격동 종괴(Mediastinal mass)

Mass 모양보다는 mediastinum의 위치에 따른 진단이 가능하여 시험에 잘 나온다.

- 종격동의 3 compartments
  ① Anterior mediastinum; thymus, internal mammary A. & V.
  ② Middle mediastinum; heart, ascending aorta, aortic arch, vena cava, brachiocephalic A. & V., phrenic N., trachea, main bronchi, pulmonary A. & V.
  ③ Posterior mediastinum; descending. aorta, esophagus, thoracic duct, azygous & hemiazygous V.

Mediastinal mass의 종류

Anterior	Middle	Posterior
Thymoma & benign thymic disorders Lymphoma Germ cell tumors (teratoma, teratocarcinoma, seminoma) Thyroid tumors Soft tissue tumors (benign tumors, sarcomas) Pericardial cysts Benign LN enlargement Parathyroid aneurysms	Lymphoma Germ cell tumors (teratoma, teratocarcinoma, seminoma) Benign LN enlargement Cancer Mediastinal cysts (bronchogenic, enteric, pericardial) Aneurysms & vascular malformations Hernia (Morgagni) Lipoma	Neurogenic tumors Lymphoma Diaphragmatic hernias (Bochdalek) Meningocele, meningomyelocele Mediastinal cysts (bronchogenic, gastroenteric, thoracic duct) Pheochromocytoma Esophageal ca. & diverticula Aortic aneurysms Soft tissue tumors

1) Anterior mediastinal mass

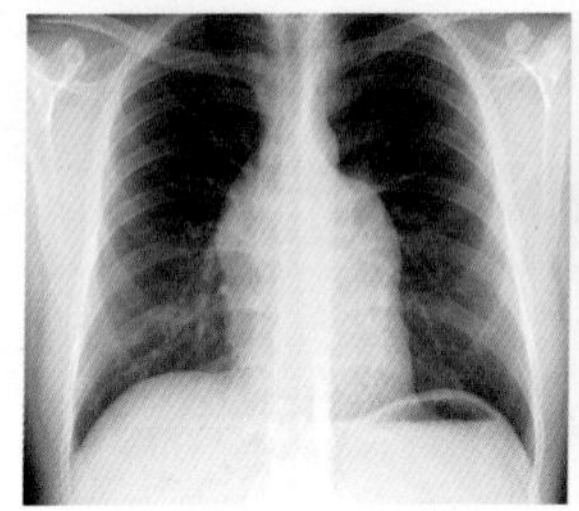

Lt, upper heart border contour 이상

aortic arch 앞으로 균질한 음영의 mass(⇨)

Germ cell tumor (teratoma)

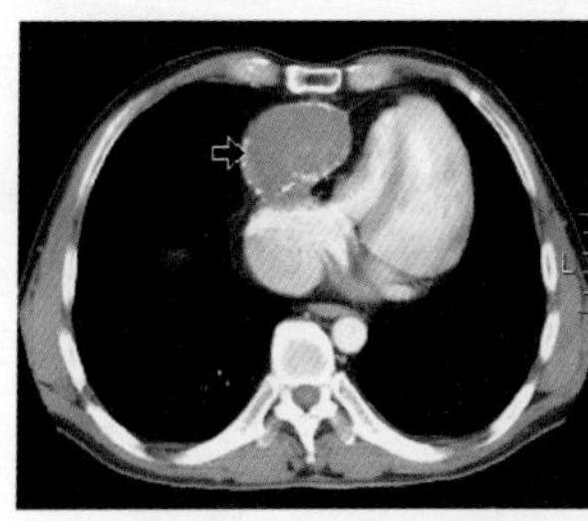

Ant.mediastinal mass에 calcific rim이 보인다.

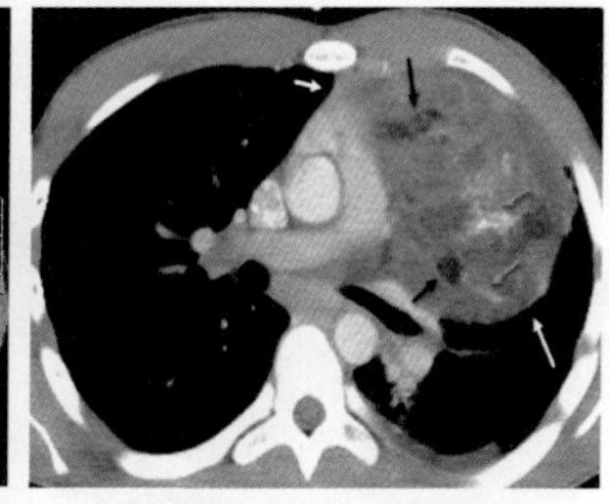

검은색은 fat, 흰색은 calcification
– 전형적인 teratoma

2. middle mediastinal mass

Mediastinal lymphoma

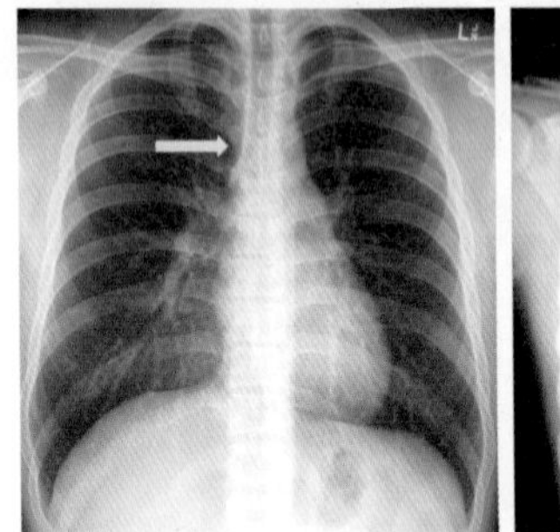

Normal mediastinum

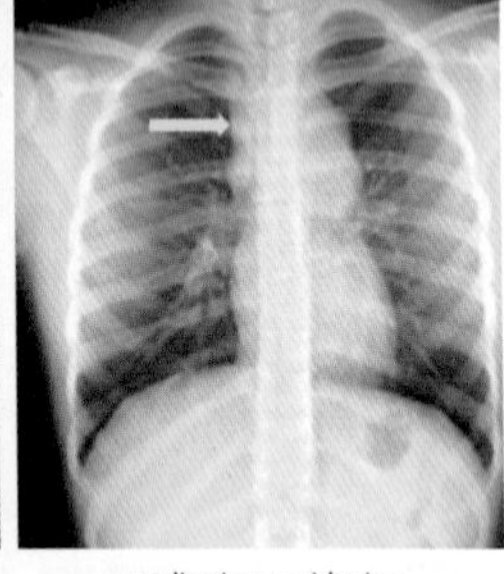

mediastinum widening

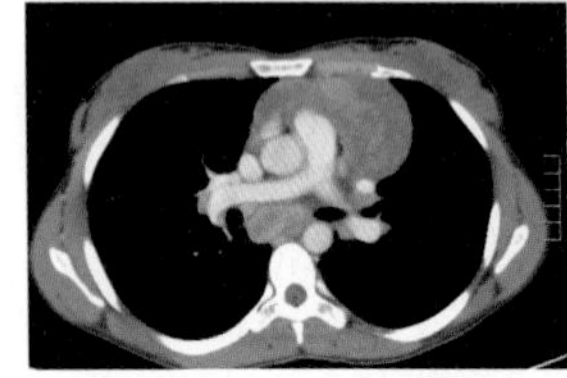

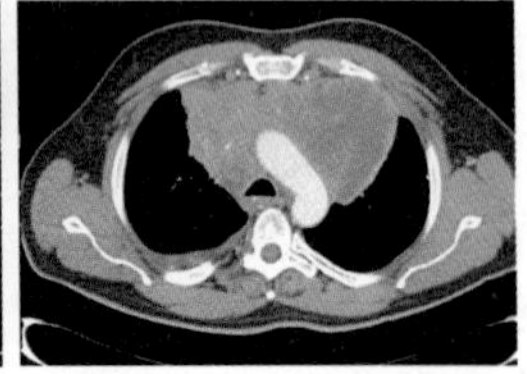

Mediasitnal lymphoma: 혈관사이로 촛농이 녹아 들어 간 것처럼 사이 사이로 스며들어간 것처럼 보이는 것이 lymphoma의 특징이다.

3. Posterior mediastinal mass

Neurogenic tumor

- 척추 주변에 발생(post. mediastinal tumor 중 m/c)
- peripheral nerves, nerve sheaths, sympathetic ganglion 등에서 유래
  (성인의 75% 이상은 nerve sheaths 유래, 소아의 85%는 ganglion 유래)
- schwannoma가 m/c nerve sheath tumor

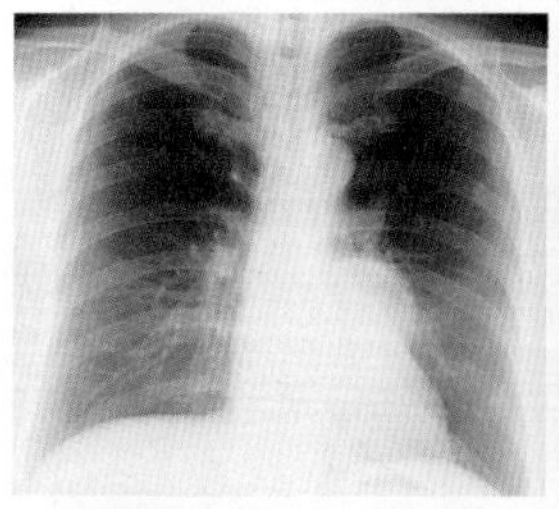

Silhouette sign (+) mediastinal mass

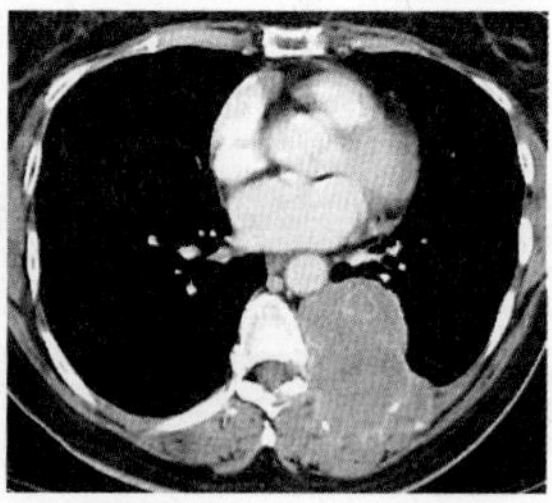

Lt. transverse process involving mass

Posterior mediastinum tumor는 대부분 neurogenic tumor다.

Vertebral body를 destruction 시키는 경우 확진이 가능하다.

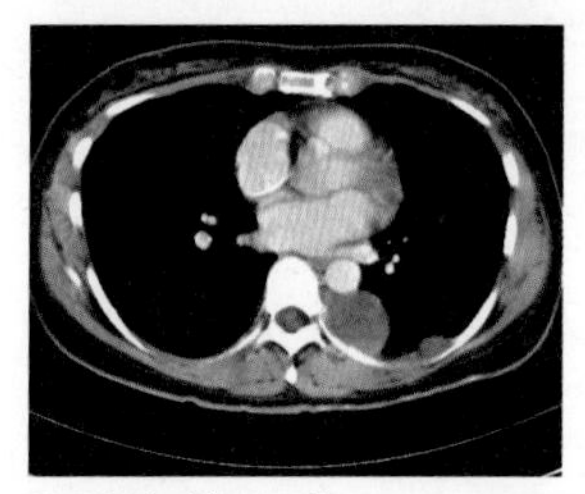

Vertebra body는 intact한 neurogenic tumor

부 록

03 호흡기내과에서
영상의학적 진단이 어려운 쳅터만 분류함.

03 | 세기관지염

영상의학 검사상은 특이한 소견없음.

Normal finding에서도 임상적인 증상만으로 진단가능함.

09 | 기관지천식(Asthma)

영상의학이 진단에 도움이 되지 않는다.

13 | 폐 고혈압

영상의학 검사가 도움되지 않는다.

14 | 환기 장애

영상의학 검사가 도움되지 않는다.

15 | 호흡부전

영상의학 검사가 도움되지 않는다.

17 | 기계환기

기계호흡의 합병증

barotrauma에 의한 pneumothorax가 생길 수 있다.

04

신장 내과

>>>>>>>>

01 서론

신장관련 검사

3. 영상검사

(1) 단순촬영(simple KUB)

- Kidney, Ureter, Bladder를 포함하는 복부, 골반강 주변을 촬영한다.
- 신장의 크기와 윤곽, psoas muscle의 윤곽을 살피고 비정상적인 석회화음영이나 공기음영, 종괴윤곽 등을 살핀다.

(2) 초음파(US)

- 신장에 종괴가 보일 때 고형성인지 낭성인지 구분.
- 정상 신장의 신피질은 간이나 비장에 비해 에코가 낮음.
- 신수질의 에코는 신피질의 에코에 비하여 좀더 높다.

(3) 경정맥요로조영술(Intravenous urography, IVU)

- 요오드 수용성 조영제를 정맥으로 주사한 후 조영제가 배설될 때
- 일정 시간이 경과할 때마다 조영된 요로를 촬영하는 검사법

- 조영제 주사 후 3~5분, 10~15분, 25~30분에 촬영, 필요에 따라 추가 촬영을 하기도 한다.
- **일정시간이 지나면 모든 조영제가 빠져나와야 정상이다.**
- 요관(ureter)은 연동운동을 하므로 보통 한 사진에서 전체가 조영되지는 않는다.
- 요오드 조영제를 사용하는 것과, 검사 시간이 긴 것이 단점이다.

(4) 전산화단층촬영(CT)

- 신장은 물론 신장 주변까지 볼 수 있는 것이 장점이다. Multi-detector CT: MDCT는 빠른 시간에 넓은 영역의 영상을 얻을 수 있고, axial은 물론, saggital, coronal image까지 얻을 수 있어서 신장, 비뇨기계 질환의 영상진단에서 유용성이 높다.
- Stone 또는 hemorrhage를 찾을 때는 조영제를 쓰지 않고 촬영한다. Inflammation, cancer 등이 의심될 때는 반드시 조영제를 사용한다. CT 조영제는 IVP 조영제와 같이 신장독성(renal toxicity)를 갖는다. 조영제 사용 전 신장기능의 점검 및 탈수 유무를 확인하는 것은 꼭 필요하다.

(5) 역행성신우조영술(RGP)

- 요관, 신우, 신배의 질환을 진단하는 가장 정확한 방법
- IVP에서 이상소견은 있으나 확실한 진단이 어려울 때 이용된다.
- 방광경검사로 카테터를 요관에 삽입한 후 수용성 조영제를 주입하여 요관, 신우, 신배를 조영하는 검사법이다. 방사선 투과성 요관결석이나 요로상피 세포 종양의 진단에 유용하다.

(6) 신혈관조영술(reanl angiography)

- 우측 대퇴동맥 또는 대퇴정맥을 통해 신동맥 또는 신정맥에 카테터 삽입 후 수용성 조영제 주입하며 촬영, 신동맥, 신정맥을 조영하는 검사법
- 진단은 물론 색전술 등의 intervention에도 활용된다.

(7) Renal scan (renography)

- 핵의학(Nucelar medicine)의 검사법.
- 비뇨기계 조직(tissue)에 specificity를 갖는 핵의학물질을 IV로 투여하며 영상을 얻는다.
- 구조의 변화는 물론 기능(function)까지 알 수도 있다(예: GFR 측정, Vesicoureteral reflux 진단 등).

05 만성 신질환 (Chronic kindey disease)

만성 신질환의 영상의학적 특징은

kidney 크기의 감소,

corticomedullary junction의 소실 두 가지를 들 수 있다.

신장의 크기가 정상 or 증가되는 만성 신질환

; diabetic nephropathy (증가), RPGN, malignant nephrosclerosis, obstructive uropathy, multiple myeloma, amyloidosis, polycystic kidney dz, HIV-associated nephropathy, scleroderma도 있음을 염두에 두어야 한다. 크기 만으로 만성 신질환을 진단하기에는 충분하지 않다.

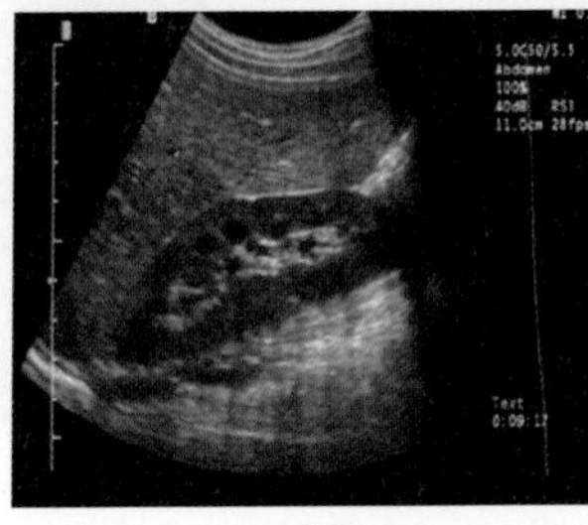

normal kidney

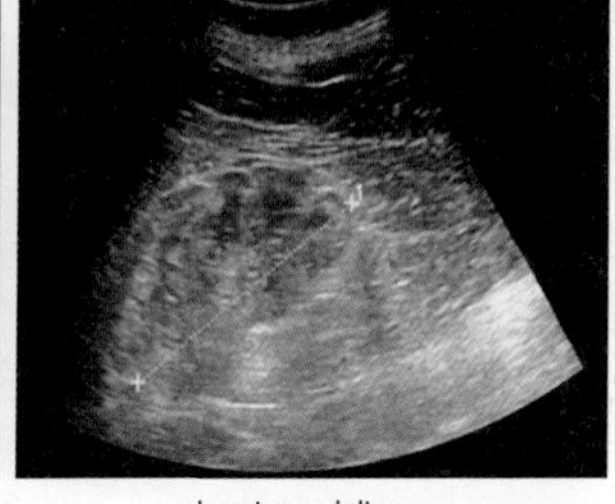

chronic renal disease

normal kidney와 chronic renal disease의 가장 확실한 차이는 corticomedullary junction의 유지 여부이다.

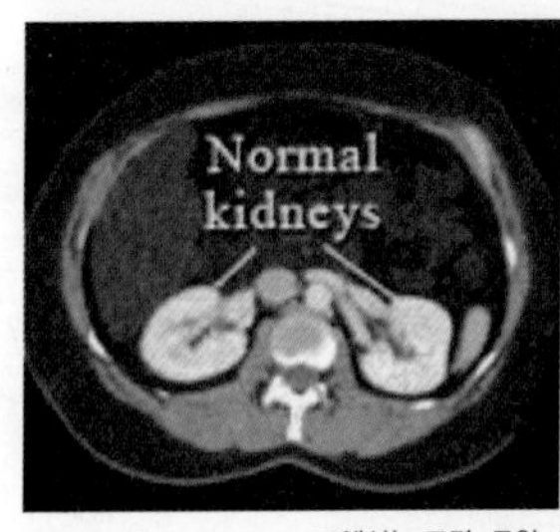

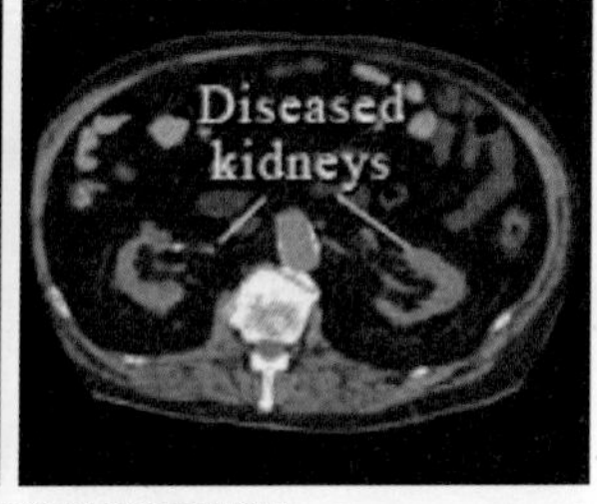

CT에서는 크기, 모양, 조영증강 정도로 판단한다.

CT에서는 corticomedullary junction은 보이지 않는다.

Kideny 크기, atrophy의 여부, 조영증강 정도로 만성신질환 여부를 판단할 수 있다.

06 신대체 요법
(Renal replacement therapy)

Kidney transplation

이식 초기 거부반응

거부반응 유무가 중요하다.

이식한 신장의 신동맥의 blood flow를 측정한다.

Renal Doppler를 이용한다.

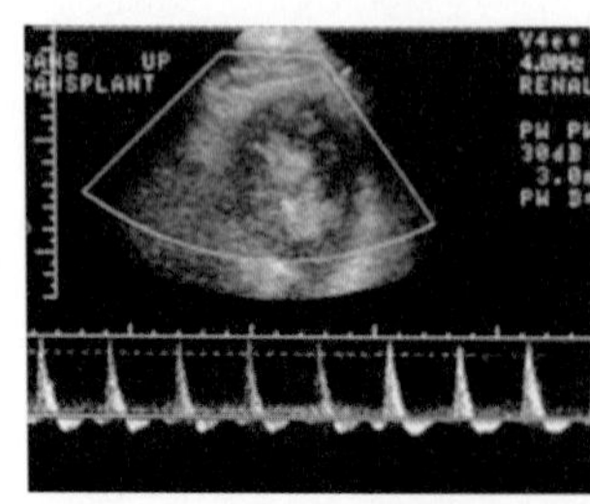

정상 blood flow의 파형

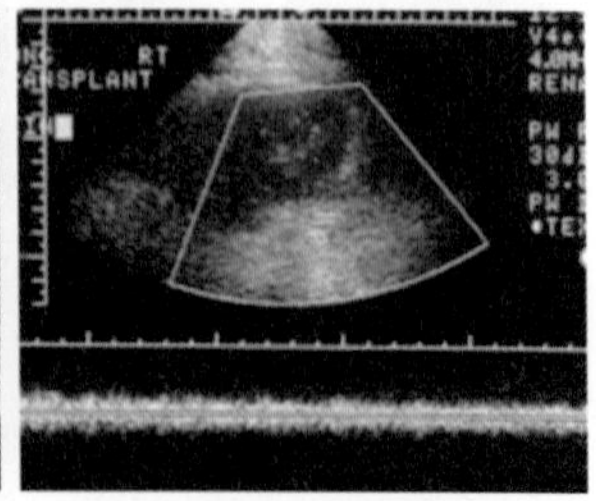

blood flow가 없는 파형

세뇨관간질성 신질환 (Tubulointerstitium renal disease)

만성 세뇨관간질성 질환(Chronic tubulointerstitial diseases)

■ 진통제 콩팥병증(Analgesic nephropathy)

IVP: papillary necrosis 소견

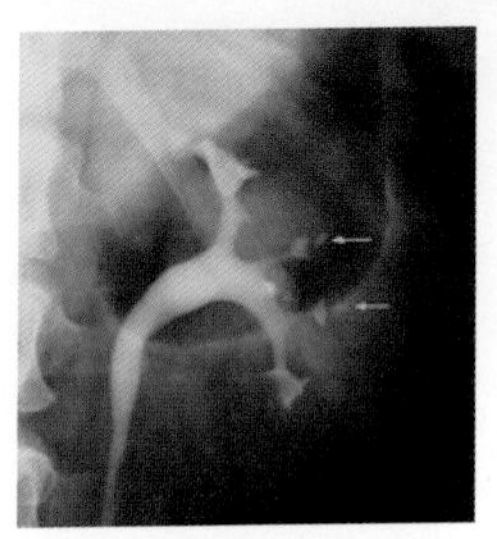

necrosis가 일어난 자리,
Paplillary에 조영제가 고여있다.

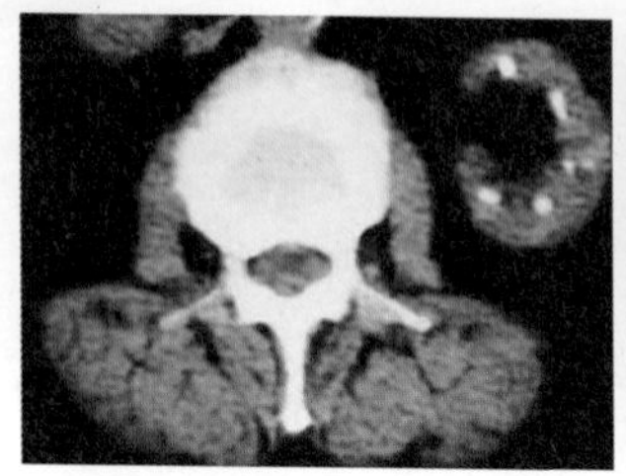

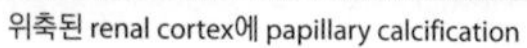
위축된 renal cortex에 papillary calcification

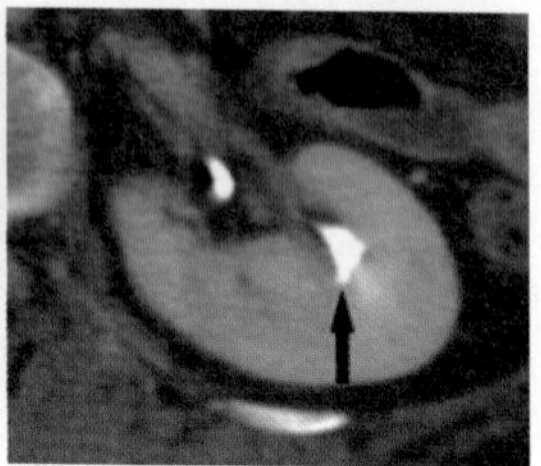

CT: papillary calcification(➡)

■ 방광요관역류(Vesicoureteral reflux, VUR)

실시간으로 역류하는 것을 보거나 RI에서 보아야 확진이 가능하다.

VUR이 경과되면 결과물로 ureter 및 renal pelvis가 확장이 일어난다.

Ureter 및 renal pelvis가 확장되면 ⇨ 신장손상

확진은 Voiding cystourethrography (VCUG)를 사용한다.

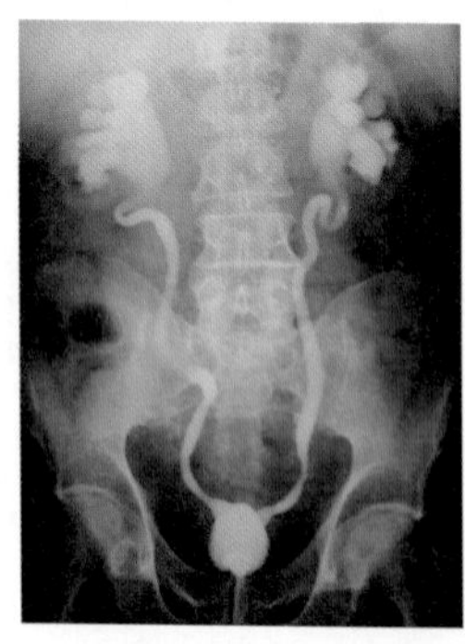

양측으로 ureter dilatation, hydronephrosis가 보인다.

10 유전성/세뇨관 신질환

낭성신장병/주머니콩팥병(cystic kidney disease)

1. 보통 염색체 우성 다낭콩팥병 (Autosomal dominant polycystic kidney disease, ADPKD)

Mudulla와 cortex에 고르게 multiple cysts 발생 신장크기가 매우 커짐

- US: 양측 신장에 각각 2~4개 이상의 cyst, 크기는 1~3 cm
- CT: 작은 cyst 발견에 더 좋음

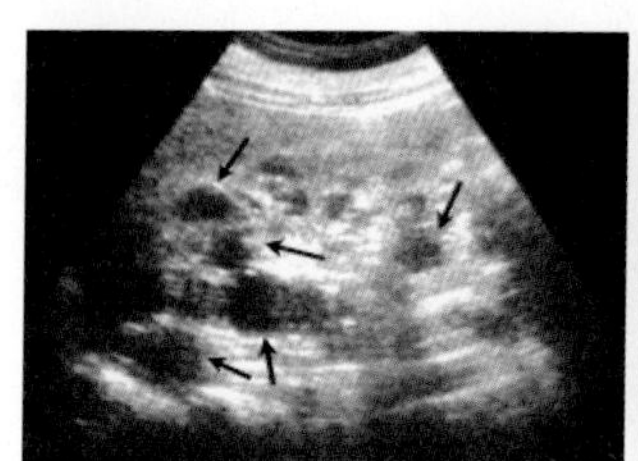

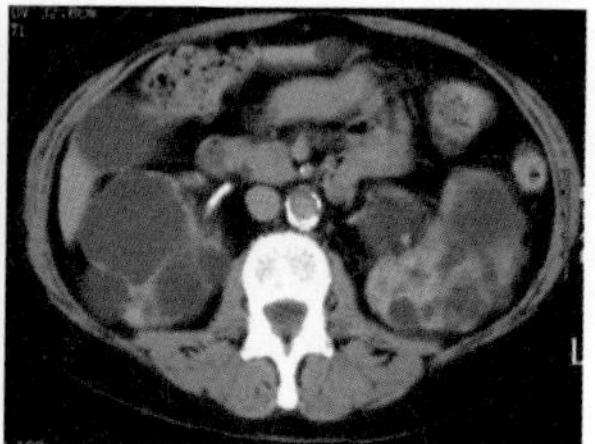

US, CT: 여러 개의 낭종이, 양쪽 신장에서 보인다.

2. 보통 염색체 열성 다낭콩팥병 (Autosomal dominant polycystic kidney disease, ADPKD)

신생아기; 매우 거대해진 신장 신장을 보이며, pulmonary hypoplasia를 보인다.

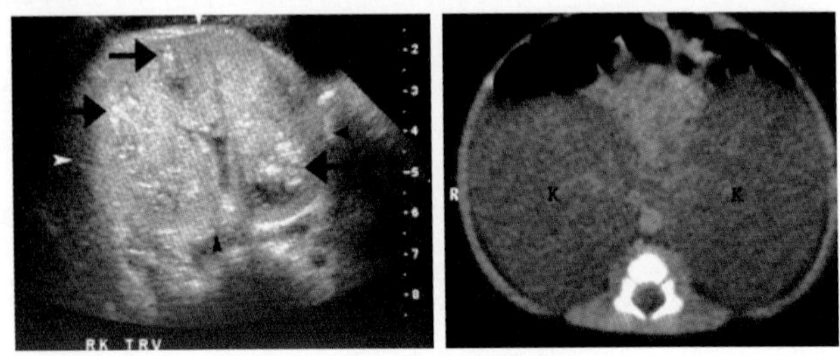

US, CT: 아주 작은 셀 수 없는 신장이 양쪽 콩팥에 보인다.

3. 결절경화증(Tuberous sclerosis)

전신의 양성종양(e.g., hamartoma)

; 피부(m/c, >90%), CNS, 심장, 신장, 폐, 간, 눈

Brain MRI: tuberous sclerosis

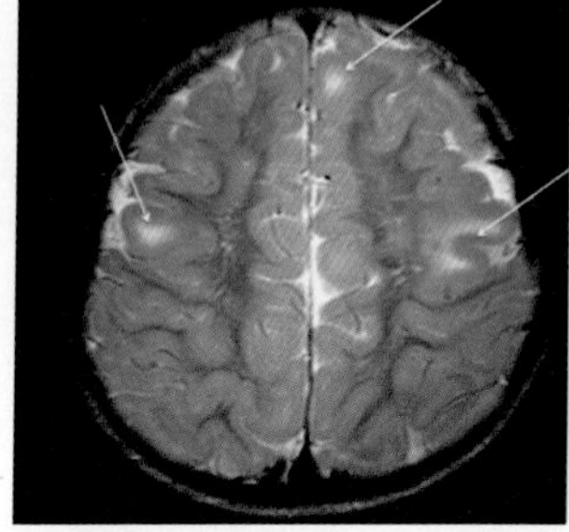

Cortical tubers

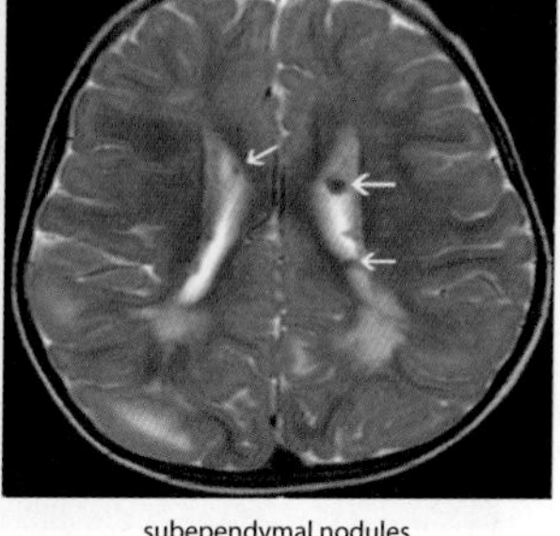

subependymal nodules

4. Von Hippel-Lindau disease (VHL)

시험문제 출제하기 좋은 질환이다.

- retina와 CNS cbll에 hemangioblastoma 발생
- pheochromocytoma, RCC 등이 발생
- 신장, 췌장, 부고환 등에 흔히 cysts 동반

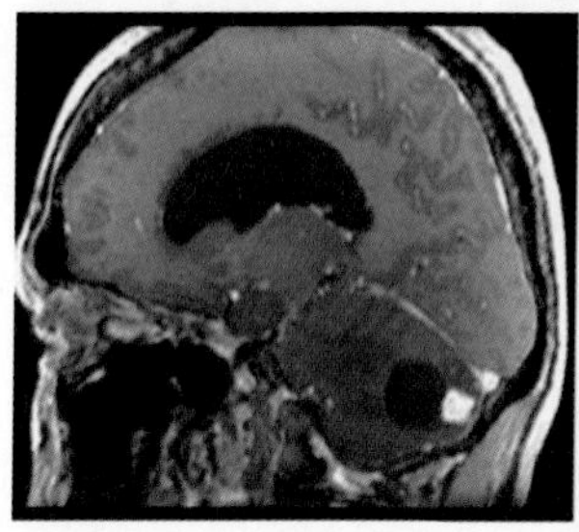

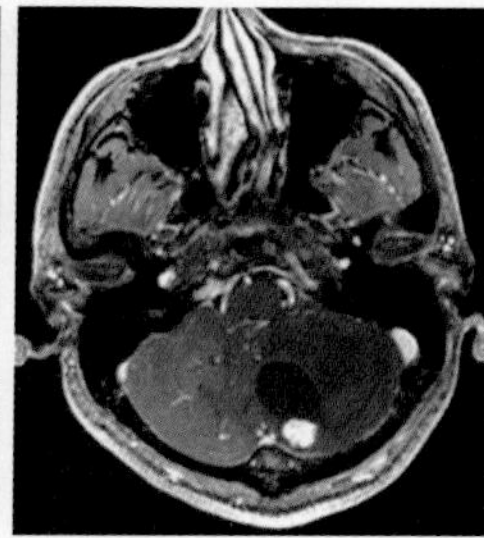

Lt. cbll에 mural nodule을 갖는 mass가 있다.

(cerebellum에 mass ⇨ VHL를 떠 올리자)

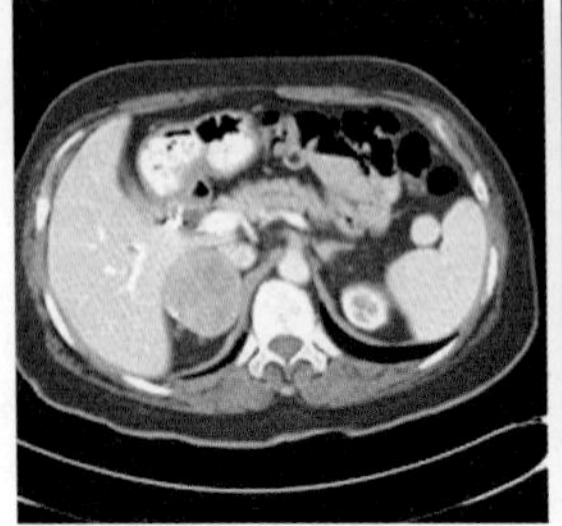

Pheochromocytoma: vertebra와 body diameter 비슷한 크기

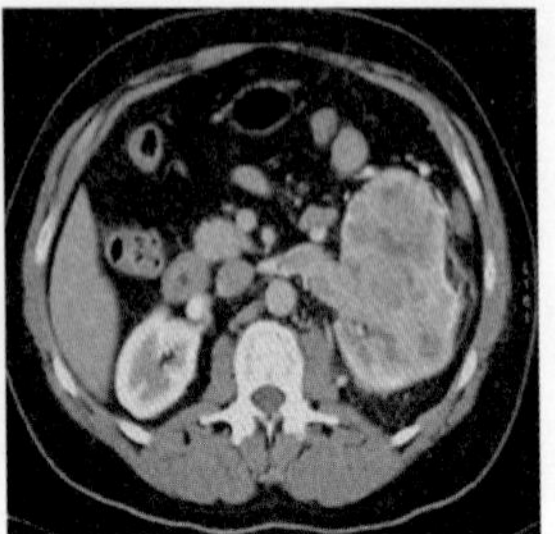

RCC: kidney 모양을 바꾸며 커진다.

5. AD tubulointerstitial kidney disease (과거 medullary cystic kidney disease)

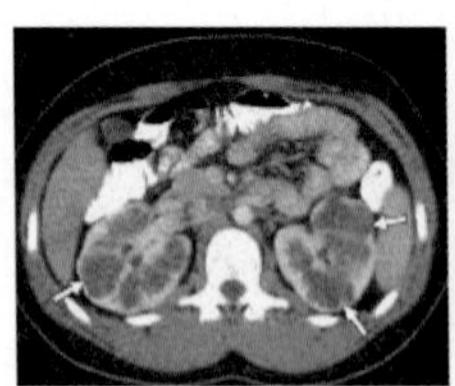

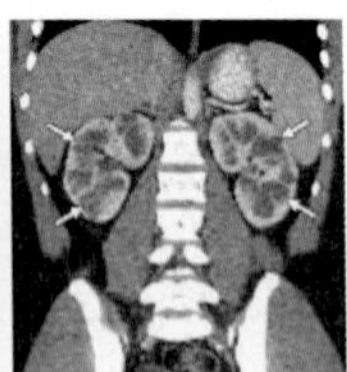

Both medullar에 multiple cysts가 보인다.

6. 속질해면 콩팥(Medullary sponge kidney, MSK)

약 50%에서 신석회화가 관찰됨(다른 장기는 침범하지 않음)

- 진단(IVP, 요즘엔 CT urography)

; 확장된 collecting ducts에 조영제가 채워진 꽃다발 모양("papillary blush"), medullary nephrocalcinosis 검사 중 우연히 발견되는 경우도 많음

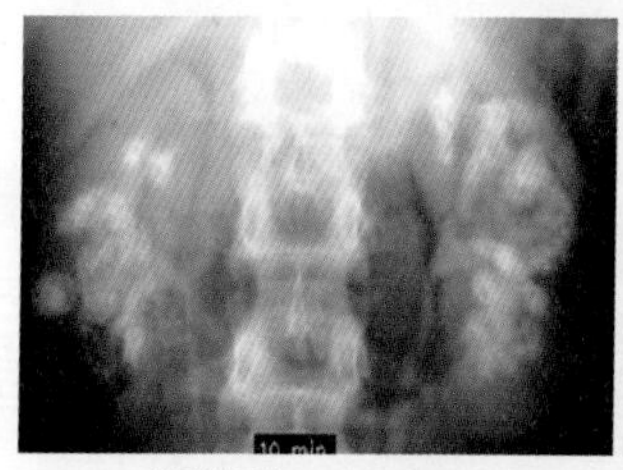

꽃다발 모양(papillary blush)

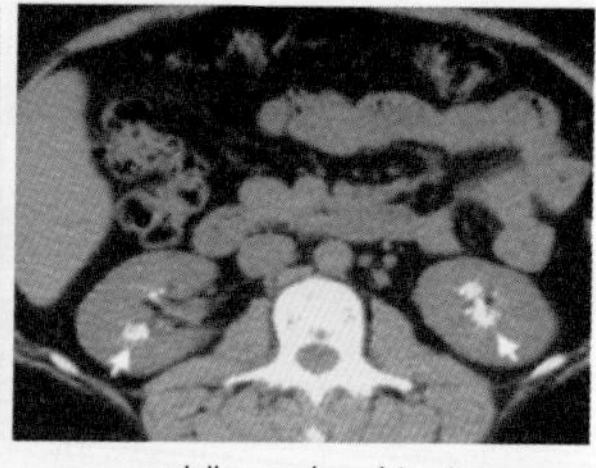

medullary nephrocalcinosis

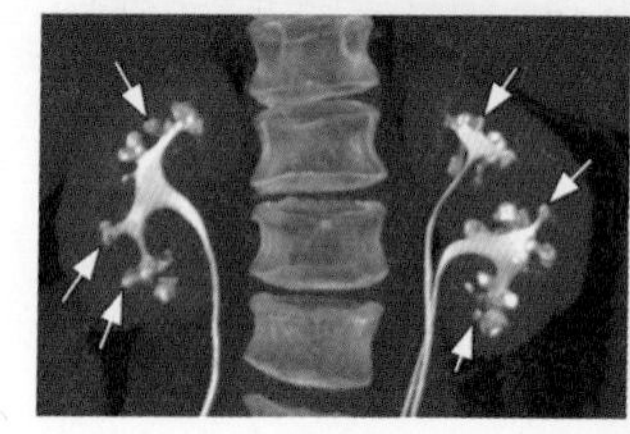

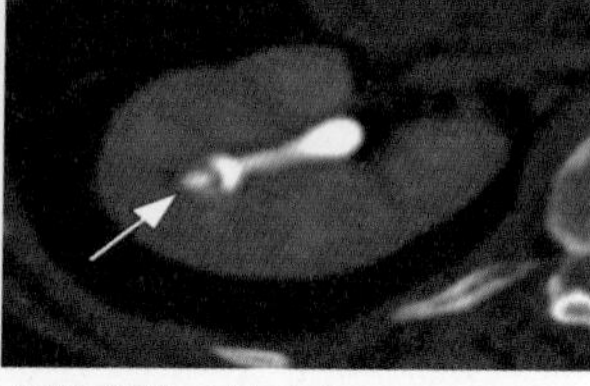

CT urography: papillary blush(보이는 방울은 calcification)

7. 단순 콩팥낭종/신낭종(Simple renal cyst)

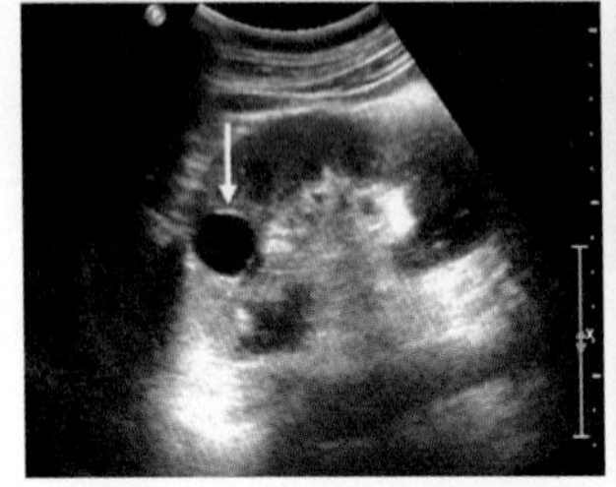

US: 원형의 무에코 병변 및 후방음영증가

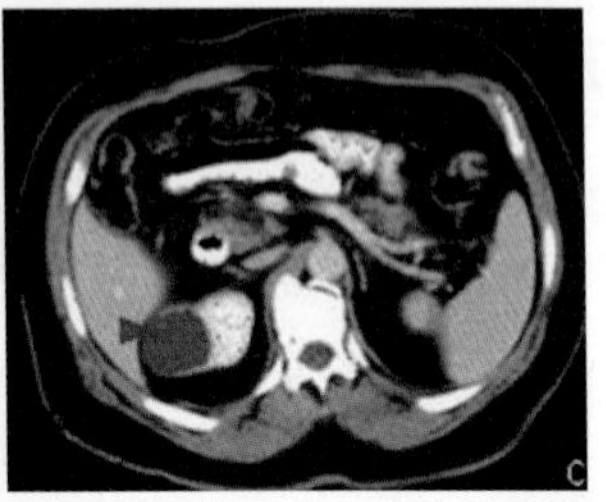

CT: 균질한 저음영 종괴, 우측 신장 상부

11 신혈관 질환

허혈성 신질환

1. 신동맥의 Thromboembolic occlusion

- CT로 진단, kidney infarction 또는 renal artery embolism을 찾는다.
- Renal angiography; 확진 가능하지만 invasive
- Embolic renal artery occlusion의 경우 반드시 심장초음파 등으로 심장 thrombus를 확인해야함(추가 검사를 묻는 것으로 출제하기 좋다.)

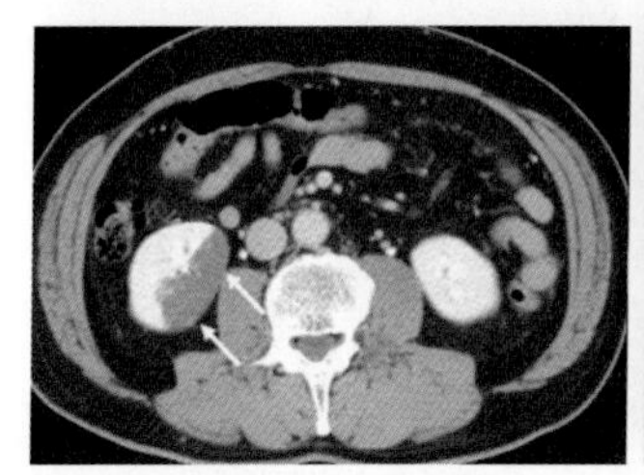

Rt. kidney wedge shape infarction

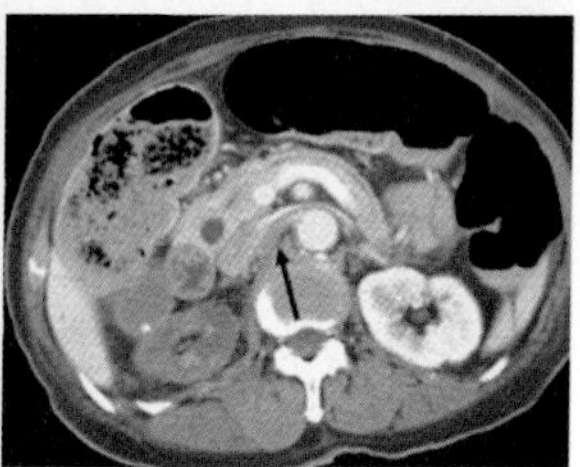

vessel 내부 embolism

2. 신혈관의 atheroembolic occlusion (cholesterol embolization)

3. 신장동맥 협착증(Renal artery stenosis/Renovascular hypertension)

Renal doppler US: 신동맥의 구조, 기능적 평가를 동시에 시행

Initial screening test로 좋음

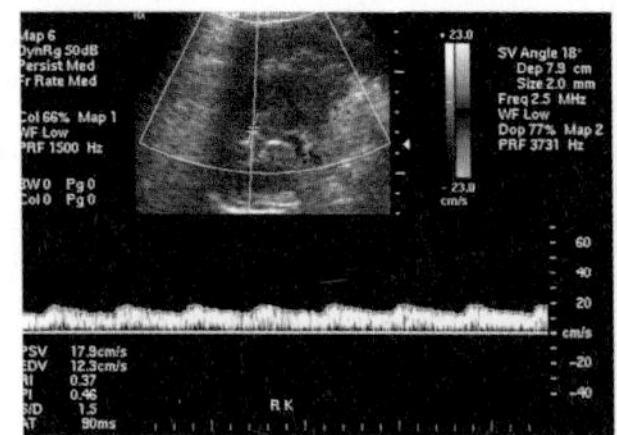

정상

renal artery stenosis

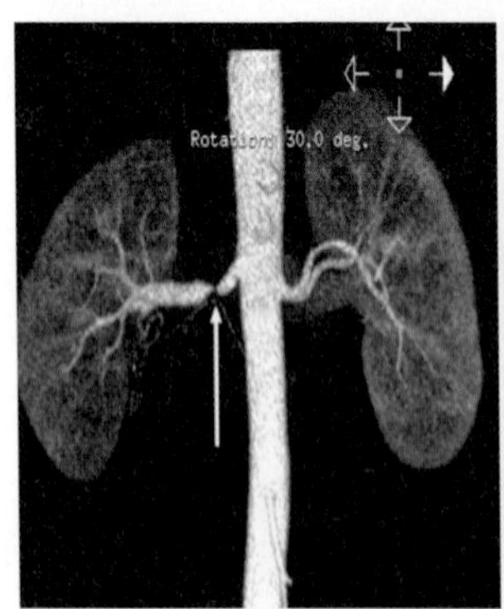

MDCT: Rt. RA stenosis

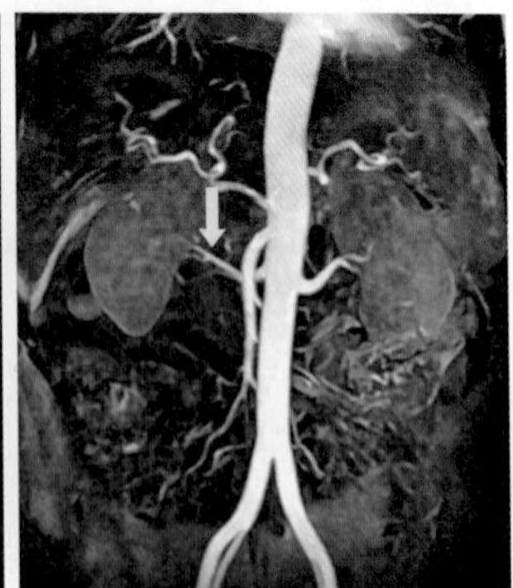

MRA: Rt. RA 가늘어져 있다

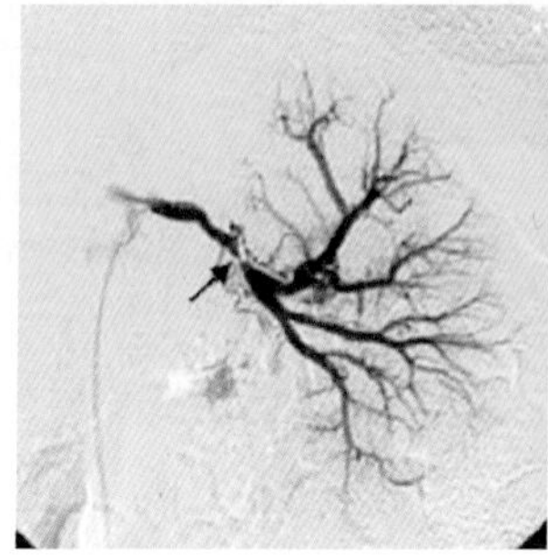

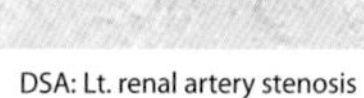

DSA: Lt. renal artery stenosis

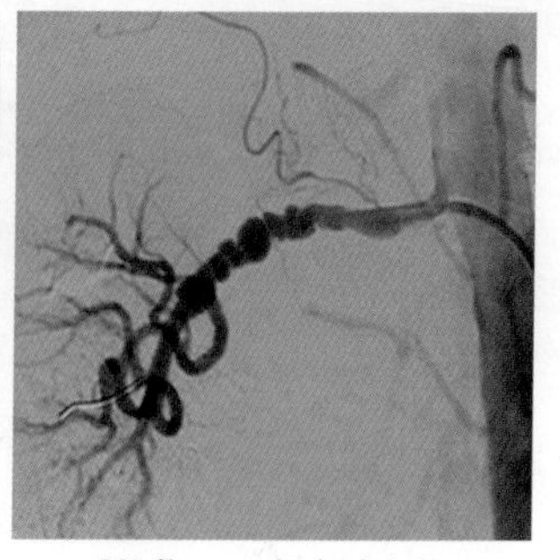

DSA: fibromuscular dysplasia, Rt.

Renal angiography: gold standard ⇨ 치료예정인 경우 권장

신정맥 혈전증(Renal vein thrombosis; RVT)

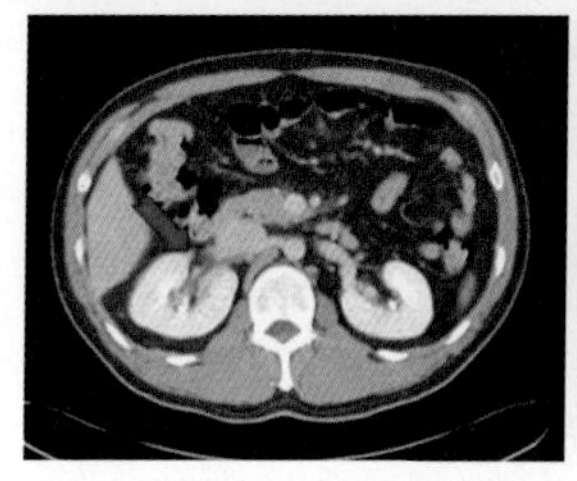

Rt. Renal vein thrombosis

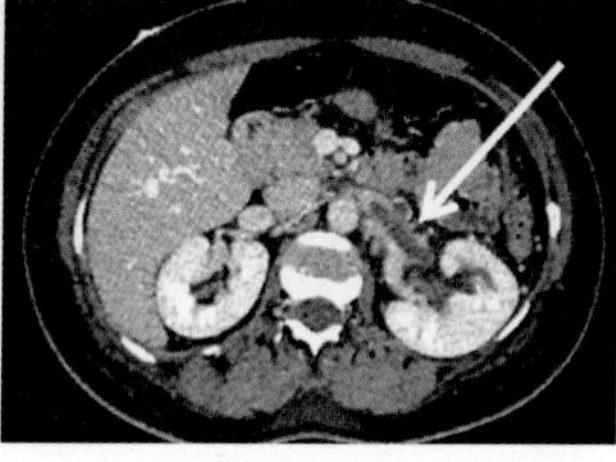

Lt. renal vein thrombosis

12 요로 결석

■ **신석회화증(nephrocalcinosis)의 원인**

- 피질: cortical necrosis, transplant rejection, chronic GN, trauma, TB, oxalosis
- 수질: hyperparathyroidism, type 1 RTA, medullary sponge kidney, sarcoidosis, oxalosis, drugs (e.g., furosemide, acetazolamide, amphotericin, triamterene).
- 신우, 신배, 요관: hyperparathyroidism, sarcoidosis, Cushing's syndrome
  c.f.) 결핵: 신장 전체와 요관에도 석회화

진단

1. KUB

결석의 크기, 모양, 위치 등을 파악 추가적인 정보는 제한적임

90%의 결석은 x-ray에서 보이지 않음

Ureter는 pedicle과 transverse process 사이를 주행한다.

Stone으로 보이는 것이 발견되어도 ureter의 주행과 맞지 않으면 ureter stone은 아니다.

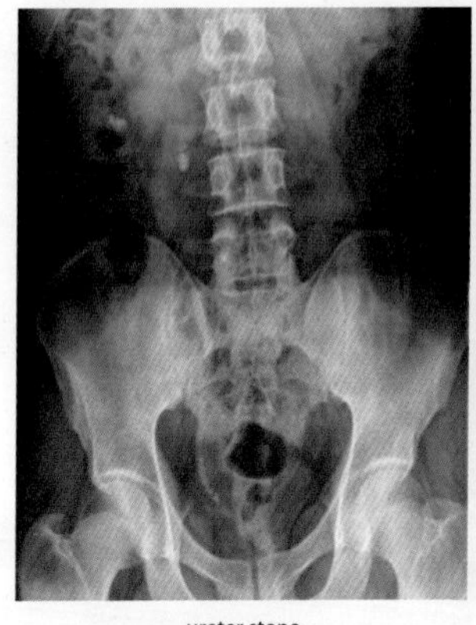

ureter stone

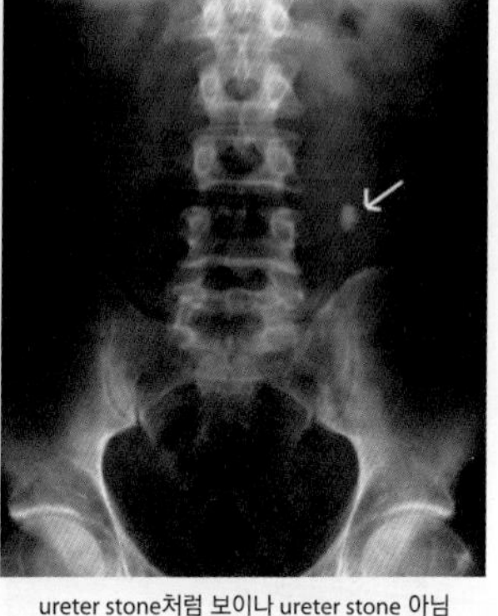

ureter stone처럼 보이나 ureter stone 아님

2. 초음파

임신, 신장기능 저하 등 x−ray, 조영제 사용이 제한될 때 고려

posterior shadowing과 hydronephrosis 소견으로 진단(sensitivity가 매우 낮음

신장 및 요관 근위부만 관찰 가능(대부분의 요관 결석은 진단 불가능)

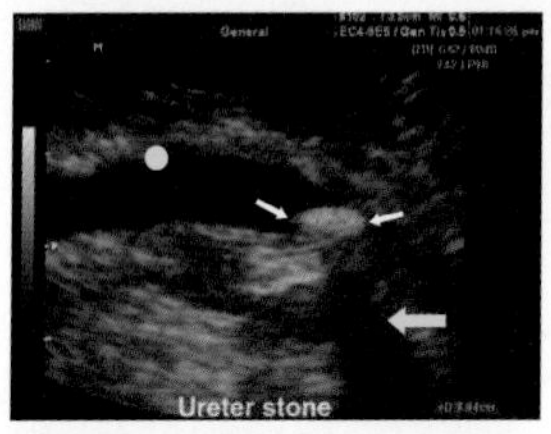

후방음영증강(화살표) 근위부 요관 확장(원)

3. IVP

결석진단의 표준검사였으나 CT로 대치되고 있다.
신기능과 요로의 변화를 알 수 있는 것이 장점이다.
요오드 조영제를 사용, 오랜 검사 시간이 단점이다.

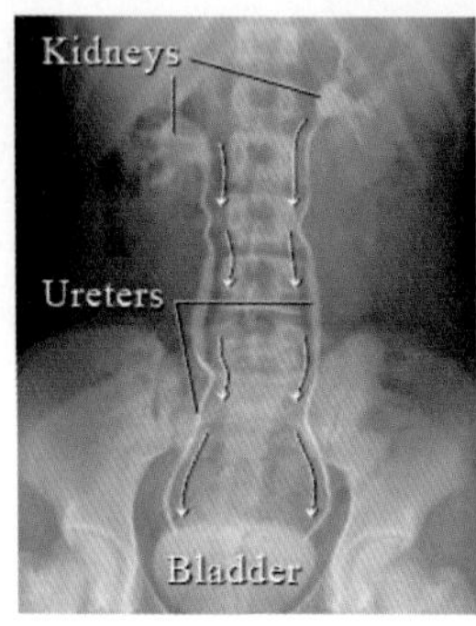

정상

늘어난 collecting tube(⇨)

4. CT

요로결석 진단의 choice Sensitivity, specificity 매우 높음(1 mm까지 발견 가능)
(조영제는 요로계 내에서 결석과 혼동될 수 있으므로 사용 안함)
KUB에서 안보이는 x-ray 투과성 결석도 발견, 다른 병변도 발견 가능하다.
검사시간이 짧고 조영제를 사용하지 않으면서 stone을 발견할 수 있는 장점도 있다.

* stone, hemorrhage 등이 의심되면 조영제를 사용하지 않고 CT 시행한다.
Uncontrast CT 또는 Non enhancement CT (NECT)라고 부른다.

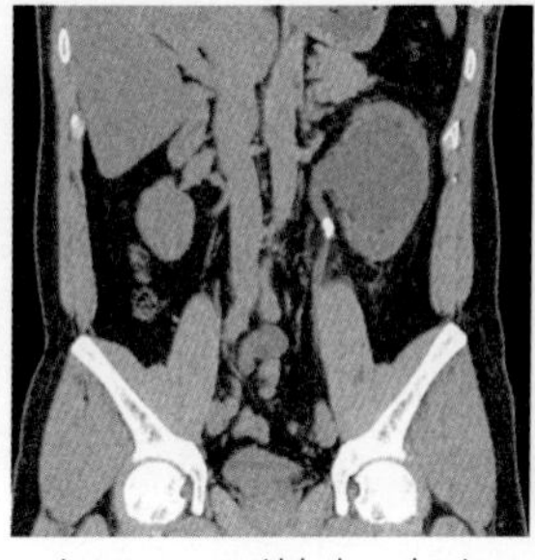

Lt. ureter stone with hydronephrosis

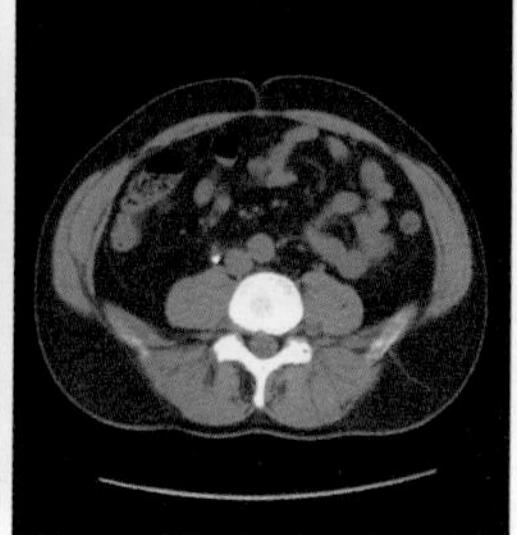

Rt. ureteral stone

Staghorn stone

Ureter로 가지 못하고 매우 커져서 renal pelvis/calyx를 꽉 채운 것

치료: Double J catheter를 고려한다.

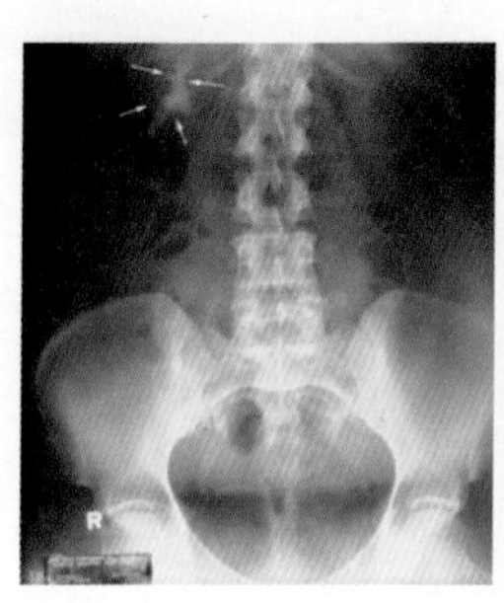

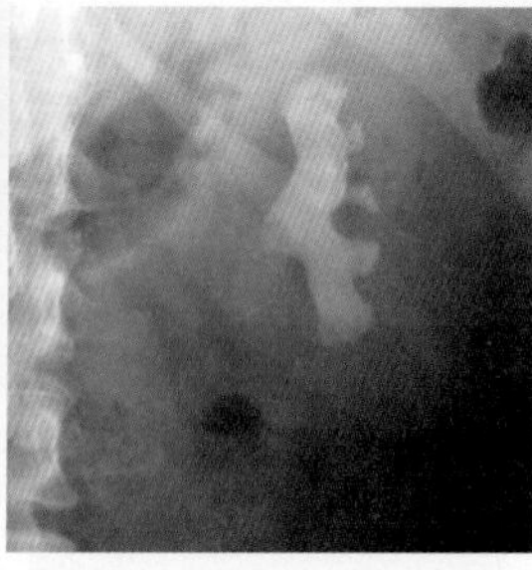

Renal pelvis에 radioopaque lesion이 보임

- Ureter로 가지 못하고 매우 커져서 renal pelvis/calyx를 꽉 채운 것

13 요로 감염
(Urinary tract infection)

처음 screening 검사로는 US를 사용한다. 이후 상황에 따라 CT, IVP, VCUG 등을 이용. 핵의학 검사법 중 하나인 ^{99m}Tc−DMSA scan을 하면 APN, scar의 진단에 도움을 받을 수 있다.

신장 요로 결핵

KUB; 50% 이상에서 석회화 관찰됨

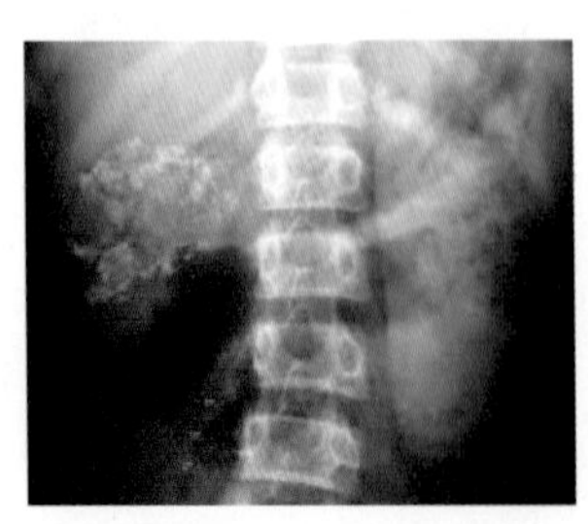

Rt.kidney 음영이 보이지 않고,
상부절반에 석회화보임

- US, CT; 신실질의 종괴, 흔히 석회화 동반, 주위 신실질의 위축

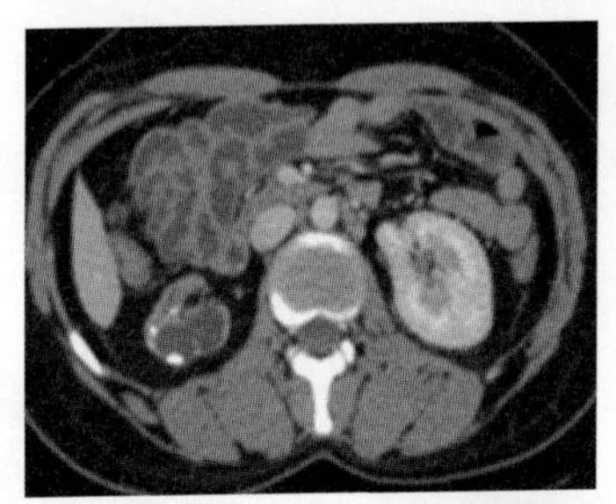

Rt.kidney 신실질 위축, 석회화 보임: renal tbc.

- IVP 소견
  - 신배가 파괴되어 불규칙하고 좀 먹은 모양(destructive lesion)
  - 요관의 다발성 협착 또는 확장(염주 모양)

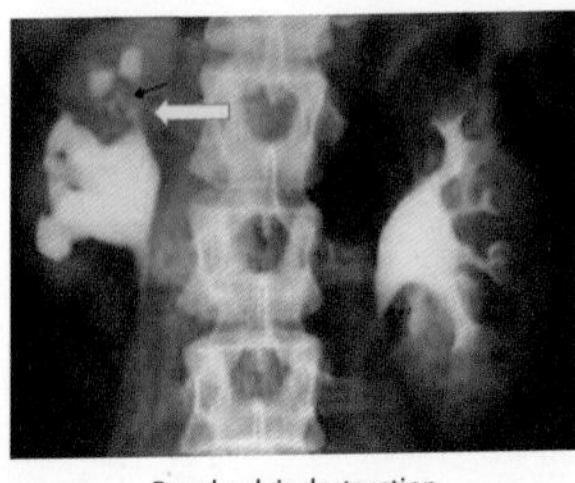

Renal pelvis destruction

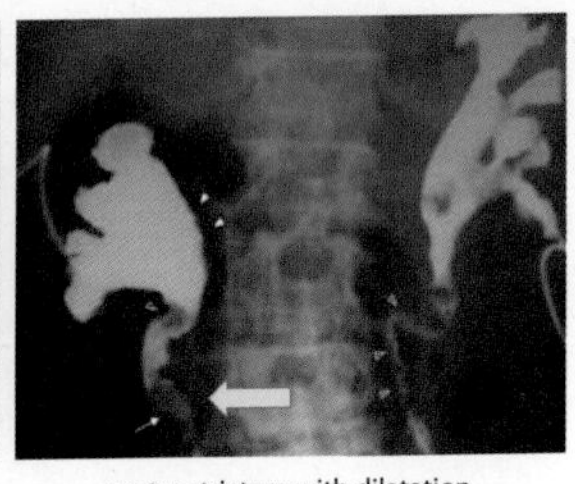

ureter stricture with dilatation

- 만성적인 신우의 협착 → 신배/신우 확장 → 수신증 → 기능소실, 석회화 (autonephrectomy)

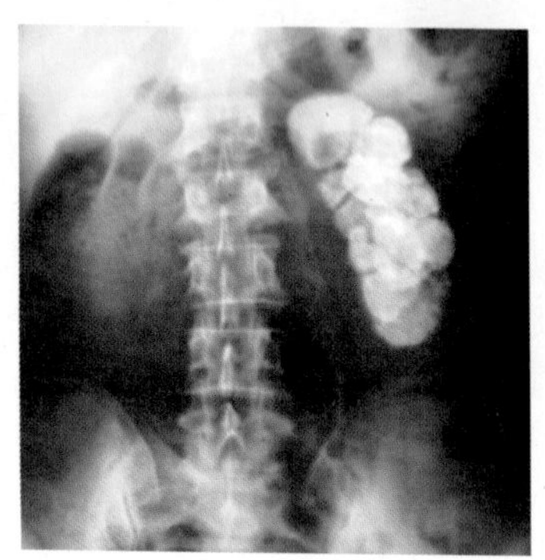

Lt. autonephrectomy status: 신장기능은 없다.

- 기타; 방광경, CXR(활동성 신결핵 환자의 50~75%에서 폐결핵 소견 보임)

유두부 괴사(papillary necrosis)

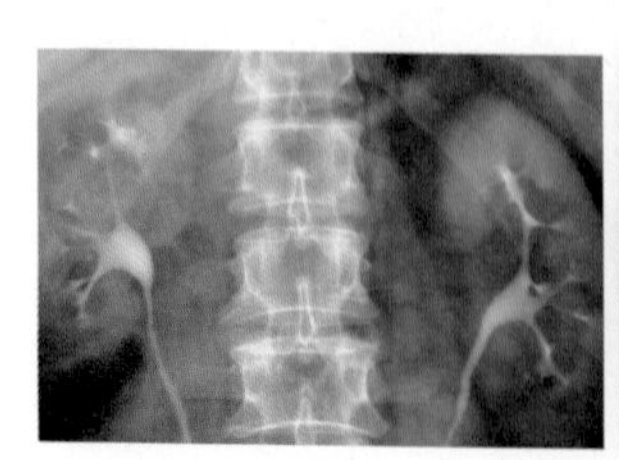

Normal IVP

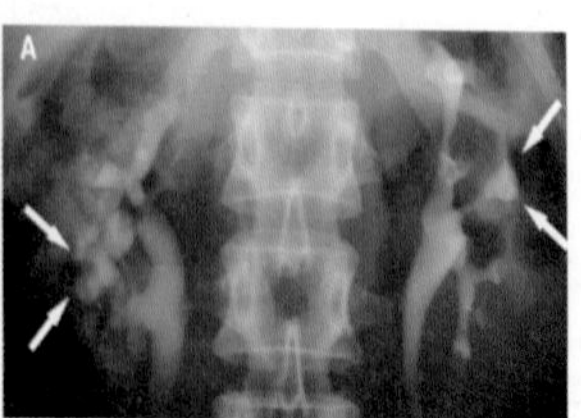

papillary necrosis

기종성 신우신염(emphysematous pyelonephritis)

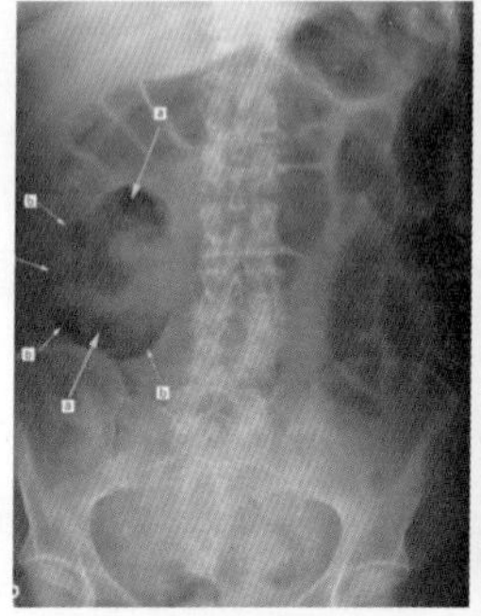

Rt. Kidney에서 air가 보인다

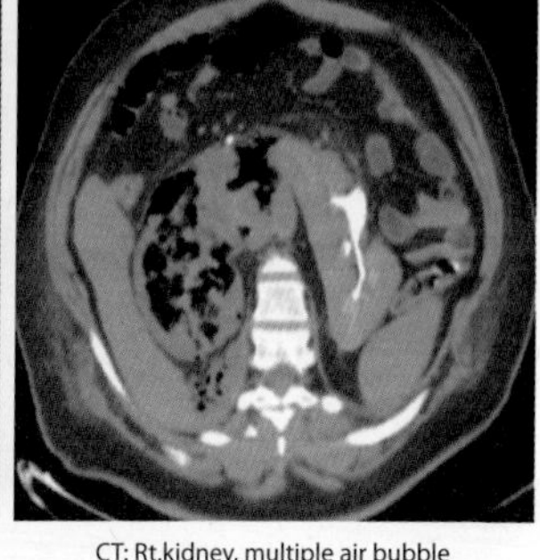

CT: Rt.kidney, multiple air bubble

신장, 신장주위 농양(renal, perirenal abscess)

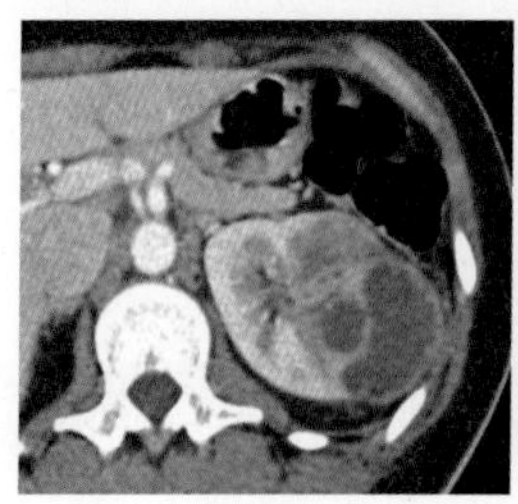

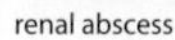

renal abscess

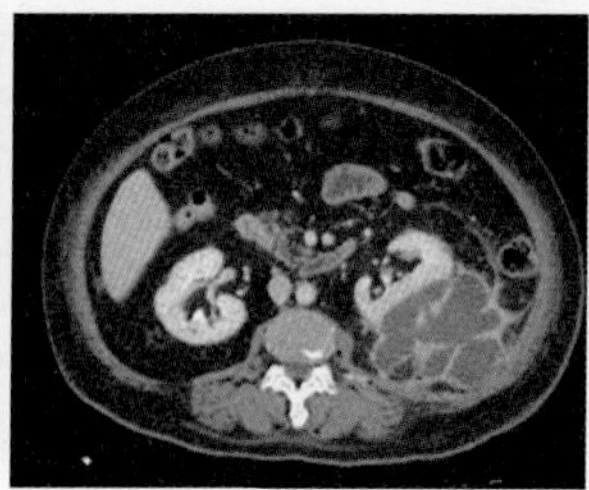

perirenal abscess

요로 폐쇄 (Urinary tract obstruction)

상부요로 – ureter

하부요로 – bladder 이하로 나뉜다.

요로 폐쇄는 상부요로/하부요로에 따라 진단과 치료방법이 달라진다.

1) 상부요로 폐쇄증의 진단

KUB: radio–opaque stone이 있으면 보이는데 10% 미만이다. 진단가치가 낮다.

US: hydronephrosis or hydroureter (proximal ureter 밖에 못 본다.)

IVP: 정확한 요로 폐색의 위치와 정도 확인 가능

MDCT: coronal image를 얻을 수 있어서 ureter study에 많이 쓰인다.

Renal scan: 신기능과 폐쇄부위를 동시에 알 수 있다.

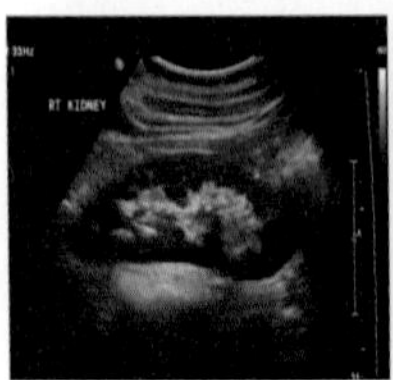

정상 신장

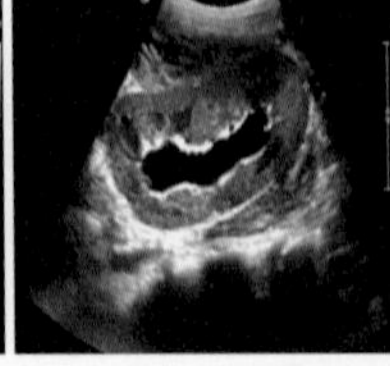

hydronephrosis

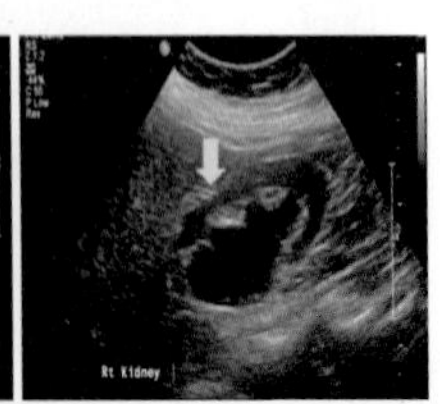

hydronephrosis로 얇아진 cortex

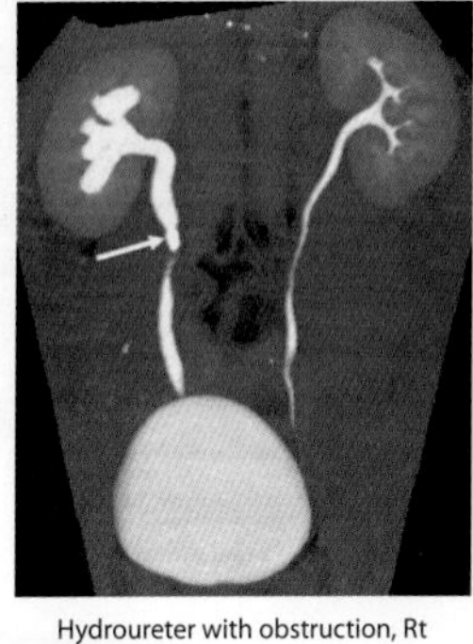

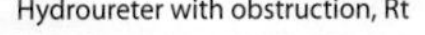
Hydroureter with obstruction, Rt

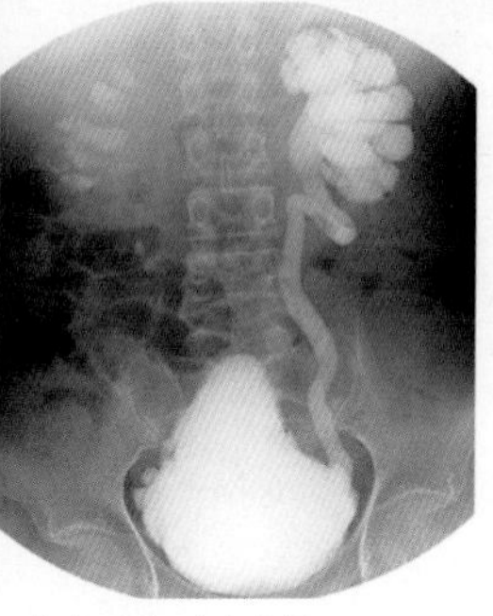

hydronephrosis, both Lt.
hydroureter neurogenic bladder

2) 하부요로 폐쇄증의 진단

VCUG

- Cystoscopy
- MDCT
- Urethral obastruction (cancer) with bladder distension

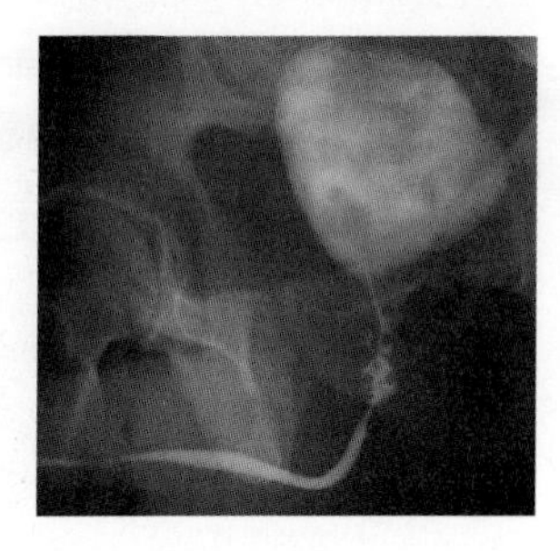

15 신장 및 요로 종양

신세포암/콩팥세포암종(Renal cell carcinoma, RCC)

- IVP (specificity 낮음): 종양이 클 때만 집합계의 변형/소실, 신장의 윤곽 변형
- US: solid(→ 악성 가능성 높음)/cyst 구분
- CT: 진단 및 병기 판정에 가장 유용

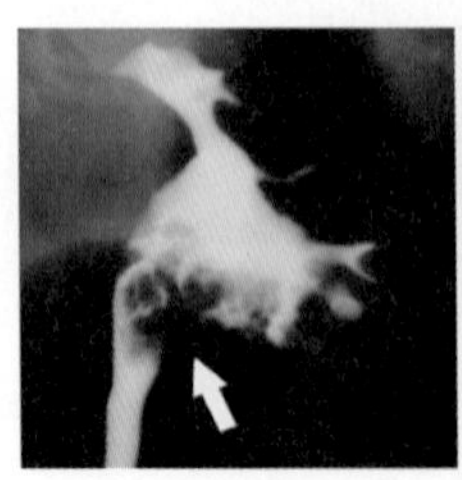

IVP: 불규칙한 충만결손

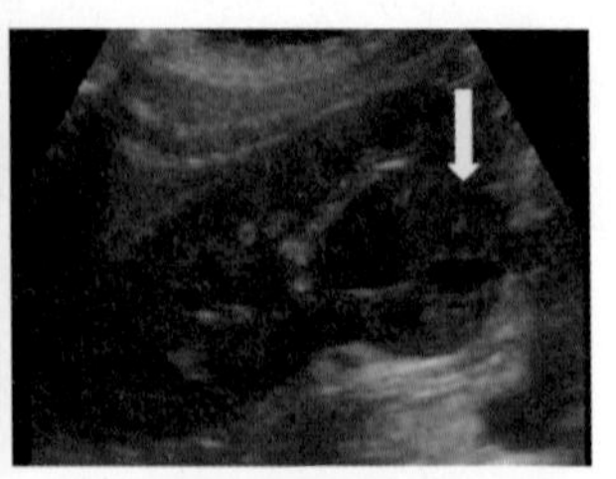

CT 신장의 외연을 바꾸는 mass

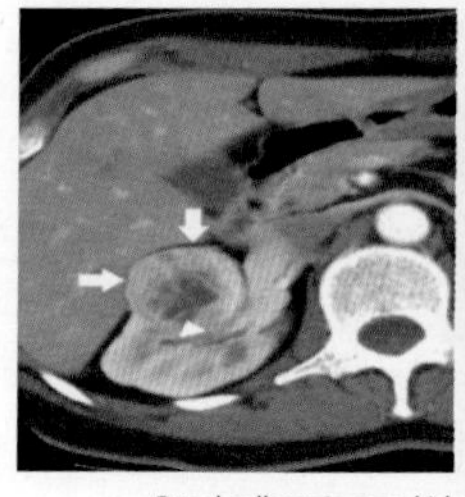

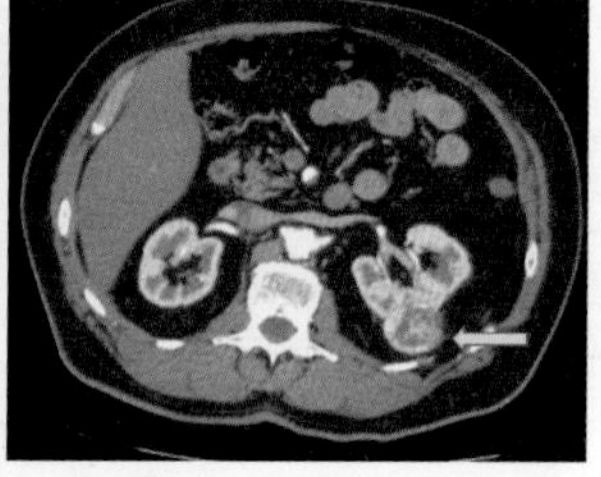

Renal cell carcinoma: kidney contour를 변형시키는 mass가 있다.

요로상피 세포암(Urethelia carcinoma)

방광암(bladder cancer)

- IVP, US, CT, MRI: bladder 내의 filling defect 등으로 진단

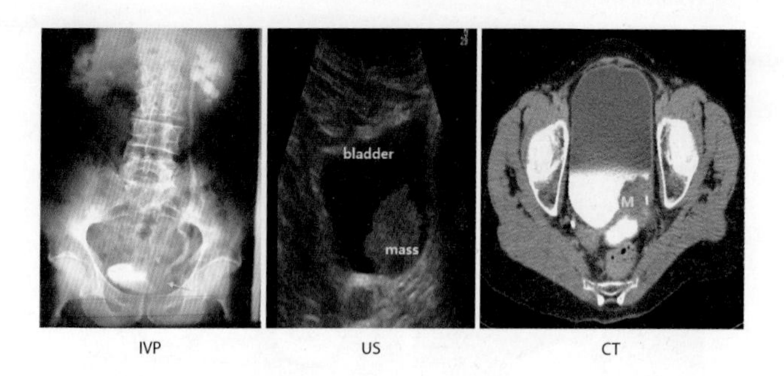

IVP US CT

IVP: Lt. kidney의 hydronephrosis with osbstructive uropathy가 있다.
Bladder 좌측에 충만결손(filling defect)이 보인다.
cancer에 의한 Lt. side obstructvie uropathy with hydronephrosis 소견 의심된다.
US: Urinary bladder 좌측에 불규칙한 변연을 갖는 mass가 있다.
(소변을 참게 하여 bladder를 확장시킨 후 bladder 초음파를 해야 한다.)
CT: Urinary bladder 좌측에 불규칙한 변연을 갖는 mass가 있다.
(소변을 참게 하여 bladder를 확장시킨 후 bladder CT 해야 한다.)

- Bladder 앞의 진한 회색은 물(소변), 뒤쪽의 흰색 액체는(CT 조영제: 요드)

신우 요관의 이행세포암, 상부 요로상피암(TCC of the pelvis and ureter)

- IVP
- cystoscopy로 진단한다.
- CT도 진단

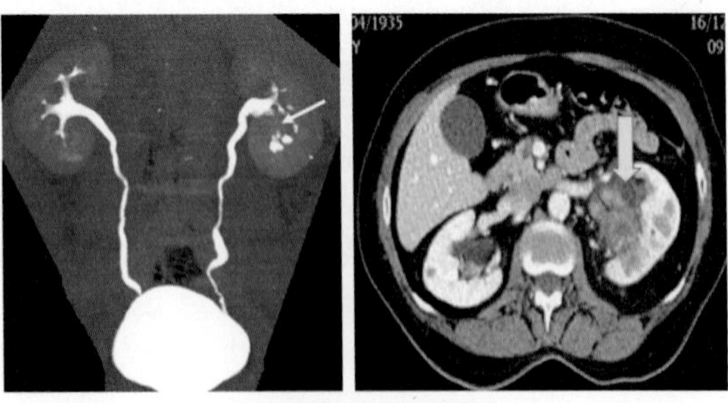

기능. 위치와 크기에 따라 달라진다.

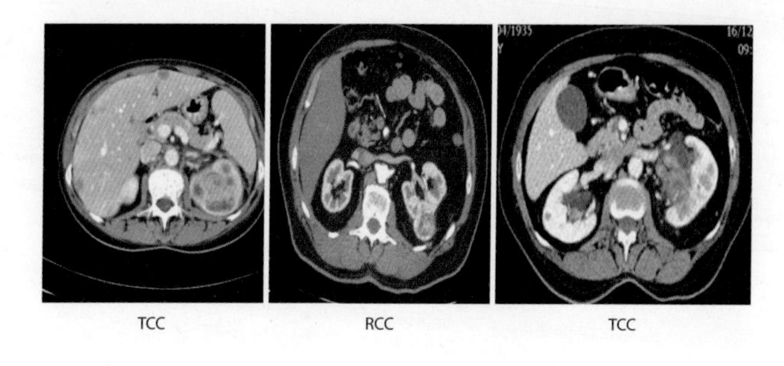

** TCC는 RCC와 달리 kidney contour를 변형시키지 않는다.

05

내분비 내과

01 서론

내분비 영역에서 쓰이는 영상의학 검사 방법

뇌하수체: X-ray Brain MRI (sellar MRI)

갑상선, 부갑상선: US, 핵의학

부신: CT. MRI, 핵의학

골(bone marrow): x-ray, 골밀도

02 뇌하수체 전엽 질환

뇌하수체 선종(pituitary adenoma)

검사: 영상의학 검사 MRI만 쓴다.

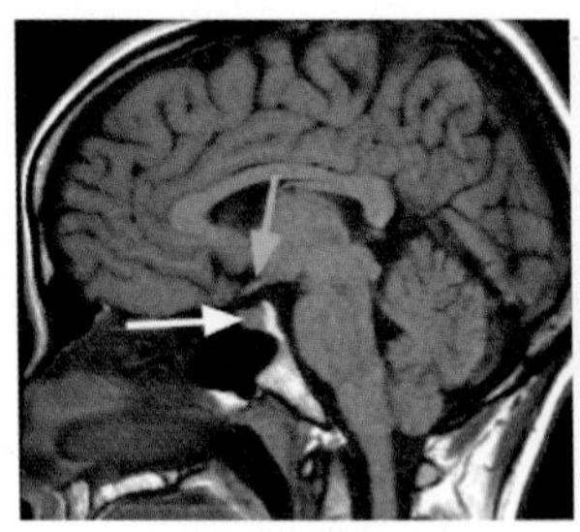

정상 pituitary gland

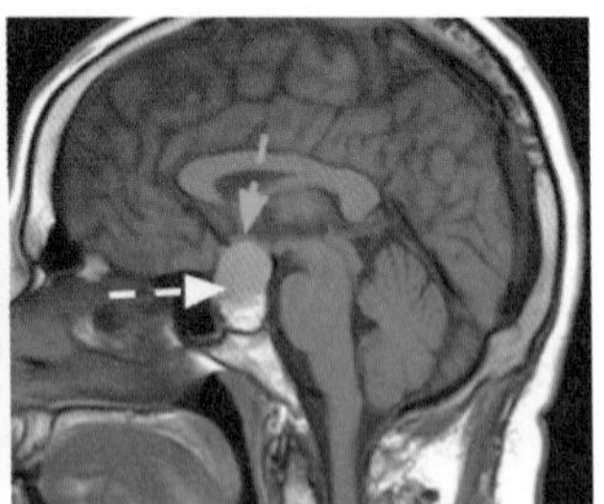

enlarged pituitary gland

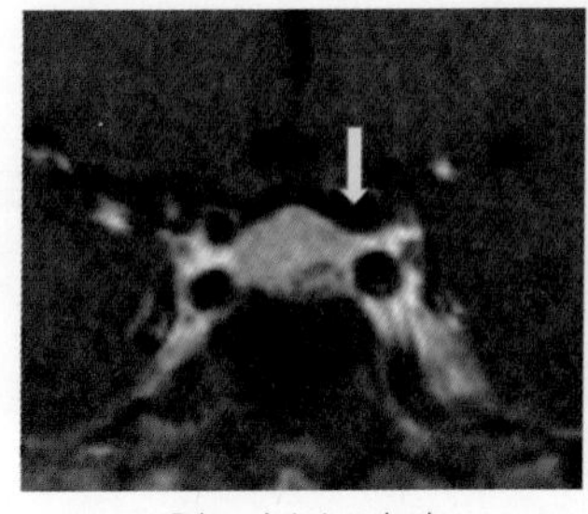

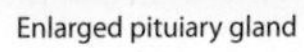

Enlarged pituiary gland

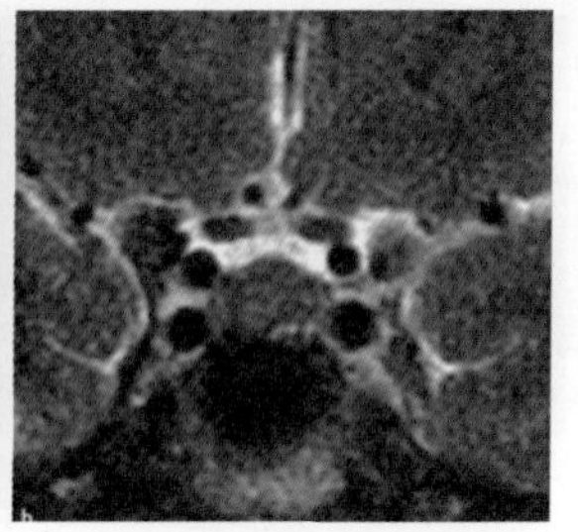

normal pituitary gland

성장 호르몬(growth hormone, GH)

GH excess : 말단비단증(Acromegaly) & 거인증(giantism)

skull x-ray, Sellar coned - down view (90% 이상 비정상)

skull thickening, sinus와 air cell 비대

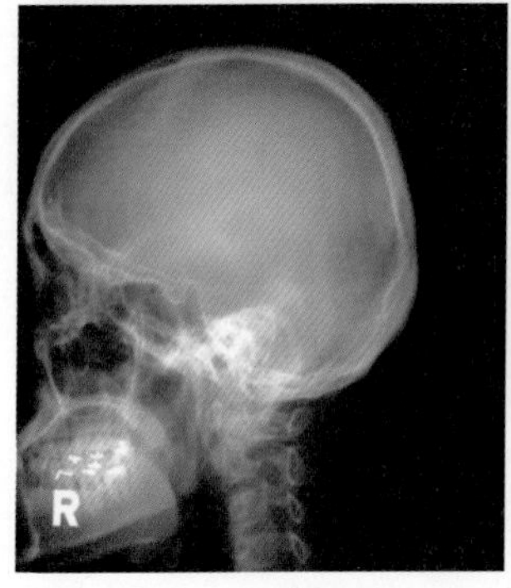

normal

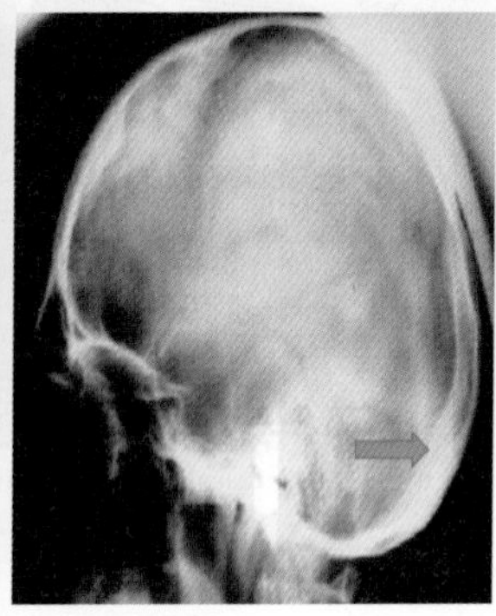

skull thickening

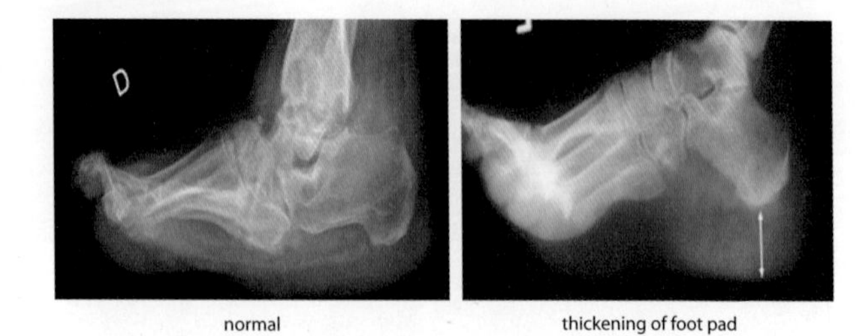

normal　　　　　thickening of foot pad

뇌하수체(기능)저하증(Hypopituitarism)

craniopharyngioma(두개인두종)

Brain MRI로 진단

suprasellar calcification, sellar enlargement, cyst

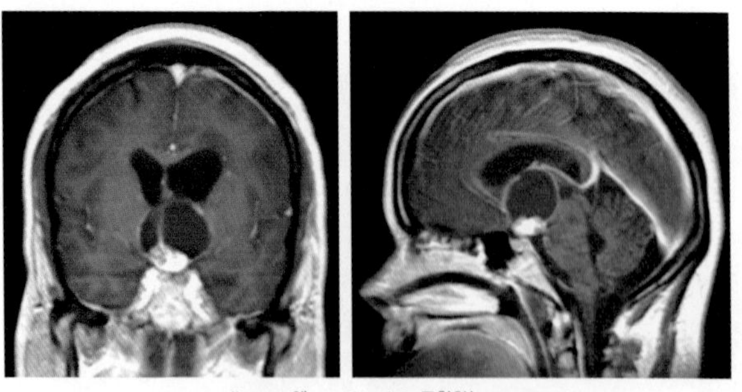

supraseallar area에 mural nodule 포함하는 cystic mass

공터키안/빈안장 증후군(Empty sellar syndrome)

Brain MRI로 진단: sellar 안의 CSF fluid를 찾는다.

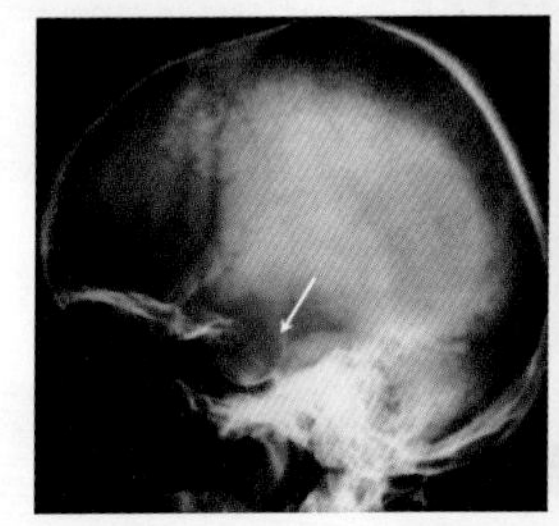

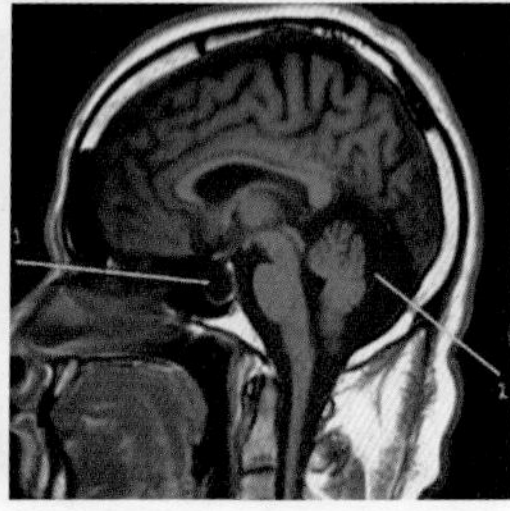

T1WI라서 CSF fluid가 low SI로 보인다.

뇌하수체 후엽 질환

요붕증(Diabetes insipidus, DI)

- MRI
  - bright spot으로 보임(정상 post. pituitary는 대개 bright spot으로 보임)
  - central DI에서는 bright spot이 보이지 않음
  - bright spot이 있으면 primary polidipsia 강력히 시사

04 갑상선 질환

검사

갑상선 검사는 US를 주로 사용한다.

이전에는 thyroid US를 사용했다.

정상 갑상선 초음파 이미지

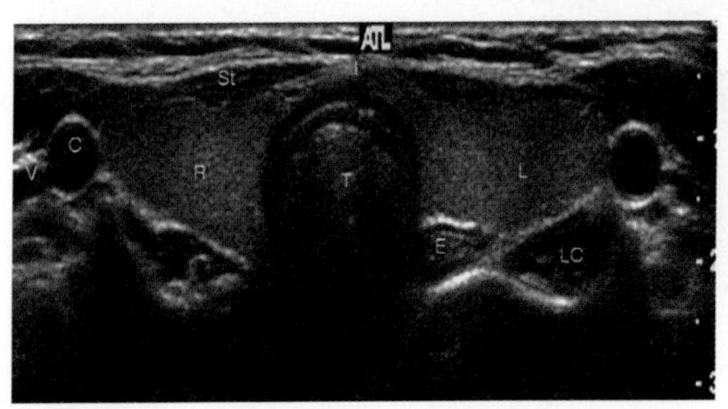

V: int. jugular vein　E: esophagus listhmus　L: left lobe　R: right lobe
St: strap muscle　LC: longus colli muscle　C: carotid artery

Grave's disease

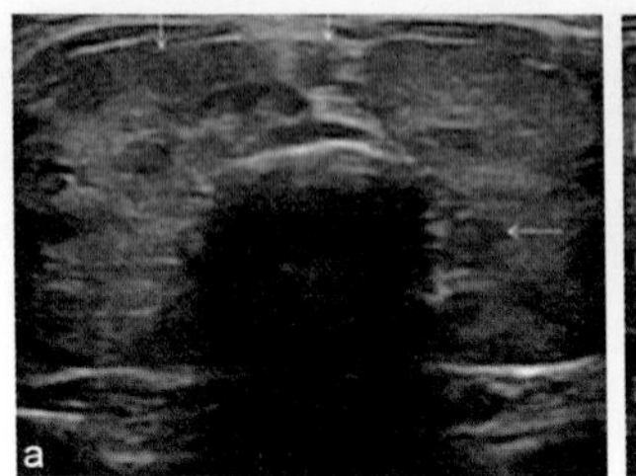

diffusely, low echogeneity

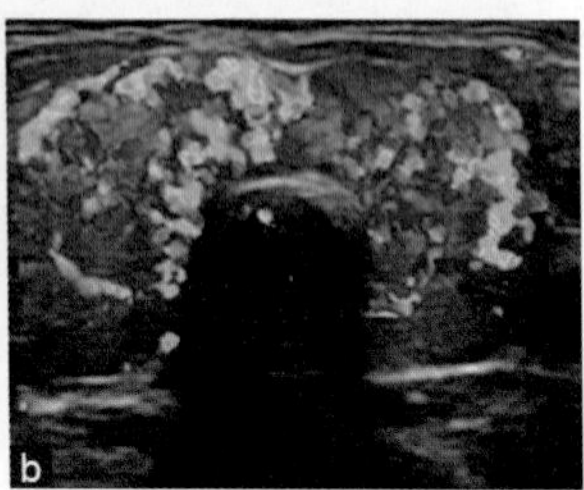

hyperemia (blood blow 증가)

갑상선 종양

암 의심 US 소견 3가지 ··· 진단 예민도는 낮으나, 특이도는 높음

1) 미세석회화(microcalcification): 1 mm 이하, acoustic shadowing이 없는 밝은 점
2) 침상 or 소엽성 경계(spiculated/microlobulated margin)
3) 비평행 방향성(nonparallel orientation) or 높이가 너비보다 큼(taller than wide)

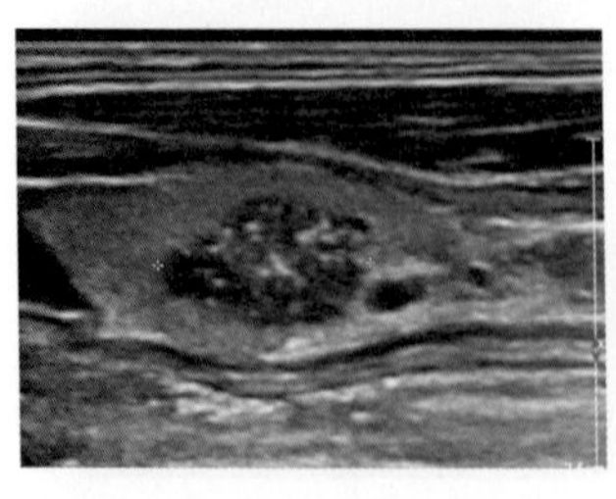

Thyroid cancer: spiculated border with microcalcification, mass

CT, MRI, PET 등은 갑상선 결절의 기본 검사로는 필요 없음

- PET (다른 목적으로 시행 중 우연히 갑상선 결절 발견 시)

  1 cm 넘는 focal upkate가 있으면 조직검사 한다(단 TSH가 낮으면 thyroid scan).

  diffuse uptake(대부분 Hashimoto's thyroiditis 등)이면 TFT, US한다.

05 부갑상선 질환

원발성/일차성 부갑상선 기능항진증(Primary hyperparathyroidism)

1. 골막하 골흡수(subperiosteal bone resorption) – 가장 특징적인 소견

2. osteitis fibrosa cystica → brown tumor

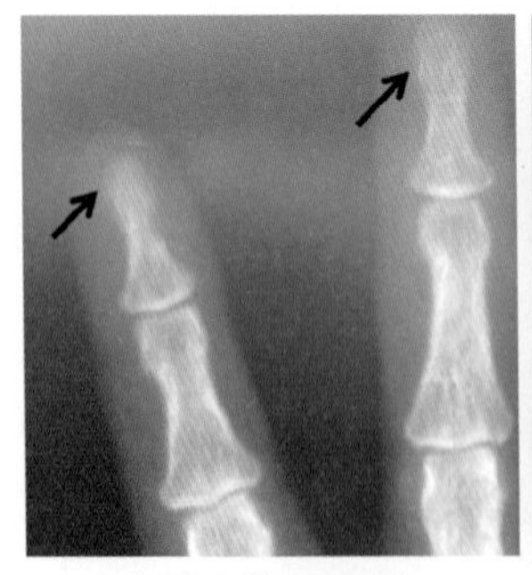

subperiosteal bone resorption

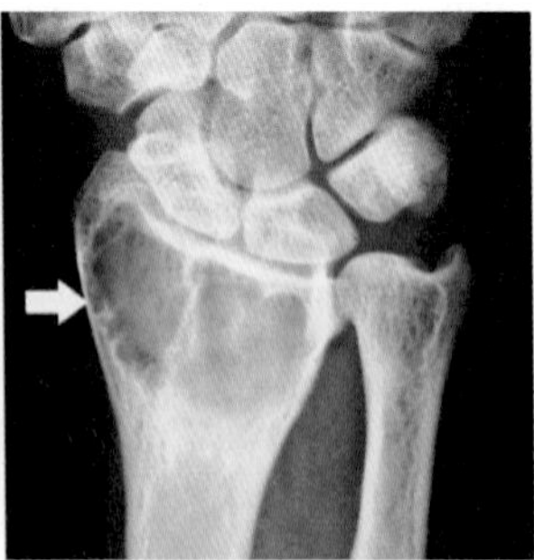

Brown tumor

3. skull: punched-out lesion

4. 요추 측면의 얼룩무늬: hyperostosis

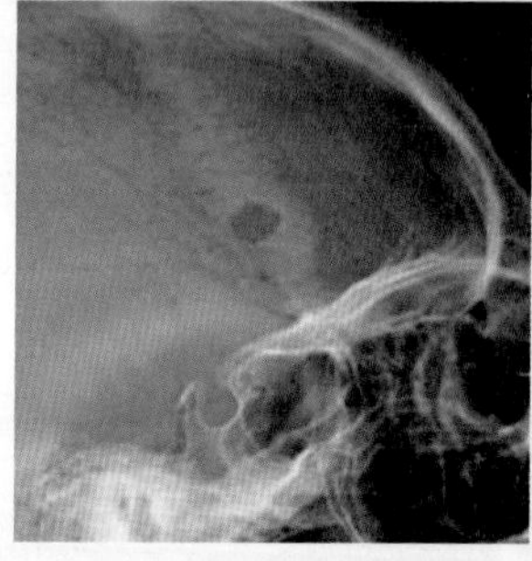

Cystic lesion

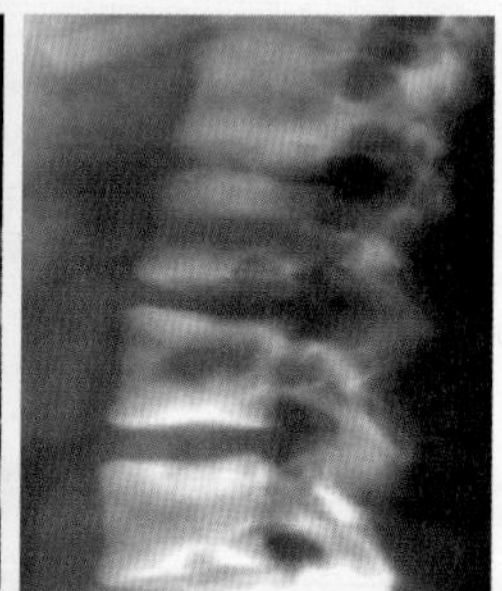

Rugger jersey spine

부갑상선 기능저하증(hypoparapthyroidism)

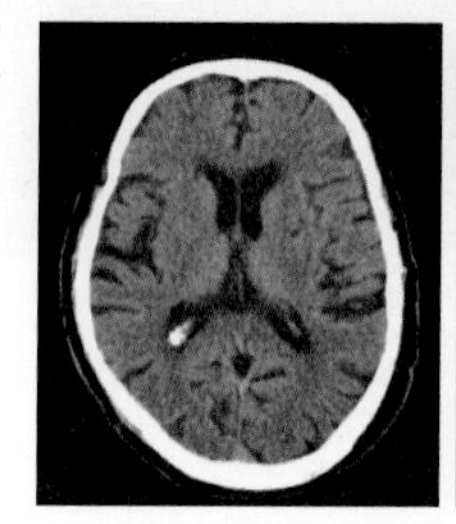

Brain CT: normal

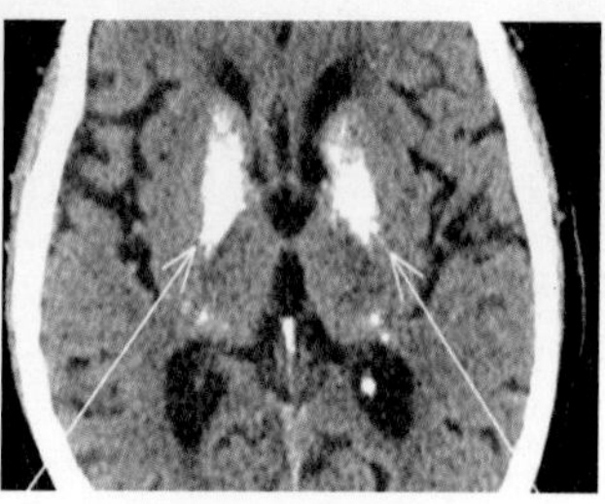

basal ganglia calcification, both
주의: 정상적으로도 석회화가 올수 있음

06 대사성 골질환

골다공증/뼈엉성증(osteoporosis)

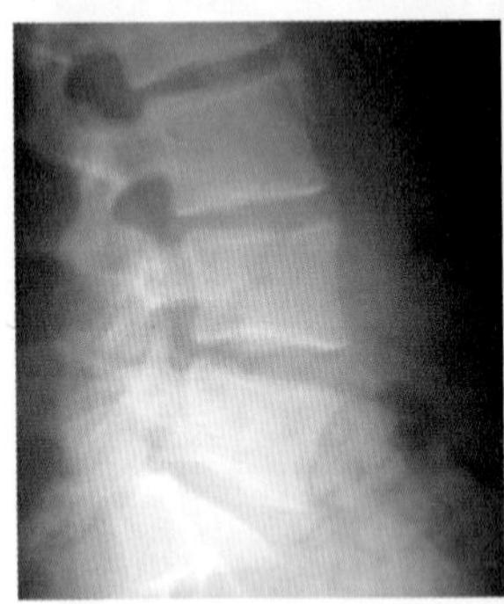
정상 골밀도: end plate가 분명하지 않다.

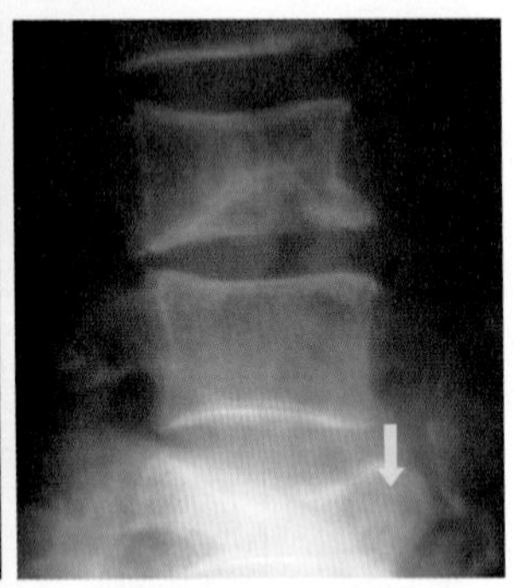
골다공증: body에서 뼈가 빠져나가 vertebral endplate가 선명하다. 압박골절도 보인다(⟹).

- prominence of the end plate
- horizontal trabeculare 소실
- spinal column과 주위 soft tissue 간의 정상 contrast 소실
- vertebral deformity: collapse, anterior wedging
- coldfish deformity (intervertebral disc 팽창)
- fracture (mid–lower thorax, upper lumbar)

골연화증(Osteomalacia)/구루병(Rickets)

Pseudofracture (Loose's zone)

bone density 감소, periosteal resorption, Biconcave collapsed vertebra

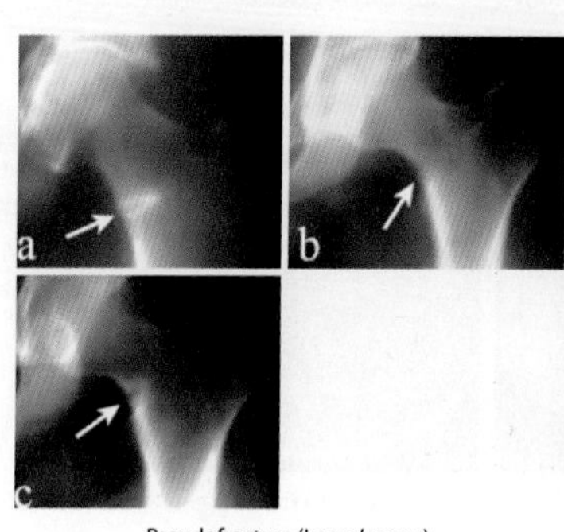

Pseudofracture (Loose's zone)

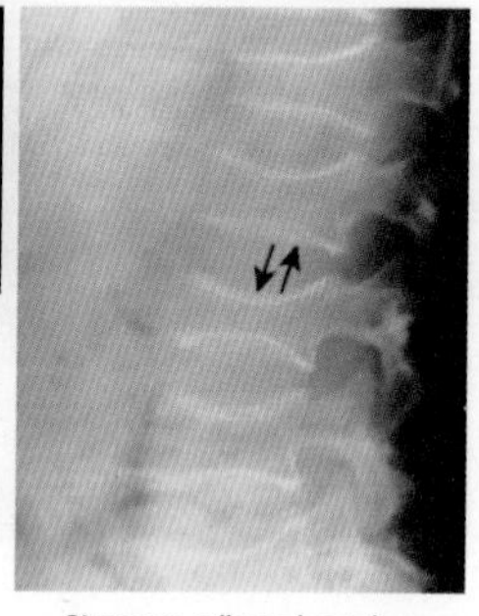
Biconcave collapsed vertebra

크롬친화세포종/갈색세포종 (Pheochromocytoma)

adrenal gland의 mass는 크기로 진단이 가능하다.

3.6.9만 알면 된다.

Adenoma는 3 cm, pheochromocytoma는 6 cm, adrenal cancer는 9 cm 넘는다.

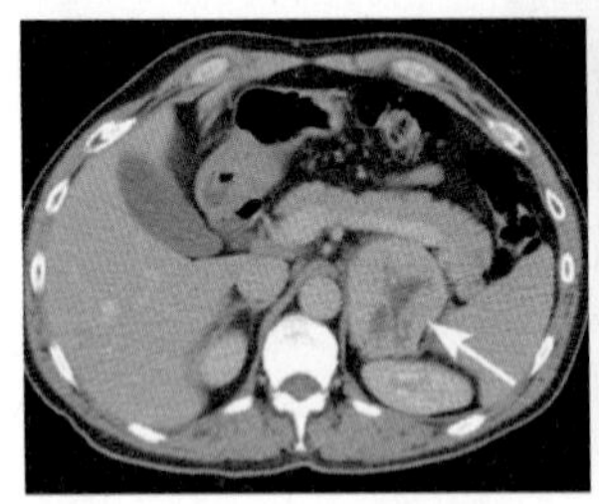

CT: Lt. pheochromocytoma

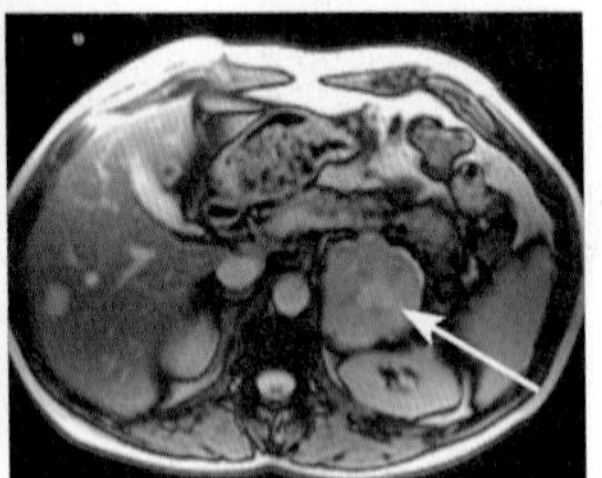

MRI: Lt. pheochromocytoma

부신피질 질환

고알도스테론증(Hyperaldosteronism)

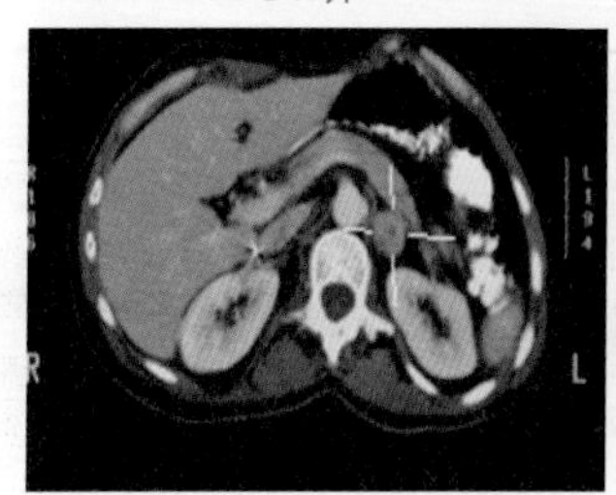

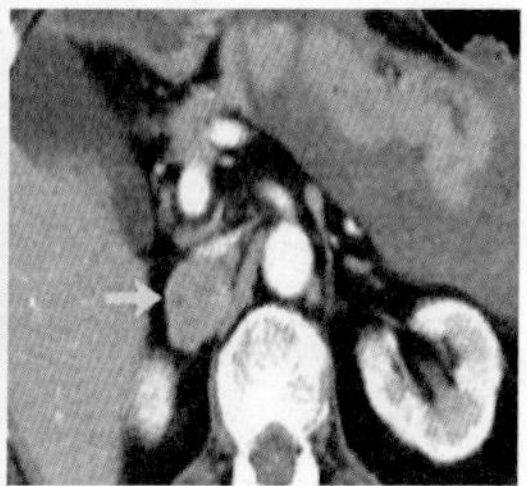

Adrenal gland adenoma (vertebra body보다 확실히 작다.)

부신 우연종(Adrenal incidenctal mass)

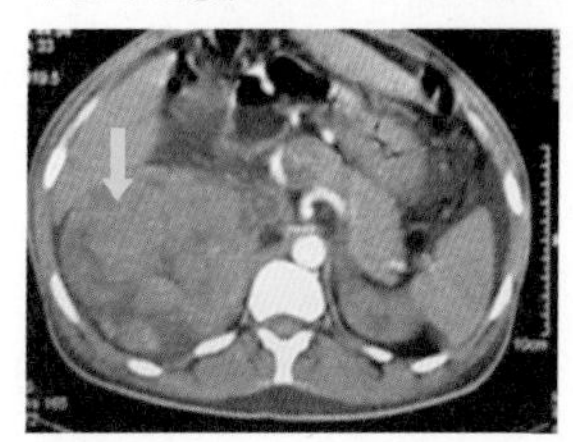

Adrenal gland cancer: 9 cm 이상이면 진단 가능(vertebral body보다 월등히 크다, vertebral body는 6 cm)

06

혈액종양 내과

들어가기 전

Bone marrow의 영상변화를 볼 수 있다.

Bone scan, PET 등에 대해 알아두면 좋다.

07 림프종 (Lymphoma)

Lymph node가 있는 곳은 어디나 생길 수 있다.

전신 어디에나 생길 수 있는 종양이다.

CNS lymphoma

: 영상의학적 소견이 다양하여 영상만으로 진단은 불가하다.

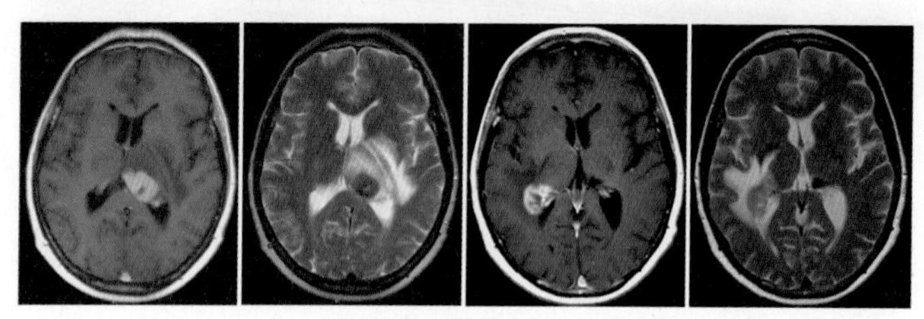

Brain MRI: cerebral lymphoma

Orbit lymphoma

안구침범이 심하므로 반드시 slit lamp 검사를 시행한다.

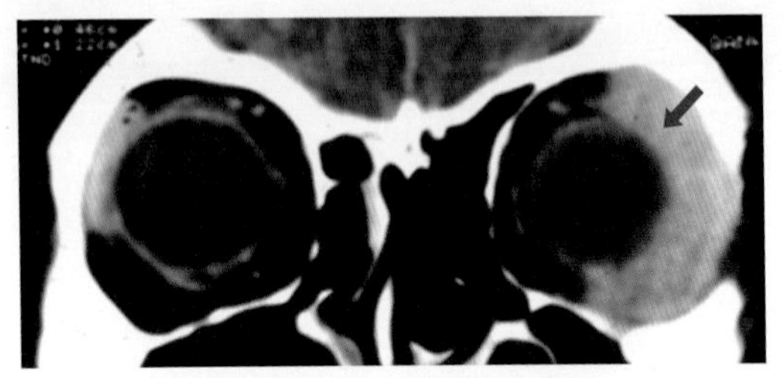

Lt. eyeball lateral portions의 soft tissue lesion.

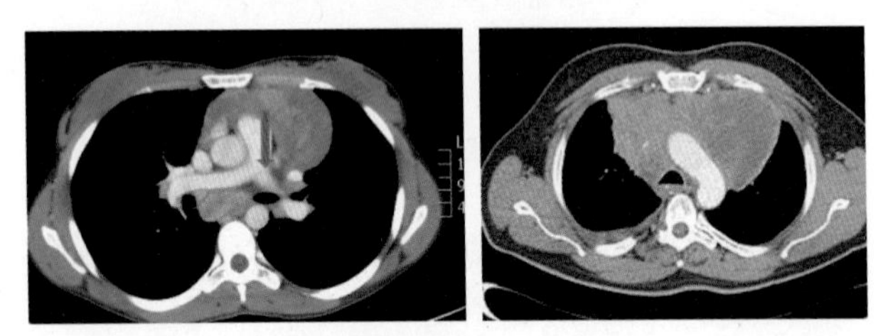

종격동 림프종: 균일한 저음영의 종괴가 혈관주변에 있다.
림프종의 특징은 혈관사이에 흘러들어가 채우는 소견이다.

08 형질세포 종양

1. 형질세포 골수종(plasma cell myeloma) = 다발성골프종(Multiple myeloma)

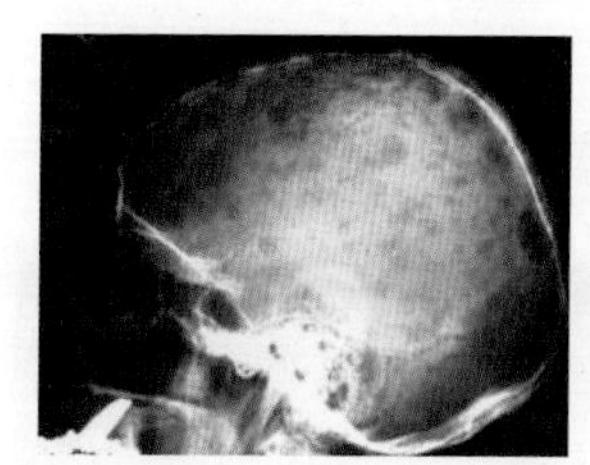
Multiple, osteolytic lesions

Bone x-ray: axial skeletone에서 multiple, punched-out osteolytic lesion

Radiolucent, osteolytic bone tumor

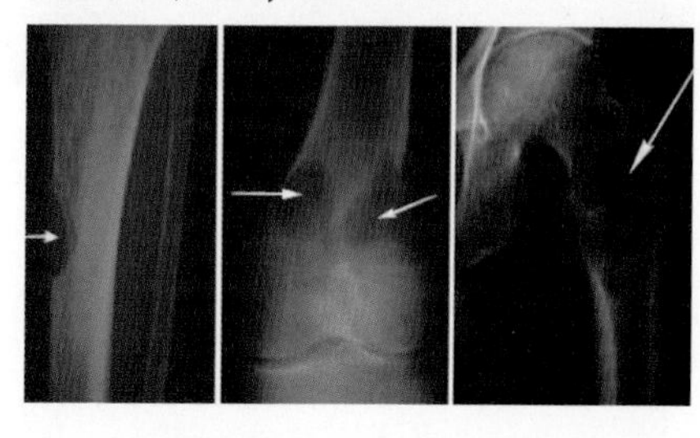

Bone scan:
bone lesion 발견에 도움이 안 된다(osteolytic lesion은 ostoblastic activity가 없다).
→ R type 문제 만들기 좋다: 골밀도 검사는 해야 하고 bone scan은 할 필요 없다.

비장

비장/지라비대(splenomegaly)

splenomegaly: 300 g 이상(정상: 80~200 g, 평균 150 g)

massive splenomegaly: 1000 g 이상 or 좌측 갈비뼈 아래로 8 cm 이상 촉진

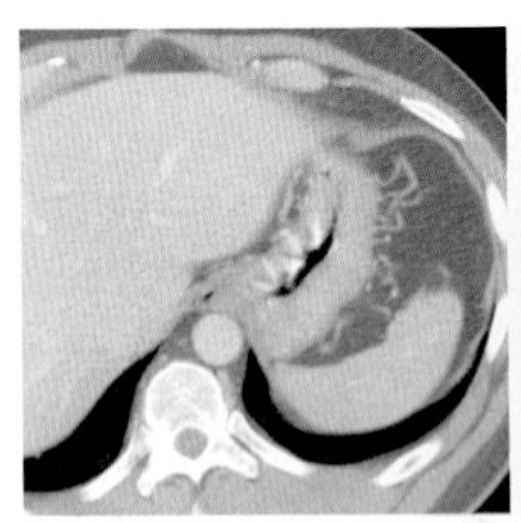

Normal spleen

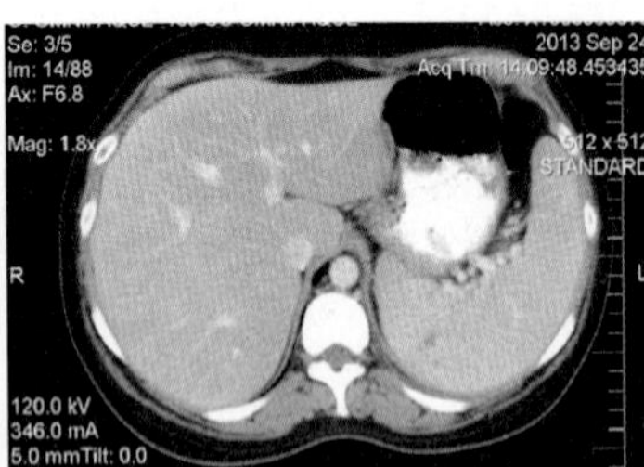

splenomegaly: rib 4개 이상에 걸쳐 있다.

16 종양학에서의 응급의학

척수압박(malignant spinal cord compression)

compression Fx.와 유사한 소견을 보이게 되는데 pedicle erosion,
동반되는 soft tissue mass 등에서 차이가 난다.
cf) old age compression Fx.의 경우 underlying osteoporosis가 있는 경우가 많다.

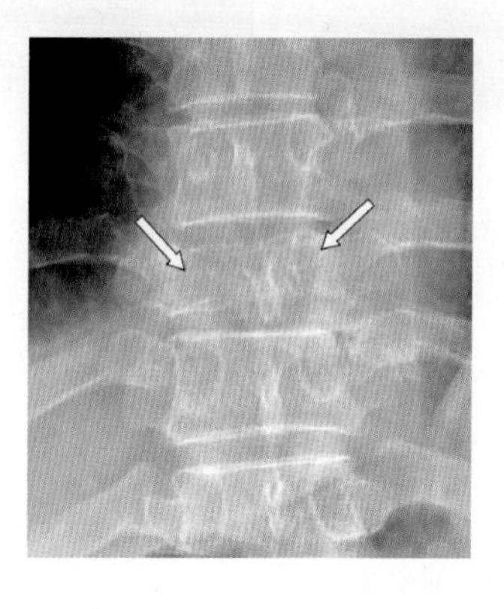

- spinal body, pedicle에 전이, bone destruction 보임
- pedicle erosion/loss (wingle owl sign): 가상의 부엉이를 그리고 pedicle을 두 눈으로 가정할 때 pedicle이 파괴되면 부엉이 눈에 이상이 온 것처럼 보임. spine의 구조상 비슷한 구조가 반복되어 소견을 놓치게 될 가능성이 있어, 가상의 이미지를 놓고 판독하는 경향이 있음. 시험에 출제되지 않는다.
- intrapedicular distance 증가, vertebral destruction

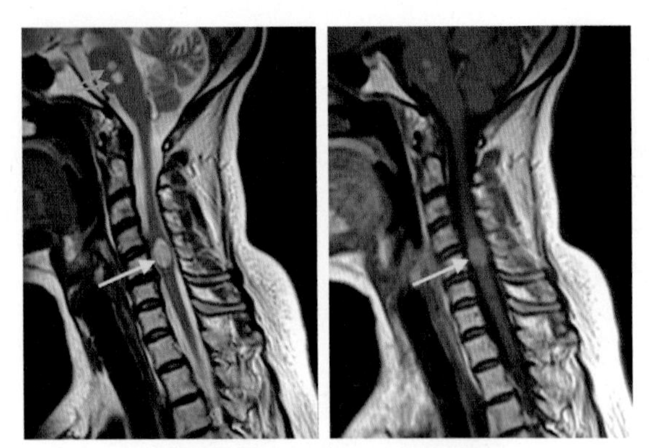

C-spine MRI: C4 level의 spinal cord metastasis

갑작스러운 신경학적 증상이 올 수 있다.

두개내전이(intracranial metastasis)

– 암 환자의 25%는 뇌전이로 사망함
lung cancer, GI cancer, breast cancer, melanoma가 흔히
intracranial metastasis를 일으킴

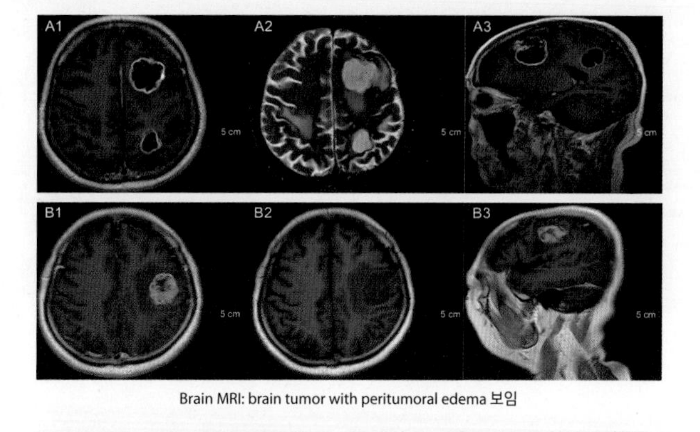

Brain MRI: brain tumor with peritumoral edema 보임

Leptomeningeal metastasis (Neoplastic meningitis)

- MRI (brain+spine): meninges의 nodular tumor deposity,

  diffuse meningeal enhancement

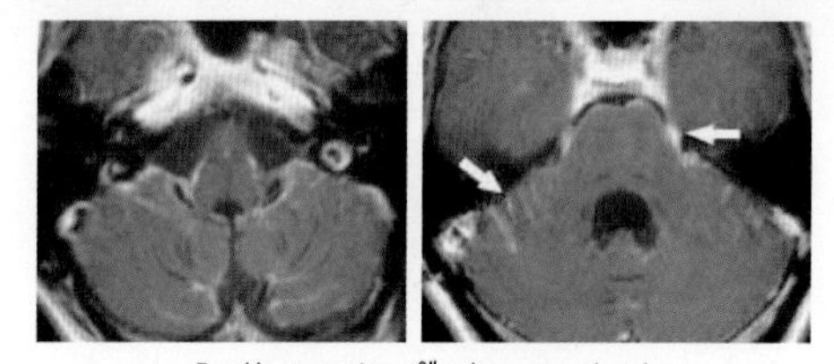

Focal leptomeninges에 enhancement(⟹)

- Brain 진단에서: CT냐 MRI냐를 묻는다면
  - 무조건 MRI!!이라고 할 만큼 MRI가 좋다.

- CNS 영역에서 CT/MRI 묻는 경우 SAH, trauma 등으로 인한 hemorrhage 검사를 제외하고는 MRI가 우월하다.
- 해상도가 뛰어나다. 여러 평면으로 study가 가능하다. radiation hazard는 없다. Contrast를 사용 안 해도 어느 정도 잘 보인다.

cf) brain tumor, brain metastasis 진단 하에 CT를 시행하면서 contrast agent를 쓰지 않는 것은 바보나 하는 짓이다.

상대정맥 증후군(SVC syndrome)

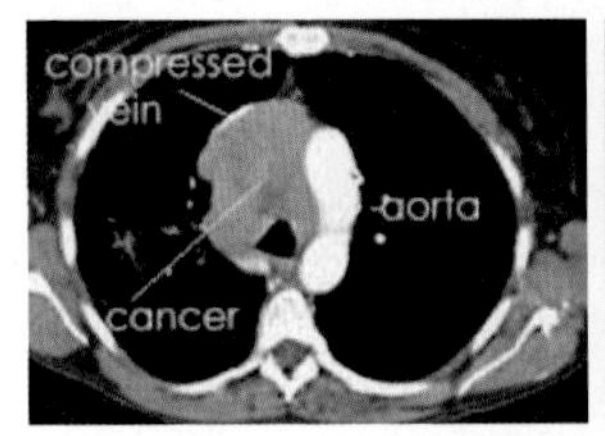

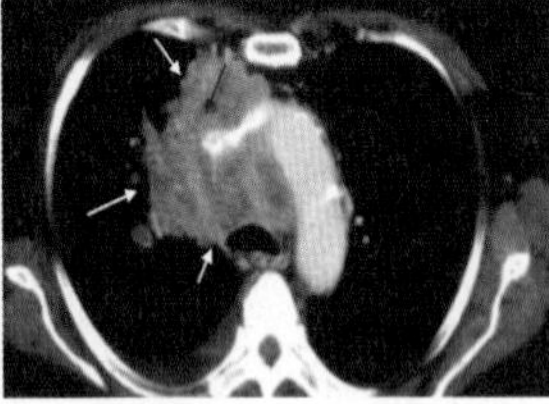

CT: SVC가 mass에 의해 compression 되어 있다.

원발병소 불명암 (Carcinoma of unknown origin)

특별히 아픈 곳이나 증상이 불분명하다는 가정하에 이상적인 image study protocal을 만들어 보았다. 아래의 순서대로 시행한다.

① PET: tissue의 변화 이전에 cell metabolism level의 abnormality를 detection하여 image화 한다. 전신 scan이 가능하며, 조기 발견 능력이 가장 우수하므로 고급 검진 및 원발병소 불명암의 screening에 사용된다.

② Endoscopy (stomach, colon), PAP smear: PET가 mucosal lesion에는 다른 곳보다 취약하므로 mucosal study를 병행하는 것이 좋다.

③ 여성의 경우: mammograpy: mammary duct의 malignancy의 detection을 위해 사용, PAP (2가지 추가)

07

감염 내과

I 06 중추신경계 감염

무균성 뇌수막염

- 대부분 bacterial meningitis보다 증상이 경미하고, 자연 치유됨
- HIV meningitis에서는 cranial nerve palsy가 흔함(5, 7, 8)
- 특별한 검사 소견은 없다.
- MRI: 비특이적이나,
  HSV encephalitis에서는 특징적인 hyperintensity를 보임
- HSV encephalitis
  - Temporal lobe의 hyperintensity를 보임(T2WI)

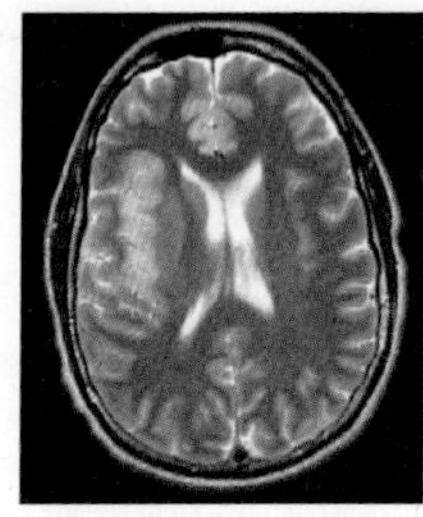

High SI lesion Rt.temporal

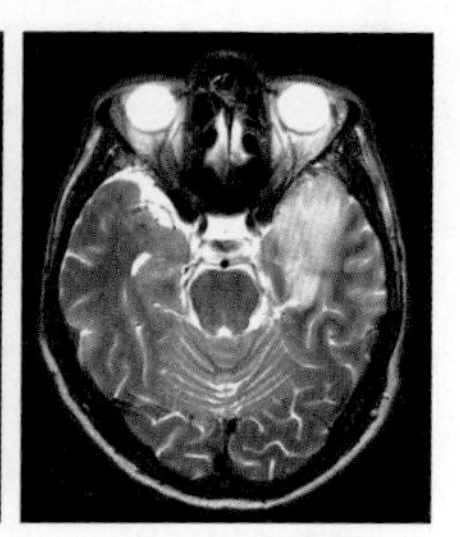

High SI, Lt.temporal base

결핵성 뇌수막염(Tuberculous meningitis)

CT, MRI 소견: hydrocephalus, basal enhancement (basal cistern 주변의 조영증강)

tuberculomas

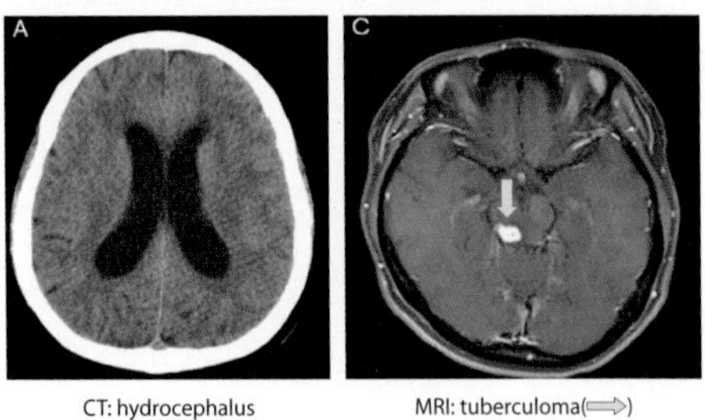

CT: hydrocephalus MRI: tuberculoma(⇨)

뇌농양(Brain abscess)

metastasis, glioblastoma multiforme와 항상 감별해야 한다.

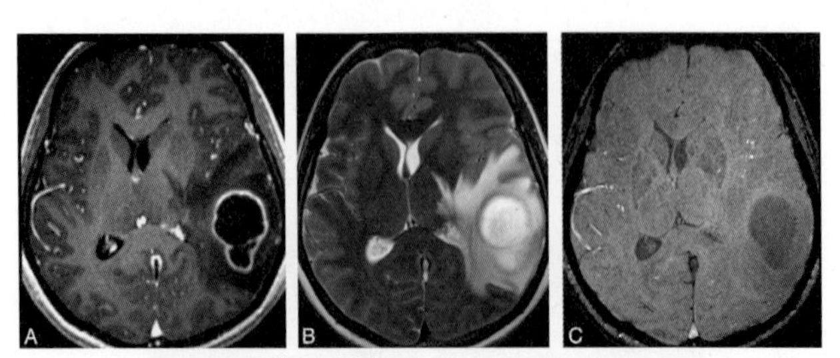

Lt. occital lobe에 ring 모양의 abnormal SI: T1WI, T2WI, proton image

기타 감염 질환

급성 부비동염(acute sinusitis)

- orbit 비교하여 hypodense(검은 것)이 정상
- orbit와 같거나 높은 density 보이면 sinusitis 있는 것으로 간주
- sinus 내부의 wall thickening, mucocele 등도 sinusitis 시사하는 소견임

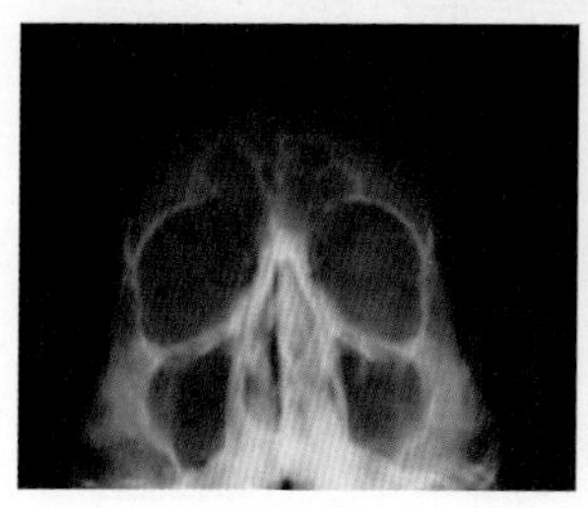

Normal PNS

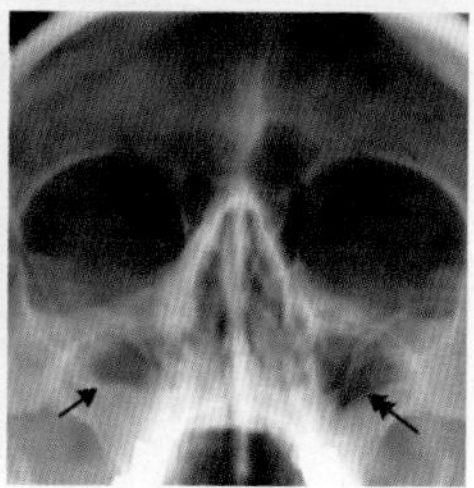

air-fluid level, both maxillary sinus

복강내 농양(Intraabdomnial abscess)

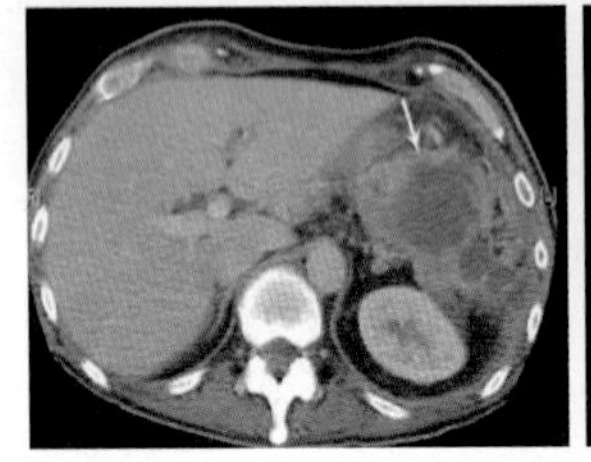

Liver Lt.lobe과 Lt.kidney 사이의 abscess

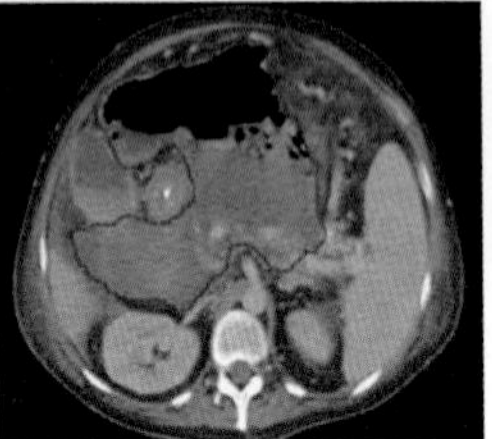

air- fluid level을 보이는 abscess

골수염 (Osteomyelitis, OM)

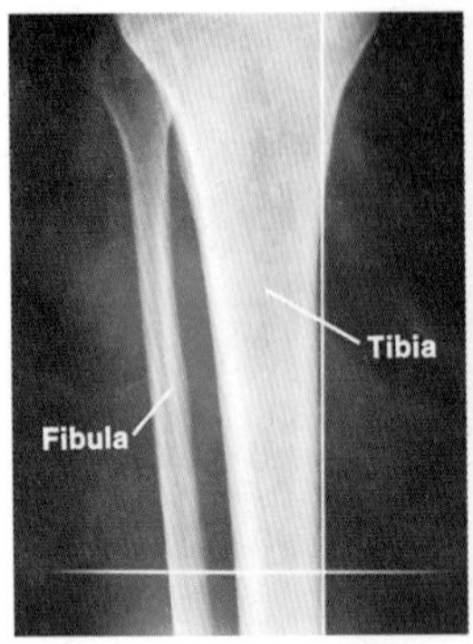

정상소견

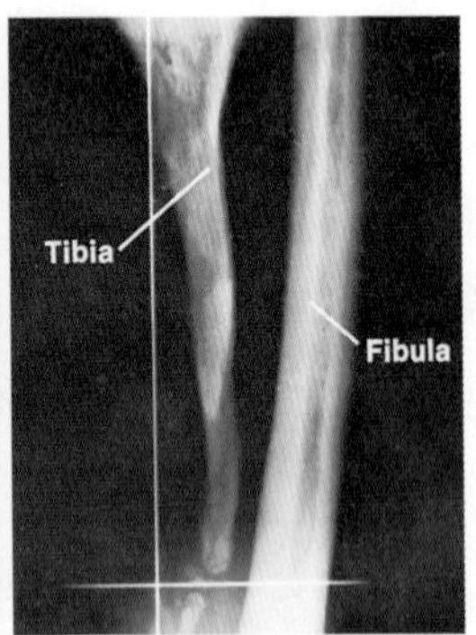

골수염(osteomyelitis)

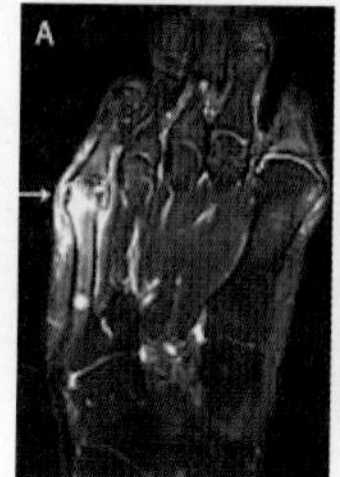

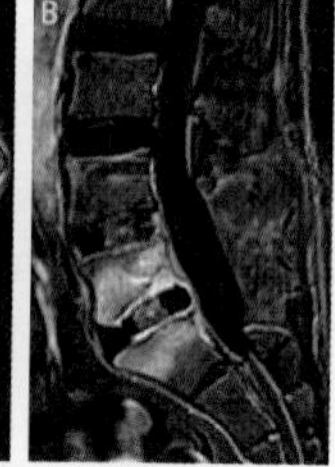

MRI: 5th toe osteomyelitis MRI: L5, S1 osteomyelitis

Part II 그람 양성 세균감염

Part III 그람 음성 세균감염

Part IV 기타 미생물 감염

Ⅳ 06 진균감염

Aspergillosis

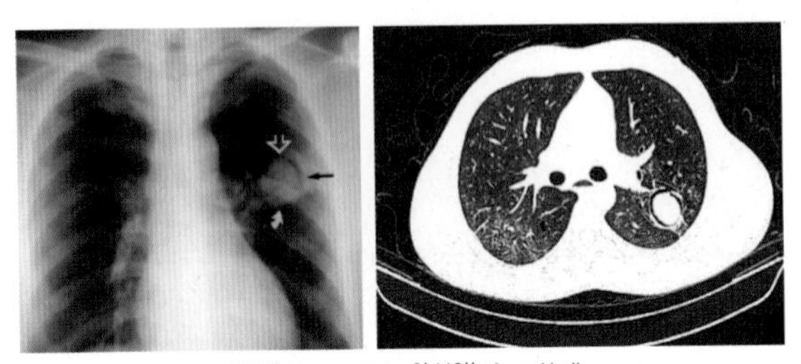

상부에 air-cresent sign이 보이는 fungal ball

Mucormycosis(털곰팡이증)

CT: initial imaging study, 병변의 범위 파악 및 bony erosions 발견에 더 좋음

MRI: CT보다 orbit, cavernous sinus, CNS 침범 발견에 더 좋음

sinus에 infection되는 경우가 많음

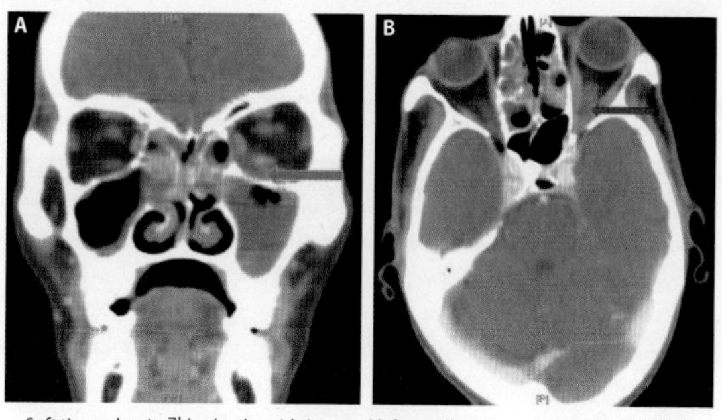

Soft tissue density가 both ethmoid sinus and left maxillary sinus and Lt.orbit에 보인다.

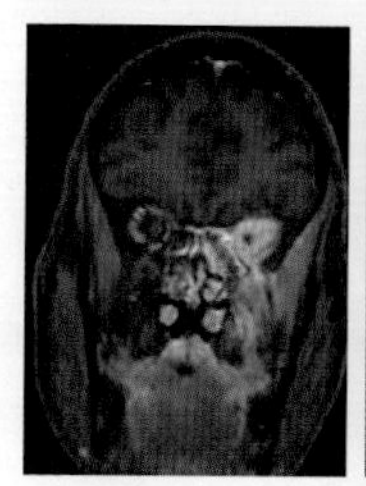

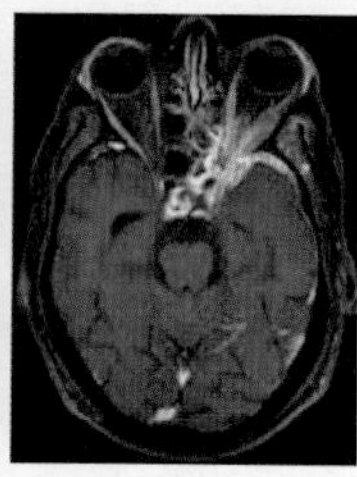

Lt. orbit apxe의 mucormycosis, meningeal enhancement도 보인다.

포자충(pneumocystitis) 감염

Pneumocyst carini (PCP pneumonia): 임종평/전공의시험

AIDS 등 immunocompromised patient.

- Chest PA: perihilar regions에서 퍼져 가는 bilateral diffuse infiltration (ground-glass opacity: 나비모양) – chest로 진단 묻지 않음

Chest PA 소견이 정상인 경우도 있다. chest PA 소견이 정상이어도 PCP pneumonia

일 수 있다.

PCP 가 의심되면 HRCT 시행하는 것이 좋다.

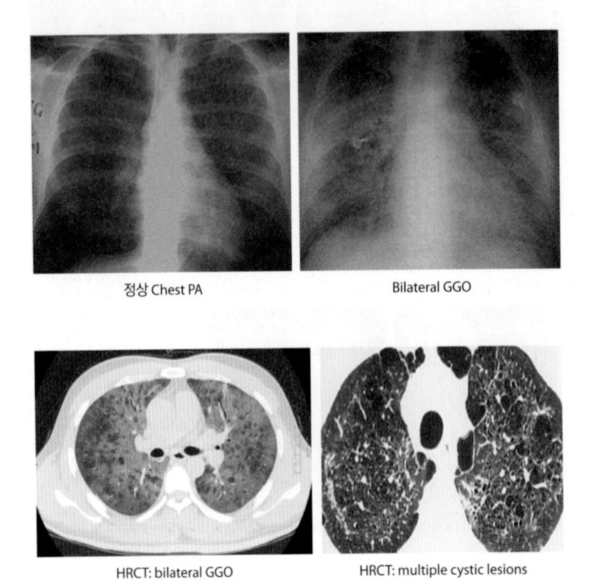

정상 Chest PA

Bilateral GGO

HRCT: bilateral GGO

HRCT: multiple cystic lesions

기타 기생충 감염 질환

Paragonimiassis (Lung flukes, 폐흡충증)

- 병인; 피낭유충(metacercariae) 섭취 → 십이지장에서 탈낭 → 장관벽을 뚫고 복강으로 나옴 → 복벽과 횡격막을 관통하여 흉강으로 이동 → 폐 조직을 침입하여 성충으로 자람
- Chest PA: 폐침윤의 빠른 변화, ring cysts, nodule, pleural effusion, atelectasis pneumothorax 등 다양한 양상 보일 수 있음
- 매우 다양한 양상으로 보여 chest PA만으로는 진단이 불가능하다.

: 횡격막을 관통하며 pneumothorax가 생길 수 있다.
Clinical history와 chest PA의 rapid change가 진단에 도움이 된다.

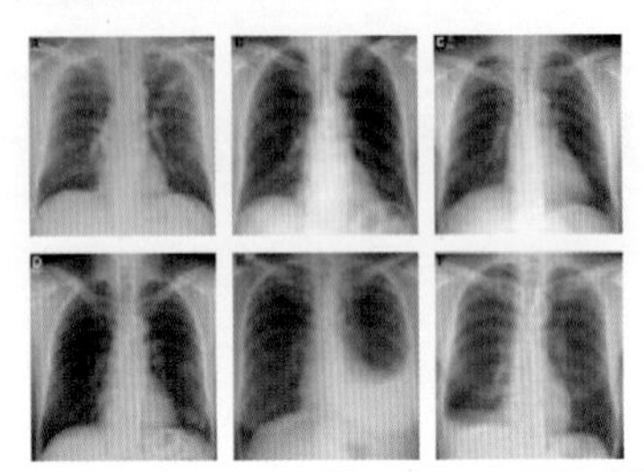

Paragonimiasis는 다양한 chest PA 소견을 보여 chest PA만으로는 진단은 불가능

Cysticercosis

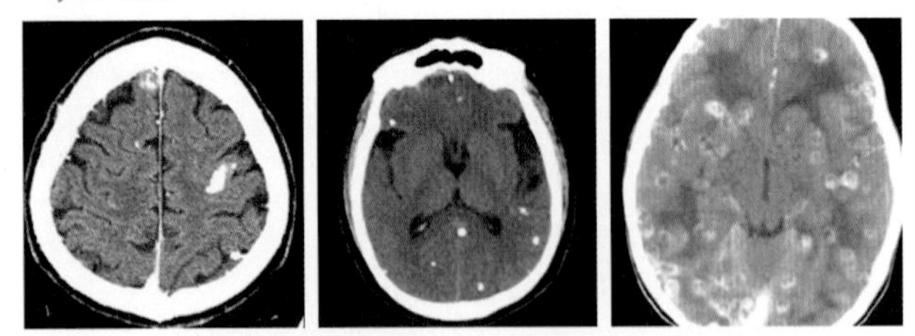

CT: calcification 찾는 데 가장 좋다. Single to multiple, calcified nodules.

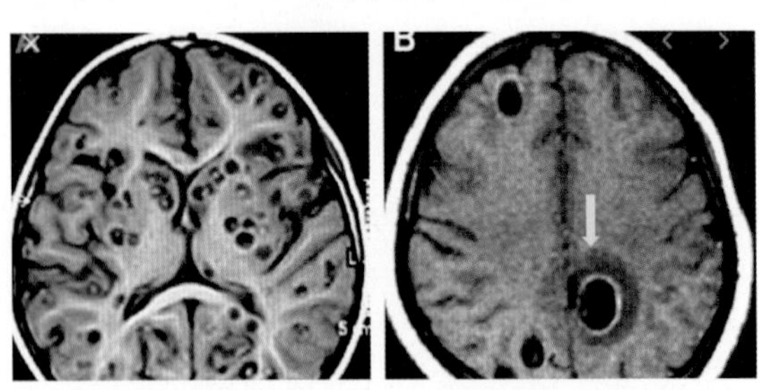

MRI: multiple, calcific nodules

nodule with cerebral edema

08

류마티스 내과

01 서론

90% 이상 x-ray로 충분하다.

Joint 주변의 soft tissue를 보기 위해 US, MRI를 드물게 사용한다.

02 류마티스 관절염

bilateral symmertric, inflammatory polyarthritis

손: 손목, 중수지(MCP), 근위지(PIP)관절을 주로 침범(DIP joint는 드묾)

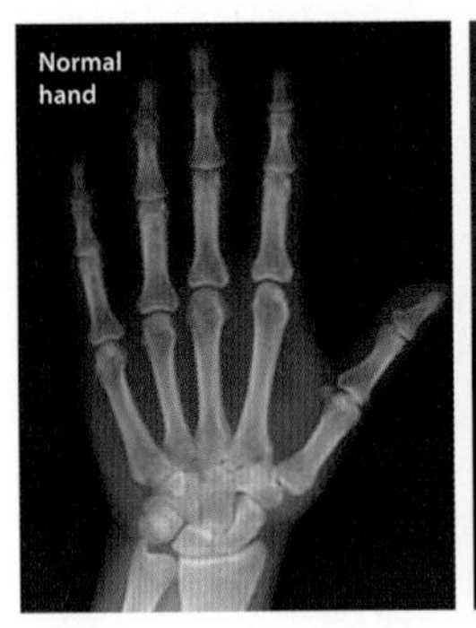

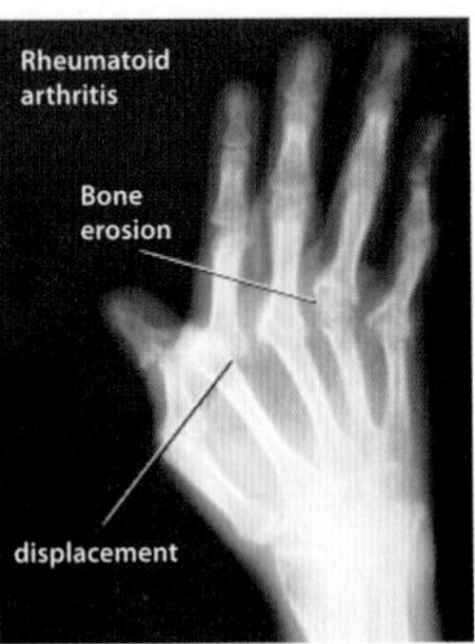

특징적인 변형

1. wrist의 radial deviation, digits의 ulnar deviation, proximal phalanges의 palmar subluxation (<u>"Z" deformity</u>)

2. PIP joints의 hyperextension, DIP joints의 compensatory flexion (Swan–neck deformity)
3. PIP joints의 hyperflexion, DIP joints의 extension (Boutonniere deformity)

atlanto–axial subluxation

measurement

distance between odontoid process and the posterior border of the anterior arch of the atlas

adult parameters

- $>$ 3.5 mm considered unstable
- $>$ 10 mm indicates surgery in RA

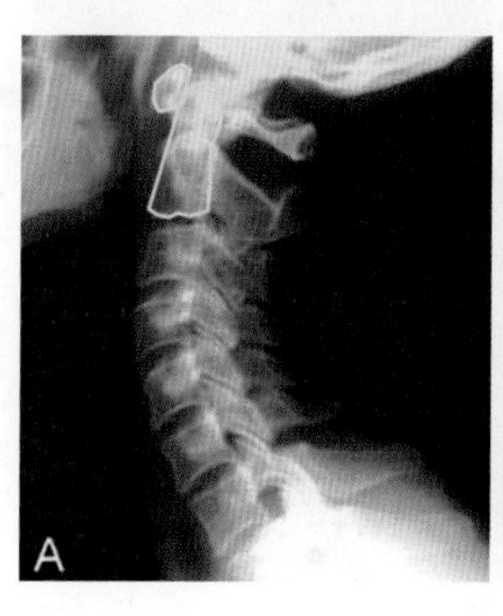

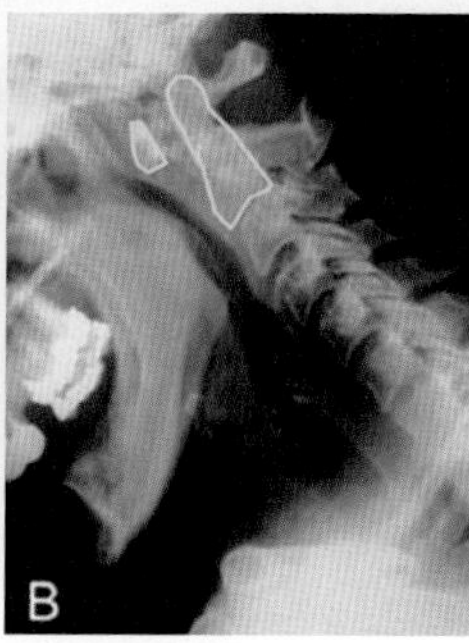

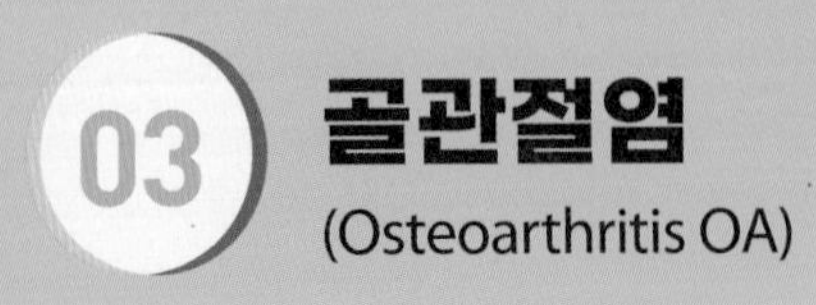

03 골관절염 (Osteoarthritis OA)

Proximal 보다는 distal joint에 involve 한다.

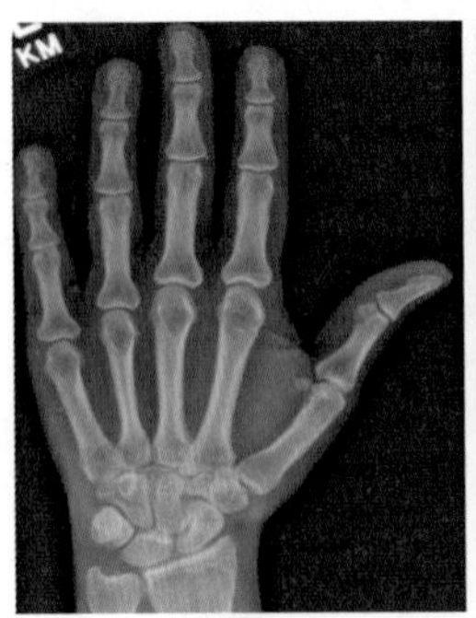

Normal

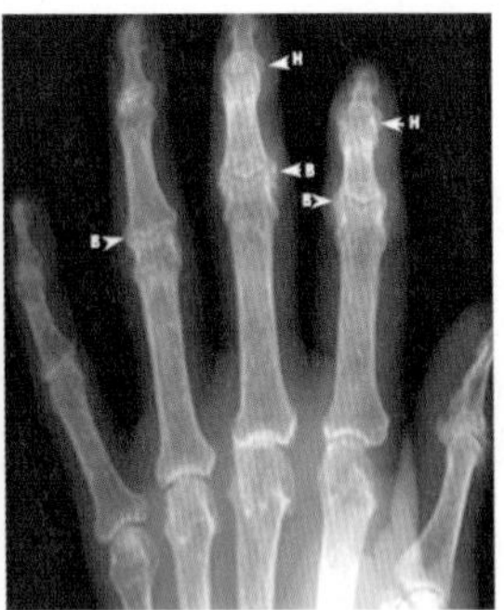

degenerative OA, distal joint

척추관절염
(Spondyloarthritis)

강직성 척추염(Ankylosing spondylitis)

- Sacroilitis (pelvis X-ray)

– spine 변화 중 가장 먼저 나타남, 진단에 필수적

– subchondral bone의 cortical margins의 blurring → erosin & sclerosis

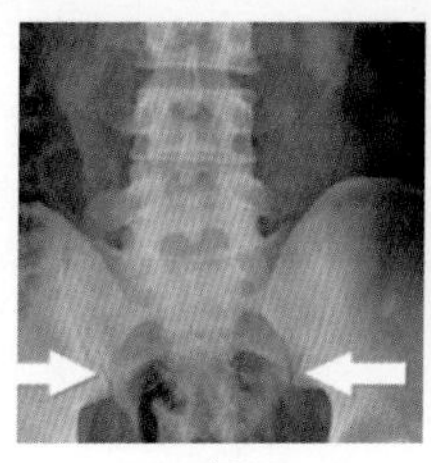

normal SI joint

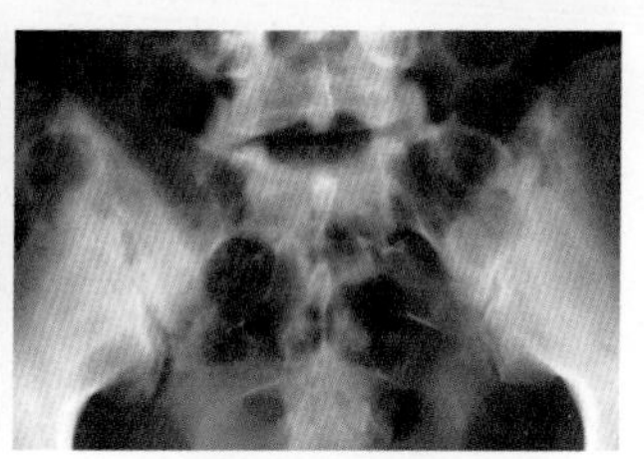

joint space narrowing, both SI

annulus fibrosus 표층의 ossification → marginal syndesmophytes (척추 사이가 뼈로 연결되는 모양) → bamboo spine

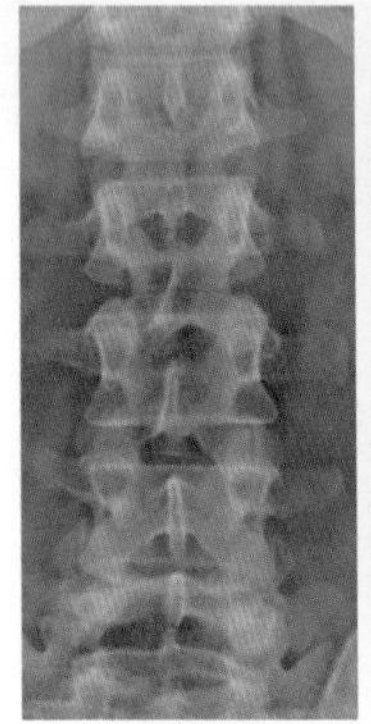
Normal spine

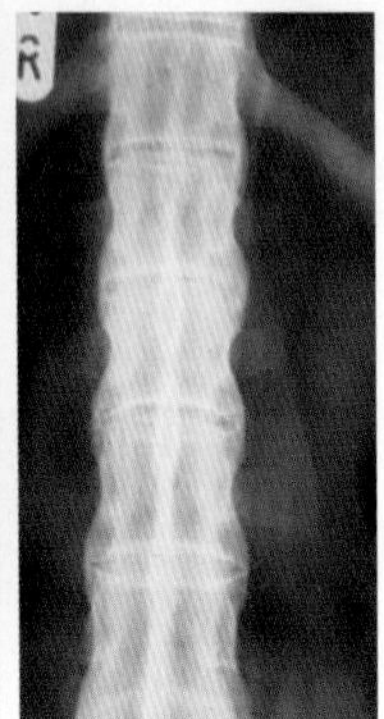

bamboo spine

결정유발성 관절염

통풍(MSU gout)

soft tissue swelling or normal (1st toe)

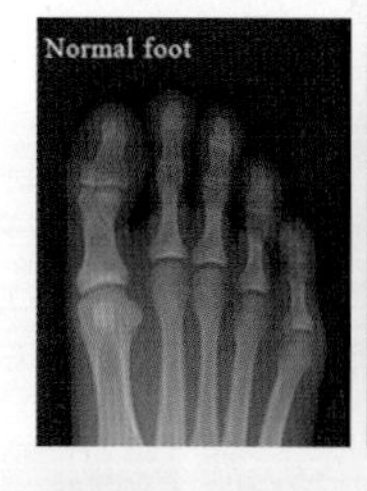

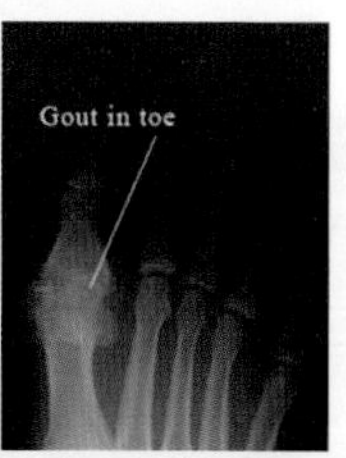

CPPD

- x-선상 연골석회화 (chondrocalcinosis)가 특징
- 주로 큰 관절: 무릎, 손목, 어깨, 발목

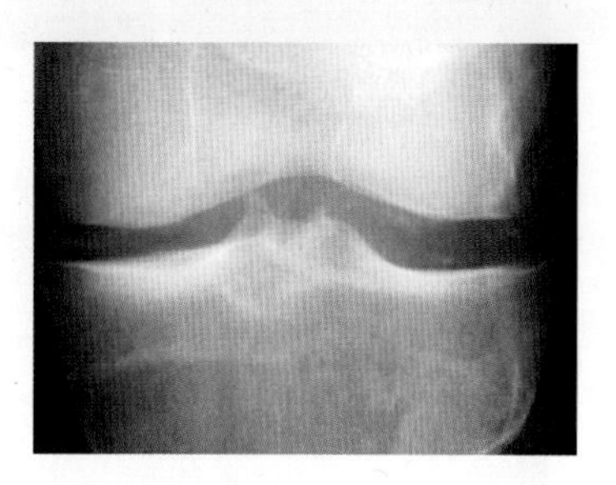

12 기타

관절주위 질환

점액낭염/주머니염(bursitis)

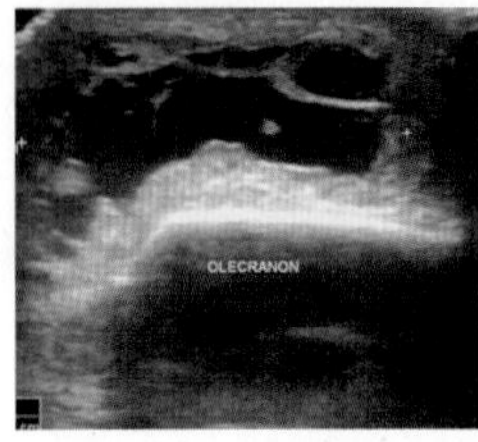

US: olecranon bursitis

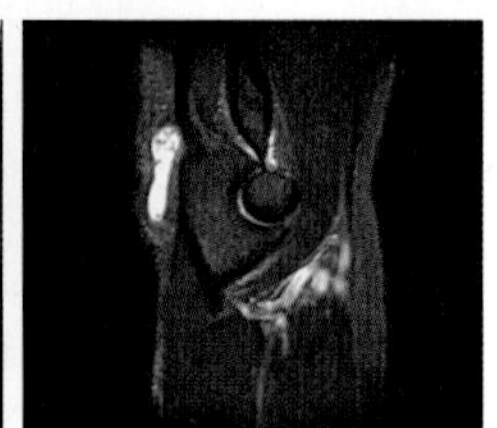

MRI: olecranon bursitis

유착관절낭염(adhesive capsulitis, frozen shoulder)

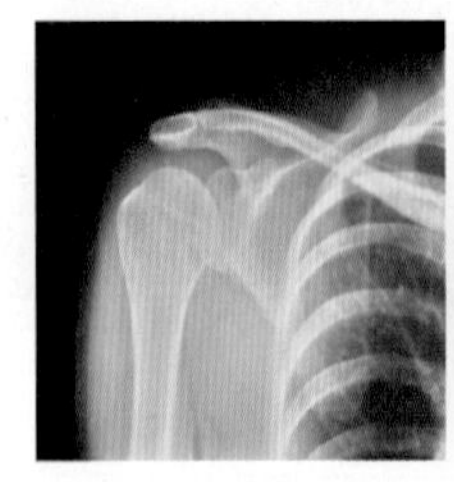

Normal

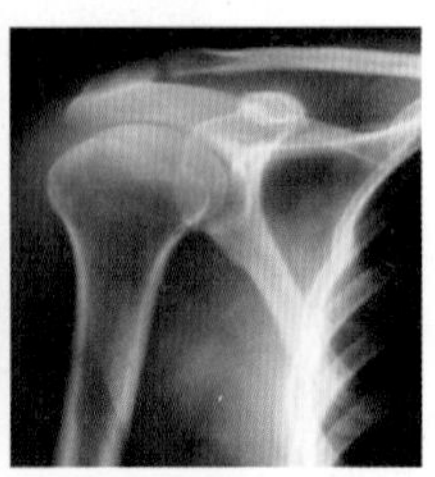

shoulder joint space narrowing